BIBLIOTECA
DE
AUTORES ESPAÑOLES

(CONTINUACION)

TOMO DUCENTESIMOSEXAGESIMOQUINTO

BIBLIOTECA

DE

AUTORES ESPAÑOLES

DESDE LA FORMACION DEL LENGUAJE HASTA NUESTROS DIAS.

(CONTINUACION)

CARTAS DE INDIAS

TOMO II

MADRID

1974

Depósito Legal: M. 18141-1974

I. S. B. N.: 84-363-0475-6
I. S. B. N.: 84-363-0476-4 (Obra completa)

Linotipias Monserrat, S. L.—Ronda de Segovia, 26.—MADRID-5

CARTAS

DE

INDIAS.

CARTAS

DE

INDIAS.

PUBLÍCALAS POR PRIMERA VEZ

EL

MINISTERIO DE FOMENTO.

MADRID.

IMPRENTA DE MANUEL G. HERNANDEZ,

calle de San Miguel, núm. 23.

1877

AMÉRICA CENTRAL.

PRELADOS

DE

GUATEMALA Y CHIAPA.

GUATEMALA.

LXXIII.

Carta del obispo de Guatemala, Don FRANCISCO MARROQUIN, *al emperador Don* CÁRLOS, *dándole noticia del estado de aquellas tierras y proponiendo varias medidas para su buen gobierno y administracion espiritual y temporal.* — MEXICO, 10 *de mayo de* 1537.

Sacra Cesarea Catholica Magestad:

SIENPRE he procurado de escrebir á V. M. las cosas susçedidas en la gouernaçion de Guatimala, y lo cunplidero ansi para lo espiritual commo para lo tenporal, ansy para el descargo de la conçiençia Real de V. M., commo para mi saluaçion, que segund la cruz que V. M. ha sydo seruido de me cargar, no será poco poder con ella. Plega á Dios que V. M. no se aya engañado é yo no sea condenado. Y porque temo, con el mal passo que a havido en la mar, las cartas no ayan llegado, quiero á V. M. hazer vn epilogo de todo lo escripto. Abrá vn año que se me representó yr á España, cosa muy apartada de mi pensamiento y desseo: causolo esto la mucha encomienda que V. M. nos haze çerca de la ynstruçion destos naturales. Y porque yo bibo lo más lexos de todas las Indias y ávn más quel Perú, pensé commo podria hazer su Real mandado y lo que soy obligado, y escribí muchas vezes á esta Real Abdiençia de Mexico y al obispo de Santo Domingo y al de Mexico y á los perlados de las hórdenes, rogandoles y encomendandoles de parte de Dios y de V. M., pues tenian, me enbiasen alguna ayuda para la ynstrucion de los naturales que están á mi cargo; y avnque la respuesta fué de espera, nunca llegó la ora, y no me maravillo, porque prometo á V. M., avnque fuesen millares más de los que son, serian pocos para la labor que tienen y que cada dia cresçe: y perdida la esperança de aver remedio para mí destas partes, juzgué serme nesçesario la yda á Castilla, para buscar y traer quien ayude á saluar estas gentes, que con tanta façielidad podrian yr al çielo. Trabajo y peligro se me puso delante y alguna falta en lo de acá: todo lo pospuse por ser tan cunplidera mi jornada, y ansi ynbié el año passado por liçençia á V. M. y suplicando, sino viniese tan presto, pues en la dilaçion avia tanto peligro, fuese seruido con mi yda. Esto para en lo que toca al zelo que devo tener á la ynstruçion y saluaçion destos naturales.

Ansimismo escreví á V. M. la mucha abundançia que ay de niñas de españoles avidas en esta tierra; vnas tienen padre, otras no, y todas esperan no lo tener; espérase tanto peligro, que seria muy gran limosna recojerlas en vn monesterio. Esto no se puede hazer sin traer algunas buenas y santas mugeres que las ynstruian y dotrinen y conseruen, y con el fauor de V. M. para hazer cassa y sustentarlas, todo lo qual se podrá hazer aplicando vn pueblo que medianamente lo pueda sufrir: santa obra es para que V. M. lo provea, para poner esto en efecto. Yo vine aqui á Mexico para proseguir mi viaje, y hallé aqui mis bullas y rescibí mi consagraçion; quisiera luego passar adelante, y á esta coyuntura llegaron navios de España, que dixeron cómo V. M. quedaua en Valladolid, por lo qual todos dimos graçias á Dios. Pessanos en el ánima por la disençion y guerra con el Rey de Françia; sienpre oramos á Dios por la paz y concordia y por la prosperidad y vitoria de V. M., pues nos consta la mucha razon y sus santos deseos.

Truxeron estos navios nuevas de los cossarios muchos que

andan por la mar y de los navios que avian tomado: paresçiole al visorrei [50]. y á todos ser temeraria la partida, hasta saber otras mejores nuevas; y con esto estó aqui en Mexico suspenso, que menos puedo boluer á Guatimala, sino es con mucho trabajo, que es tiempo de aguas y los rios muy cresçidos y peligrossos. Avré desperar, y asegurado el camino seguir mi profesion para lo dicho y para me hallar en el conçilio [51], con liçençia de V. M., do se proveherán cosas nesçesarias para estas partes, que es nueva yglesia, y ay nesçessidad del la componer, como nueva esposa: esto es lo prinçipal y más nesçesario que á V. M. tengo escripto para descargo de su Real conssçiençia, y lo que V. M. me tiene encomendado.

En lo tenporal, para el buen tratamiento de los naturales, yo he escripto muchas cartas y muchas cossas particulares, todo bueno para su aumento y para el reposo de los españoles, y abreviaré apuntandolas todas. Prinçipal cosa es, y muy nesçessaria, que los españoles que tienen repartimientos se casen todos en general, y los primeros el que gouierna y los ofiçiales de S. M., y se les ponga tiempo limitado para ello, ansi para que biban en graçia, commo porque del tal fruto se syruirá Dios y V. M., y los naturales serán mejor tratados; y el que no quisiere, poco agrauio le hará V. M. en que se le quite el repartimiento.

Seria ansimismo cossa muy açertada, que los questamos en estas partes perdiesemos la esperança de boluer á bibir y morir en Castilla: y esto no lo tenga V. M. por graue ni por desatino, que muy mejor tierra es esta, y avnque se pregonase en gradas de Seuilla [52], no por eso dexarian de passar tantos y más; y prometo á V. M., que si esto se oviera hecho, que no estuuiera el Peru commo está. Donde cada uno es aprouechado, es justo que resida y biba y muera, y aproueche á quien lo aprouechó, que poca nesçessidad ay en Castilla de más mayorasgos, y no que desfruten la tierra y la dexen. Vanse los ricos y los que an de sustentar la tierra, conosçido está que los probes tanbien quieren ser ricos, y todo a de cargar sobre estas tristes Yndias.

Es tanbien muy conviniente que los indios se dén perpetuos, porque serán mejor tratados con las dos condiçiones de arriba; que se casen y que sepan que an de bibir para sienpre acá.

Es muy nesçessario que no aya esclauos, ni de rescate ni de guerra: digo de rescate, commo honbre que tiene sçiençia de la mucha prática y espiriençia que con ellos he tenido: no los ay, y si ellos los tienen y tratan, son contra razon y lei diuina y vmana: y de guerra mucho menos, porque es ynposible guardarse ni cunplirse lo que las leies determinan y V. M. manda, para que la guerra se pueda llamar justa; ni los indios tienen essa capaçidad para podello entender. Absolutamente se prohiba, y acá se perderá la esperança de los aber y conservará cada vno mejor los que tienen. Sobre este artículo escribí tres años a, que V. M., con buena conçiençia, podia mandar que á los esclauos que los pueblos an dado á sus amos, no se pudiesen vender ni enajenar; basta que se puedan seruir dellos, y se queden sienpre en el mismo pueblo y anden con él: esto es cosa muy buena y prouechossa.

Para en lo que toca al buen tratamiento de los naturales, V. M. me encomendó la proteçion avrá tres años, y por ello quise yo entender en lo que conbenia para su Real descargo y para mi buena quenta, y nunca hallé fauor ni ayuda en la justiçia mayor ni menor ni en el regimiento. Los que gouiernan no querrian que oviesse protetores ni otro ninguno que tuuiese poder de V. M., y atenté muchas vezes á tasar los indios, y dixeronme que la prouision no se estendia á tanto, y sobre ello escrebí á V. M., para que se aclarase y alargase más la prouision de prottetor. Fueme respondido, que estaua muy byen proueido, y que si algo ouiesse menester, acudiese al Audiençia Real de Mexico. Subçedió que en este tienpo, vino á Guatimala el liçençiado Alonso Maldonado, por juez de agrauios, y en la ynstruçion del Audiençia traia vn capítulo para que tassase los indios, y creiendo que bastaua, para más abundançia, se lo requerí commo proctetor que lo hiziesse o me diese fauor y ayuda; y él lo quiso poner por obra, y no pudo ni halló aparejo, y quedosse suspenso, hasta que V. M. fuese informado. Y commo se acabó el tienpo de la residençia, boluió para Mexico con cargo de lo hazer saber á V. M., para que proueiese lo que fuese seruido; y en llegando á Mexico, halló nueva prouision en que se le mandaua que boluiese á Guatimala por juez de residençia; y buelto que fué á Guatimala, luego le requerí, pues traia poder muy conplido, hiziesemos la tassaçion, o sino, que yo la haria con su fabor, y ansi se començó á hazer, y nos hizo muchos requerimientos el cabildo y el pueblo, y sobre ello se huvo mucha pasion; y por escusar algund escandalo y por esperar la respuesta de lo que V. M. proveia sobre lo quel liçençiado Alonso Maldonado avia escripto, huvymosnos algo remisamente, esperando cada dia la respuesta. Y á esta coyuntura, llegó la prouision tal y tan clara qual convenia, y al tienpo que llegó, estaua yo de partida, y avnque no hablaua comigo (de que he estado algo sentido), avnque se me hizo merçed en quitarme de cuidado y molestia, formé algun escrupulo, porque si algund bien ay en aquella prouinçia, espiritual y tenporal, yo solo, mediante Dios, he sido la prinçipal parte, o el todo, sin ayuda de tercero. Y porque en mi avsençia no se herrase ni fuese engañado el liçençiado, por no conosçer la tierra, yo tenia hecha la matricula de toda la governaçion, y la tasaçion de todos los pueblos, porque los conosco todos, vno á vno, y muchas vezes platicado y comunicado lo que cada vno puede. Y esta memoria y relaçion bien cunplida dexé al liçençiado Alonso Maldonado, firmada de mi nonbre, para que, conforme á ella, hiziese la tasaçion; y otra del mismo thenor dexé á quien quedó poder de mi yglesia y de la protecçion, que es vn fray Bartolomé de las Casas, (53) dominico, gran religioso y de mucho espiritu; y he sabido que ansi se hazia commo yo lo dexé hordenado. He dicho esto, no para ser loado, que nunca Dios tal quiera, mas porque V. M. no me tenga por descuidado.

Asimismo añado çiertas cossas que nunca he escripto á V. M., todo muy nesçessario para la instruçion destos naturales, y es lo prinçipal, que la gente de los pueblos se junte, digo los naturales que biben en el pueblo. Ya V. M. estará ynformado que la prouinçia de Guatimala, la mayor parte della es todo sierras, tierra muy aspera y fragosa, y vna casa de otra á mucha distançia: es inposible, sino se juntan, ser dotrinados, y áun para el seruicio ordinario que hazen á sus amos, seria mucho alibio. Ante todas cosas deve V. M. proveher y mandar al gouernador, que luego entienda en esto y se llamen todos los señores naturales y se les diga quand convenible cosa les es juntarse, y se les dén razones para ello; y porque esto no podrá ser sin que se les alçe el seruiçio y tributo que dán á sus amos, es menester que asimismo en la prouision se mande suspender el seruiçio por todo el tienpo nesçessario para este negoçio, y que solo entiendan en se juntar y hazer sus casas y sementeras. Esta es la cosa más ynportante para estas partes; pues que son honbres, justo es que biban juntos y en conpañia, donde redundará mucho bien para sus ánimas y cuerpos: conosçer los hemos, y conosçer nos han.

Debe ansimismo mandar V. M., que por ninguna cosa se carguen los mochachos hasta quatorze años, y desta manera serán dotrinados los niños. Deve V. M. enbiar çedula por sí, para que se hagan casas y monesterios en los pueblos que lo pudieren sufrir, conforme al pareçer del perlado.

La gouernaçion de Guatimala sabrá V. M. que está repartida en dos partes, en costa y en sierra; la costa muy caliente, y la sierra muy fria: es muy nesçessario que V. M. mande que los de la vna tierra no pasen á los de la otra cargados, porque de diez no bueluen á sus casas çinco. Y porque la costa es muy prouechosa y nesçessaria para la conservaçion de la çibdad, por el mucho fruto que dá, deve V. M. mandar que ningund seruiçio hordinario hagan en la çiudad ni en las villas, mas de poner su tributo al tienpo de sus cosechas; digo tributos de cacao y ropa: esto es lo que tienen, y por ser gente flaca es mui justo el mandato.

Ansimismo, para la conseruaçion de la gente de la sierra y tierra fria, a de saber V. M. que estos son los que mantienen á las minas del oro, y en tiempo de aguas es muy trabajoso y peligroso el seruiçio, por causa de se menoscabar muchos. Deve V. M. proveher que no se saque oro mas del tienpo que haze seco, que es novienbre, dezienbre, enero, hebrero y marҫo; en abril comienҫan las aguas y comienҫan sus sementeras: es muy conbenible tienpo para questén en sus casas, y reformarse an mucho y aumentarse an cada dia. Y digo que con esto ganan sus amos y los pueblos, y V. M. más que todos, en lo espiritual y tenporal, porque avrá tienpo para ser dotrinados y cada dia serian más con ser bien tratados.

Ansimismo, hasta agora se a probeido la çibdad de Guatimala de cosas nesçessarias para su mantenimiento y vestido, por la Vera Cruz, que ay trezientas leguas, la mitad por mar y la mitad por tierra, y el camino por tierra muy fragoso y peligrosso, por los muchos rios y aguas, donde peresçe mucha gente, porque no es camino para harrias; todo viene en indios. Deve V. M. proveher que por ninguna via ni manera se ande este camino, ni se carguen indios en él, porque çertifico á V. M., que estoy ynformado, que de toda aquella tierra que cahen en el camino falta la mitad, esto es, donde está la villa de San Christoual asentada. Para lo que toca á la prouisyon de la çiudad, está el Puerto de Cauallos, muy buen puerto y ochenta leguas de la çibdad del Guatimala, y el camino muy bueno, y se puede adobar para que bengan carretas y harrias; y çerrando este otro, andarse a este, y acudirán navios á él, y muy sano para la gente que viene de Castilla: cosa muy ynportante. Suplico á V. M. que mande mirar todo esto, que es muy nesçessario, y todo y cada cossa lo mande cunplidamente proveher, porque ansi cunple al descargo de la conçiençia Real de V. M.

De la partida del adelantado don Pedro de Aluarado y del susçesso que huvo en la conquista de Naco, y commo dexó poblada la çibdad de Graçias á Dios en la sierra, y la villa de San Pedro en el puerto, ya tengo escripto á V. M.; y si mis cartas no han llegado, él lo avrá dicho y los que con él van. Luego commo él se embarcó, llegaron cartas de Piçarro para el adelantado y para mí, haziendo saber el alçamiento de la tierra, la muerte y pérdida de los españoles, y que no sabia ninguna cosa de Almagro, antes le tenia por muerto, y commo su hermano estaba çercado en el Cuzco, y del mucho trabajo en que todos estaban [54]; rogando mucho al adelantado le faboresçiesse y á mí se lo rogase. Esta carta dí al liçenciado Maldonado, y él la enbió al visorrei para que la enbiasse á V. M.; la mia yo la enbio agora. De todo esto V. M. estará ya informado, ansy por cartas de Piçarro, como del visorrey, y por traslados desta carta que se ynbiaron. ¡Pluguiera á Dios que se ouiera dilatado la resydençia, que Naco y la syerra, que es muy buena tierra, quedara más asentado, y el Perú, ques lo de más ynportançia, tuuiera capitan que los socorriera! Prometo á V. M. que se a perdido más en la resydençia, que se pueda ganar en quitarle çient gouernaçiones commo las de Guatimala: V. M. crea que, por mucho que escriua

Piçarro, ques mucho más el trabaio y peligro en que están: de los de Almagro no hago quenta, si Dios no los sustenta de su mano. Y no piense V. M. que bastan dos mill ni tres mill honbres; otras cosas son nesçessarias que ynportan tanto, que españoles en estas partes no valen nada sin amigos naturales, porque luego se cansan y no pueden llevar la comida á cuestas, y otros mill seruiçios que se requieren. La gente del Perú es sin número, tiene mucha comida, todos reconosçen vn señor, la tierra es muy fragosa, y otras muchas cosas que tienen para su defenssa que los haze ynespunables, si Dios no les pone en el coraçon otra cosa. Yo he praticado con el vissorrey y dicho mi paresçer, avnque contra mi ávito: por ser de tanta ynportançia y esperarsse vn fruto tan grande, espiritual y tenporal, dixe que me paresçia se devyan hazer muchos navios, y hechos, y muy bien proveidos para por la mar, y sobras en bastimentos para por tierra, y que se devian meter en ellos quinze o veinte mil indios, buena gente, desta Nueva España, que façilmente se pueden aver sin hazer falta y á mucho recaudo y con sus armas, y dar con ellos en aquella tierra; y para este tiempo avian destar avisados los que están en el Perú, que tuuiesen los puertos muy bien basteçidos y con muchas prouisiones. Pusome por inconveniente questa gente, puesta allá en libertad, haria mucho estrago, porque son muy carniçeros: para esto digo que ya los indios destas partes en alguna manera conosçen á Dios, y tienen aborresçido mucha parte de lo que solian hazer, quanto más, que si llevasen consygo media dozena de fraires que los gouernasen y mandasen, de los que los an dotrinado, no se desmandarian en hazer ninguna ofenssa en deseruiçio de Dios. No sé lo que á V. M. le paresçerá deste mi paresçer; yo no hallo otro remedio.

Ansymismo, deve V. M. mandar que la gente que acá tiene de pasar, venga por esta Nueva España o por Puerto de Cauallos, y no por el Nonbre de Dios, que es sepultura de todos; é ya que no se escuse venir gente por todas partes, ay nesçesydad que V. M. provea en los puertos de ospitales y medicos y boticas, y en el Perú lo mismo, que do ay tanto ynterese, que se gasten diez mill pesos, todo es bien enpleado: y pluguiera á Dios que V. M. oviera gastado veinte mill pesos en el Nonbre de Dios y Panama y

Puerto Viejo, que yo prometo que de quatro mill que se an muerto y más en los caminos y arenales, y algunos se han horcado de hanbre, que no fueran quinientos los muertos. Bien creo que V. M. no ha sido ynformado desto, pero agora lo estará. Por amor de Dios lo mande proveher, y en esta Nueva España lo mesmo, que no ay año que no mueran en el puerto de la Veracruz quinientos honbres, y en las ventas y caminos mucha cantidad.

Dicho he mi paresçer en lo que toca al Perú, y ansi lo quiero deçir en lo que toca á Pedro de Aluarado. Por lo que conosco dél, V. M., para la nesçesidad presente, le deve mandar que con sus navios, que tiene muy buenos y hechos los mejores que andauan en la mar, dé la buelta y se proveha de quinientos honbres arcabuzeros, que sea buena gente, y venga á Puerto de Cauallos á desenbarcar, y desenbarcados, dé con ellos en la sierra; dexe la çibdad de Graçias á Dios poblada, ques tierra sana y harta y fria, y alli se reforme la gente, y están de la mar, de á do están los navios, sesenta leguas, y reformados, dé consiguo y con ellos en el Perú; y si por parte de la Nueva España acuden con amigos de la tierra, yo fiador, que se haga buena hazienda.

En lo que toca boluer la gouernaçion al adelantado, no quiero dar paresçer; mas de que si V. M. fuere seruido de se la boluer, digo que sea con aditamento que benga casado y que no pueda tomar más de lo que tiene, y con algunas más adiçiones que V. M. le pondrá, paresçeme que haria buen gouernador; porque siendo casado, tendria respeto á que tenia de bibir y morir en ella, y ansi siempre procuraria avmentarla. Y si desta manera V. M. lo hordena, no seria de voto quél pasase al Perú, pues tiene muchos parientes y amigos á quien podria encomendar la gente. En lo que V. M. le mandase y él quedasse para gouernar su gouernaçion, y para proveher lo que fuese menester para el Perú y hazer espaldas á todos, V. M. escoja lo mejor.

Lo que el adelantado hizo en Naco en poco tienpo, fué gran seruiçio que se hizo á Dios y á V. M.; paçificar y poblar aquella tierra y descubrir la sierra, ques un pedaço muy bueno y rico: al presente está Montejo en ella. Agrauio se le haze á la gouernaçion de Guatimala; pues con su ayuda y fabor se a conquistado y á su costa, es por fuerza que tienen de aver muchas diferençias, porque mucha parte de la sierra a muchos años que está repartida en los vezinos de San Saluador, y agora Montejo a se de querer seruir della; y lo más grave que siento, es que temo, si se alça, que no a de poder Montejo con la tierra, pues commo los de Guatimala no tengan parte, de mal se les hará darle fabor. En todo provea V. M.

Mi deseo y zelo es yr á bessar pies y manos de V. M., y para todo lo dicho; mas si tal enpedimento ouiere por la mar, que no me atreva, o acá susçede alguna cossa que a de ser muy graue, que no me dexe yr, suplico á V. M. humillmente y con lagrimas, porque ansi cumple á su Real conçiencia (pues yo no puedo más), me mande proveher de çinquenta religiosos, que todos son menester, que avnque fuesen quinientos, serian pocos; mas con estos me contentaré. Y V. M., por los grandes negoçios de allá, no oluide la conquista que acá tenemos, que es con el demonio, á quien con ayuda façilmente vençeremos, mediante Dios: esta es espiritual y de mucho merito y corona para V. M.; la de allá corporal y de mucho peligro. Dios Todopoderoso sienpre ayude á V. M., y le dé vitoria en fabor de su Yglesia, pues es su capitan.

Y si esta jornada çesare, que ha de ser no pudiendo más, suplico á V. M. me escuse y aya por escusado en el conçilio á que somos todos llamados, y nos mande proveher de todo aquello que el obispo de Mexico enbia á suplicar á Su Santidad y á V. M., para esta nueva yglesia: pues él lo haze saber, V. M. lo proveha para todos. Dicho he lo que al seruiçio de V. M. y de su Real conçiençia toca, en lo espiritual y tenporal; quiero dezir algo de lo que á mí toca, por si no pudiere conparesçer, pues V. M. ha sido seruido de me dar esta dignidad, quiero dar quenta de la tenporalidad y de lo que renta, que son mill y trezientos pesos. Tengo nesçessidad, para los clerigos y ministros de la iglesia catredal y de las villas, para que medianamente sean seruidos y honrrado el culto divino, de los mill pesos; pues para seruiçio del altar, de vino y çera y azeite, çiento y çinquenta pesos; para fábrica, algo es menester para reparalla, y todo quanto se gasta en la çibdad de Guatimala, es muy caro, porque los indios están muy lexos; pues para ornamentos, alguna cosa es menester; pues yo, justo es que tenga con qué mostrar la dignidad: de manera, que para mí y para la fábrica y hornamentos y para los pobres, que todos acuden á mi cassa, no ay nada, si V. M. no lo provehe. Ninguna cosa destas osara deçir si estrema nesçesidad no me forçara.

Ansimismo, yo estoy muy alcançado y la fábrica de la yglesia, que me a costado çinco mill castellanos y más, y para esto he sido ayudado en parte de los vezinos de la çibdad; lo demás yo lo he gastado y devo mucha parte dello. Como V. M. verá por esa carta del cabildo, bien pudiera ynbiar ynformaçiones bien bastantes; paresçióme que bastaua essa carta; en lo vno puede V. M. proveher se descargue comigo, y para socorro de mis nesçesidades; y en lo otro puede V. M. mandar al gouernador señale vn pueblo tal, que pueda sufrir mi mediana sustentaçion y la ospitalidad de los pobres y la fábrica de mi yglesia, y dé vna casa para monesterio, donde recojan las niñas. En todo esto se a despender; vea V. M. si es santa limosna que á todos nos hará.

Muchos dias ha que V. M. provehió de dean y arçipreste, y agora de nuevo, despues que yo salí de la çibdad de Guatimala, han llegado un arçediano, y un canonigo, y un maestreescuela, con la renta de que he dado quenta á V. M.; bien se pudiera aver suspendido la tal prouision, en espeçial que yo tenia en mi yglesia quatro clerigos y vn sacristan, doctos y suficientes y de buena dotrina y enxenplo y buena vida, que es lo ques menester acá. Muy aprouados an de ser los clerigos para passar á estas partes, que más daño haze vn mal clerigo, que bien pueden hazer veinte buenos. Suplico á V. M. se suspenda de proveher más; y porque los de acá han sustentado la carga y me han ayudado, en algo sean renumerados, avnque yo me quede sin nada, en espeçial los tres V. M. los prevende; porque el dean está en el Perú y muy rico, y creo no boluerá á la probeza que acá tenemos, suplico á V. M. sea seruido de proveher el decanato en Pero Martin de Çuleta, mi prouisor, clerigo muy aprovado, muy onesto, de muy buen enxenplo, y a ocho años que está en mi conpañia; y en los otros dos, que son Pero Gonçales y Alexos de Villanueva, que sienpre han sido curas en esta mi yglesia, de buena vida y fama, doctos y provechossos para la yglesia, los mande proveher V. M. de sendos canonicatos. Y para que medianamente se puedan sustentar los vnos y los otros, es nesçesario que V. M. no proveha de açipreste de nuevo, porque el que está proueido, está en el Perú, y por la misma razon quel dean creo no vendrá, ni de propio cura, sino que esté yncluso en el mesmo cabildo; avnque todo es poco, porque los provechos son pocos y por ser la tierra muy sana y la gente poca. Todo esto suplico á V. M. lo mande proveher.

La villa de San Christoual a quatro años que V. M. mandó acudiesen los diezmos á la çibdad de Guatimala, pues hera subjeta en lo espiritual, lo fuese en lo tenporal; y por estar setenta leguas de Guatimala y dozientas de Tascala, despues se dió otra prouision en que V. M. mandaua se estuuiese commo solia estar, y que acudiesen los diezmos al obispo de Tascala. Mucho agrauio se le haze á la yglesia catredal y mucho más á la yglesia de San Christoual y á los vezinos, porque ni tienen perlado ni le conosçen, ni él á ellos, ni los puede conosçer. Si V. M. fuere seruido de mandar adjudicar la dicha villa, alivio será para la probeza de mi yglesia, pues el obispo de Tascala, con buena conçiençia, no puede llevarlo.

Ansimismo está Naco y la sierra, setenta leguas de Guatimala, al presente sin prelado, y sin quien tenga juridiçion para correçion de los españoles y para fabor de los naturales: no está al presente para que se pueda proveher perlado, hasta que se asiente más la tierra. Si V. M. fuere seruido que tenga la administraçion, hazerlo he, más para descargar su Real conçiençia en lo que pudiere, y porque tenga alguna sonbra aquella tierra, que no por el ynteresse tenporal que della espero. No tengo más que dezir, y con lo dicho descargo; y porque desseo que V. M. provehiese todo lo que más sea su seruicio, y commo nosotros sus capellanes podamos mejor descargar su Real conçiençia, esta mi carta yrá triplicada, porque alguna pueda llegar. Dios Todopoderoso prospere los feliçisimos dias de V. M., para ensalçamiento de su nonbre y avmento de su yglesia, y sienpre lo tenga de su mano y la corona que acá en la tierra le a dado sea seruido mejorarla en el çielo y gloria. Amen. De Mexico, 10 de mayo de 1537.

Sacra Cesarea Catholica Magestad, menor de todos los siervos é vasallos que vesa pies é manos de vuestra Sacra Cesarea Catholica Magestad

Episcopus Sancti Jacobi Huatemalensis.

Sobre. — A la Sacra Cesarea Catholica Magestad del ynvictissimo Emperador é Rey nuestro señor.

LXXIV.

Carta del obispo de Guatemala Don FRANCISCO MARROQUIN *al Emperador Don* CÁRLOS, *tratando de la gobernacion de aquellas partes, de las diferencias entre los adelantados Alvarado y Montejo, y de la necesidad de fijar las atribuciones de los protectores de indios.*—SANTIAGO DE GUATEMALA, 15 *de agosto de* 1539.

Sacra Cesarea Catholica Magestad:

Los pobres y nesçesitados no pueden dexar de pedir socorro á quien se lo puede dar, mayormente si la nesçesidad es spiritual, commo la mia, la qual e significado muchas vezes por mis cartas á V. M.; y visto el poco remedio de allá y de la Nueva España, y deseando descargar la conçiençia de V. M. y hazer mi offiçio, como me es mandado y tengo de obligaçion, y visto que no ay quien se aquerde de mí por estar tan lexos, e estado movido para ir á buscar obreros para esta mi viña, y no e ossado por ver los mandamientos de V. M. en contrario: y asi estoy solo y no puedo más de por mí, y son menester munchos, y plega á Dios que todos juntos descarguemos la conçiençia de V. M.; á la qual suplico vmillmente se aquerde destas proves gentes y me mande sobrello lo que más convenga á su Real seruiçio, de cuyo mandado no piensso salir por no errar.

El adelantado Pedro d'Aluarado, por razon de la mucha carga y enbaraço que trae, no a llegado á esta çibdad de Guatemala: a se detenido en la prouinçia de Naco á causa de los yndios que alli tiene encomendados; y çierto, como Montejo tuviesse de comer en otra parte, á él estaria mejor y ávn á la gouernaçion ser anexa á esta. Y en verdad que no me mueve á ello passion, porque no la tengo, antes me a pessado por no me hallar presente á sus differençias, que me paresçe me diera tan buena maña, que los conçertara, y ya quando quisse partir á verme con ellos, era tarde. V. M. proueherá lo que más fuere seruido.

Esta governaçion está buena al pressente, y cada dia yrá mejor, plaziendo á Dios, conque V. M. provea de lo que tengo dicho arriba, y asimismo en lo que muchas vezes tengo scrito y suplicado, y es questos yndios se junten: y sobresto V. M. me enbió vna çedula, y para que esta cossa aya efecto commo conviene, a de ser vna prouission de proposito para el governador, que en otra cossa no entienda, y sin dexarlo á discreçion de los yndios, porque ellos, como an sido siempre montesses, siempre lo querrian estar asi, y no conviene al seruiçio de Dios y al de V. M., ni al pro suyo, ni al descargo de los que los tienen encomendados, que jamás los conosçerán. Afirmo ques vna cossa la más essençial para el bien destas partes y descargo de V. M.

Asimismo ay neçessidad que V. M. declare o mande declarar, qué cossa es ser protector y á qué se estiende, y si somos juezes, y si commo tales podemos nonbrar exsecutores alguaziles para nuestros mandamientos, y asimismo escriuanos, y si los vissitadores que enbiamos podrán lleuar varas, pues van como juezes, y si esto compete solamente á los protectores y no á los gouernadores, pues á ellos solos es encomendado la protectoria y vissitaçion. Otro si, entre los yndios ay muchos pleitos, y todos son çeuiles, que con poco se contentan y se descontentan por su proveza y mala ventura, y acuden á quien los oye y do hallan más consolaçion, y las más vezes procuro de los conçertar, é algunas vezes quedan algunos agrauiados, por no ossar meter la mano, y déxolo, porque no digan que tomo más de lo que es mio, avnque á la verdad, vista la neçessidad destas gentes, no vn protector, sino muchos abian de tener. Suplico á V. M. que en cada punto mande proueher claramente, para quitar diferençia entre nosotros y los gouernadores.

A V. M. enbio vna petiçion que en mi nombre dará mi procurador: si lo merezco, suplico á V. M. la mande cunplir á sus ofiçiales en lo que á ellos toca, y que no me la tranpeen; y de lo demas me haga merçed, pues á todos los obispos destas partes a sido seruido hazerla.

V. M. mande enbiar vna çedula para que los pueblos que tuvieren possibilidad para poner clerigo en ellos, se ponga y á çosta de los encomenderos, porque en todo quieren ser rebeldes, y no basta ynstruçion ni avn passion; y como biniessen religiossos en abundancia, todas estas faltas se suplirian. Prospere Nuestro Señor á V. M. con prosperidad de mayores reynos y señorios y avmento de nuestra sancta Fee catholica por muchos y muy largos tiempos y años. Amen. Desta çibdad de Santiago de Guatemala, á xv de Agosto de 1539 años.

Sacra Cesarea Catholica Magestad, besa pies y manos de V. M. indigno sierbo y capellan

Episcopus Cuahvtemalensis.

Sobre.—A la Sacra Çessarea e Catholica Magestad del Emperador y Rey Nuestro Señor.

LXXV.

Carta del obispo de Guatemala al Emperador Don Cárlos, recomendando á don Juan de Alvarado, sobrino del adelantado don Pedro, para la gobernacion de Guatemala, y á Juan de Chaves para la de Honduras.—Ciudad-Real de Chiapa, 10 *de agosto de* 1541.

(Facsímile V.)

Sacra Chatolica Cesarea Magestad:

Acabando de hazer la tasaçyon desta prouinçia, que ha sido arto prouechosa, estando de camino para mi casa, reçibí cartas del visorrey, con las más tristes nuevas que me podian venir, que fué la muerte del adelantado don Pedro de Alvarado, ansi por perder V. M. el más bueno y leal seruidor (á nadie pongo delante) en estas partes, commo por el mucho y entrañable amor que yo le tenia; y porque con su muerte me queda alguna sospecha de alguna alteraçyon en estas partes, prinçypalmente en la governaçion de Guatemala y sus comarcas.

Del visorrey tendrá V. M. notiçia de todo lo que le suçedió, á que me remito: lo que yo puedo á V. M. çertificar, por ser notorio, es quél dexa çynquenta mil pesos de debda, todos gastados en seruiçio de V. M.; él dexa seys hijos é hijas desnudos, syn abrigo ninguno; él dexa muchos sobrinos y debdos que le han seruido, sin amparo. Solo V. M. lo puede remediar, con que esta gouernaçion no salga de sus debdos; entre los quales está Juan de Alvarado, que yva por general de su armada, hombre de byen y de buen zelo, y de buenos deseos; a le seruido y andado en su compañia quatorze años; anduvo con él en el Pirú y en todas las conquistas que se le han ofreçydo. En este tiempo toda merçed es bien empleada; y ansimismo los natturales desta prouinçia lo conoçen y lo tienen por hijo, ques parte para la conseruaçion y paz y sosiego della; y quanto á su persona, descargo en esto con lo que soy obligado á V. M. y al bien de la tierra.

Ansimismo reside en la çybdad de Santiago de Guatemala Juan de Chaves; es hijo-dalgo y cavallero, y el más hombre de bien que ay en toda la prouinçia, y para mucho. Conoçenle los naturales porque siempre ha sido capitan y lugarteniente del adelantado en las conquistas que a hecho, y á su partida, el adelantado le dexó su poder, en absençia o muerte de don Françisco de la Cueva: meritos ay en su persona para más questo, y lo mejor que tiene es ser buen christiano y casado. Sobre mi alma, hiziese V. M. tal prouision, la vna y la otra seria buena provision; la primera, más prouechosa para el adelantado, que abrigara sus hijos y debdos y descargara V. M.; la segunda, siendo muy prouechosa para la tierra, porque no es razon que dexe de dezir la verdad como convyene; y ambos podria V. M. emplear, al vno en Guatemala, al otro en Honduras.

A don Françisco de la Cueva dexó el adelantado por su teniente general, á contemplaçyon de su mujer, doña Beatriz de la Cueva; yo le conversé poco tiempo, que no ovo lugar para más; lo que conocy dél, ansi commo es moço en hedad, lo es en sus obras, é no tiene expiriençia de lo que conviene hazer, ningun zelo á los naturales; cavsalo averle costado poco trabajo; no cuydadoso en la justiçia, no de notable exemplo, nada amigo de buenos; por mi consagraçyon, que lo amo, mas en semejante caso, más obligaçyon tengo á manifestar á V. M. lo que syento, pues me nonbró de su Consejo.

Sy á V. M. le parecyere nonbrar e elegir á Juan de Alvarado, el adelantado dexó vna hija ya mujer, doña Leonor, seria mucha merçed á los muertos y viuos, que se casase Juan de Alvarado con ella, por mandado de V. M. Por vn tan buen criado, todas merçedes son byen empleadas, para que otros se animen á más seruir á V. M.

Commo tengo dicho, estó sospechoso de la paz y sosiego de los naturales, y á esta cavsa yo me parto luego, porque me conoçen y me aman y ay neçesidad que tengan favor, el qual les ha faltado en la absençia del adelantado y mia: V. M. siempre los mande proueher de favor.

Tanbyen ay neçesidad que los vezinos sean más cada dia, y commo escreby de Mexico, todos los yndios que bacan se consumen en los tinientes y governador: para esto convyene que V. M. proveha y dé orden commo más convenga.

Los dias passados ynbié á suplicar á V. M. çyerta merçed para vn cuñado mio; persona es que tiene vaso para mucho más y en quien será empleado byen toda merçed que V. M. le hiziere, é yo la reçybyré por mia, y ansi lo supplico lo mande V. M. favoreçer y hazer merçed en más que aquello.

Esta prouinçia queda muy buena y cada dia será más. Dizenme que viene obispo: merçed se me a hecho, y ansi la reçybyré en que se proveha otro para otro pedaço de la governaçyon, que al presente ansi convyene.

Prospere Nuestro Señor vuestra Sacra Chatolica Cesarea Magestad por muchos y buenos y prosperos años, con avgmento de nuestra Sancta Fe y victoria contra los paganos. Amen. Desta Çybdad Real, prouinçia de Chiapa, x de agosto de 1541.

Sacra Chatolica Cesarea Magestad, criado y capellan que besa pies y manos de vuestra Sacra Chatolica Cesarea Magestad

Episcopus Cuacvtemalensis.

Sobre.—A la Sacra Catolica Cesarea Magestad del Emperador é Rey Don Carlos nuestro señor.

LXXVI.

Carta del obispo y oficiales de Guatemala al Emperador Don Cárlos, participando la muerte del adelantado Don Pedro de Alvarado y de su mujer Doña Beatriz de la Cueva.—Santiago de Guatemala, 25 de noviembre de 1541.

Sacra Catholica Cesarea Magestad:

Por las relaçiones que á V. M. tenemos embiadas (en este mes passado), abrá V. M. visto lo que al presente auia de que V. M. fuesse informado desta tierra, y assimismo las açeleradas muertes del adelantado Don Pedro de Aluarado y de Doña Beatriz, su muger: cosa por çierto, á nuestro paresçer, tan misteriosa, como jamas aya acontesçido en nuestros tiempos, y digna de admiraçion, que en tan breue tiempo aya fenesçido vna casa como esta y muerto dos personas de tanta estima: el pobre cauallero, estando en seruiçio de Dios y de V. M. en aquella tan justa guerra contra los infieles de nuestra sancta Fe, haziendo su offiçio, el como, ya á V. M. lo abrán scripto; y su muger, con la tormenta desta çibdad (avn no teniendo enxutas las lagrimas que por la muerte de su marido vertia), muriesse debaxo de vna casa: y pues estos son misterios de Dios, no cumple tocarlos más de para darle graçias. Una cosa no se puede callar, que han dexado tanta lástima en esta tierra, que no se puede dezir, que áun hasta los naturales muestran sentimiento, y dessean uer en ella persona de su sangre que los gouernase; y este desseo, crea V. M. que está en ellos y en todos los buenos que en ella biuen, caso que aya algunos pocos que por su mala ynclinacion o maliuolençia otra cosa digan. Dios Nuestro Señor no fué seruido que ellos dexassen legítimo heredero, syno bastardos. Dexó el adelantado vn sobrino, hijo de su hermano, que se llama Juan de Aluarado (su padre del qual murió en la conquista de Tierra Firme): este vino con él la primera vez que vino casado, y en todas las jornadas que el adelantado ha hecho despues acá, en seruiçio de V. M., siempre le siguió, y en esta armada del mar del Sur, que al presente hazia, yva él por coronel (como persona de quien más el adelantado se fiaua). V. M. puede creer, que pues su tio le proveya de semejante cargo, que cognosçia dél meresçia más que esto: él es ydo á vesar los Reales pies de V. M., y á traerle á la memoria los seruiçios de su padre y tio y suyos. Todos reçibiriamos muy señaladas merçedes en que á él, como á deudo más çercano suyo, V. M. sea seruido gratificarle alguna parte de las merçedes que el adelantado, su tio, por sus leales y continuos seruiçios tenia ganadas, dandole esta gouernaçion (la qual no menos le ama que á su tio), pues no ay otro más propinquo deudo que lo merezca, assi por seruiçios hechos por él á V. M. en esta tierra, como por ser acompañado de virtudes, que es lo más necessario para estas partes, aunque mançebo, que esto suple su cordura. Y pues V. S. M. (con su ánima christianissima) siempre acostumbró vna tan sublime liberalidad, con quien lealmente le siruió, no sea esta de menos valor; pues ay mucha obligaçion por tantos seruiçios á V. M. hechos por su tio deste cauallero y por él. Sacra Cesarea Catholica Magestad, Nuestro Señor su Catholica Magestad guarde con augmento de mayor imperio, reynos y señorios. Desta çibdad de Santiago de Guatimala, á 25 de noviembre de 1541.

De vuestra Sacra Cesarea Catholica Magestad yndigno capellan y criados de V. M., que besamos sus Reales pies y manos.

Episcopus Cuacvtemalensis. El contador Çurrilla.

Françisco de Castellanos.

Sobre. — A la Sacra Cesarea Catholica Magestad d [*el Em*] perador nuestro [*Señor*].

LXXVII.

Carta del obispo de Guatemala, Don Francisco Marroquin, *al Emperador, participándole el efecto producido por las nuevas ordenanzas, y el estado en que se hallaba la administracion de aquellas partes.*—Guatemala, *4 de junio de* 1545.

Sacra Cesarea Catholica Magestad:

Suplico á V. M. se lea mi carta, porque el mensajero es çierto, y otras muchas vezes, quando acordamos, son ydos los nauios.

Estando en Graçias á Dios, que fuymos el presidente Alonso Maldonado y yo á reçebir el Audiençia, reçebí ciertas cartas de V. M. y çedulas y las nueuas hordenanças, y porque quando llegamos, ya los nauios se avian partido, no hize relaçion á V. M. por entonçes: verdad es, que por el março pasado, poco antes deste tiempo, avia estado en aquella prouinçia de Higueras y Honduras, que la fuy á visitar y visité, y escreví á V. M. lo que auia que hazer saber en aquel tiempo. Despues boluí, como digo, á uisitar el Audiençia y aconpañar al presidente y proueer en algunas cosas, do estuve algun tiempo esperando navio para poder responder, y no vinieron hasta este mes de nobienbre pasado, y vino vno, y dizen que no está para navegar. Estamos en lo más lexos destas Yndias, y donde ay menos aparejo para poder escreuir, en espeçial los que estamos en esta çibdad de Guatimala: todo esto digo, porque V. M. no me yncrepe de perezoso ni de descuydado.

Quando el Audiençia llegó, ya todos estauan alterados y

comovidos con las nueuas hordenanças y leyes, porque como á todos les vá mucho ynteres, a se sentido mucho. Ya sentada el Audiençia, de todas partes acudieron para pedir y suplicar, y á todos se respondió como mejor paresçió que convenia; y sus suplicaçiones y respuestas todo vá çerrado y sellado, á que me remito. Sé dezir á V. M., que tiene muy leales basallos y que desean açertar en seruiçio de Dios y de su Rey.

Sy tuviera liçençia y posibilidad para yr á besar pies y manos de V. M., hizieralo, por dezir y responder, en cosa tan ardua, muchas cosas y en muchas vezes; porque platicando y preguntando y respondiendo, aclárase más la materia, y porque muchos an hablado y hablan y hablarán, y abrá muchos pareçeres sobre esta materia, y abrá muchas ynformaçiones de todas partes, en espeçial de la Nueva España, de do an ydo religiosos, que son tres varones apostolicos de gran vida, doctrina y exemplo; y do estos hablaren, todos pueden callar, avnque sea Fray Bartolomé: yo fiador, que en presençia destos no se desmande, ni se hose fiar tanto de su paresçer, como se a fiado. A estos tales dé V. M. credito, y sobre mi alma, que V. M. açierte y descargue su Real conçiençia, porque estos dirán verdades syn pasyon, aconsejarán á su prinçipe syn ynterese, y como fieles sieruos de Dios dirán y afirmarán lo que conviene al bien de sus proximos, á honrra de Dios y zelo de las almas, aumento de su yglesia. Serán tan copiosas y fieles las ynformaçiones destos, y serán tantas las de todas partes destas Yndias, que tengo acordado, con liçençia de V. M., no dezir ni responder pro ni contra sino remitirme; y asy, en breue y en general, diré algunas cosas, más por cunplir con mi ofiçio, que por pensar que de mi testimonio aya neçesidad; por ventura será acogido mi paresçer.

Primeramente, me remito á muchas cartas que tengo escriptas y, si bien me acuerdo, en ellas están algunos capítulos de los contenidos en estas nuevas hordenanças. Lo segundo, digo que esta cosa es muy ardua, en que se ynteresa mucho al alma y al cuerpo, y para açertar, çiertamente, es neçesario mucho auxilio de arriba y mucha expiriençia de acá bajo; y dado que en ese Reyno y Consejo aya mucha sçiençia y parte dexpiriençia, por estar las personas que en él están testigos de vista, pero acá ay mucha más expiriençia, porque tienen siempre la cosa presente; y por auer estado en vn lugar, y saber lo que conviene proueer para aquella tierra, no se entiende que tengo espiriençia para lo de otras partes; pues á todos es notorio que las leyes de vn reyno no se compadeçen en otro, y lo que á vnos está bien á otro no es prouechoso. Y por esto y por otras muchas cosas, que por lo dicho é por evitar prolixidad no pongo aqui, y ansy, afirmo mi conclusion, que conviene mucho que V. M. dé asiento en esta tierra de vna vez para siempre, y cunpla con Dios y con su conçiençia y haga merçed á sus vasallos. Hecho esto, no ay más que hazer.

El medio y remedio para que esto se pueda cunplir con Dios y haçer merçedes (saluo mejor juizio), digo que en estas partes tiene V. M. sus Audiençias, y en ellas personas tales; tiene vn visorrey de la Nueva España, cuyo seruiçio y buen natural y buena conçiençia es conoçido á todos; tiene perlados de mucha vida é autoridad; ay religiosos de mucha sanctidad: demás desto, ay seculares de mucho buen zelo á la honra de Dios y bien de sus proximos. Cometalo V. M. á estas personas, y ellos elijan las que les paresçiere o todos juntos, y deseles tienpo de vn año, y más sy conviniere, y lo que ellos determinaren, V. M. lo firme, y con hazer esto, quita V. M. de su conçiençia Real vna carga muy grande, pues cunple con Dios en hazer todo lo que es en sy. Y con esta justificaçion alabarán todos á V. M. y callarán lo que al presente dizen y resçibirán las merçedes que se les sufrieren hazer y cesará toda turbaçion; dado este asiento, todos ganan, Dios el primero y luego V. M., los naturales y conquistadores y pobladores; y con esto pongo silençio y pido perdon si no açierto.

Mándame V. M. en su Real carta tenga especial cuidado desta pobre gente, y asymismo del estado de la tierra y de su buena governaçion: quanto á lo primero, doze años a que tengo espeçial cuydado, syn otros tres ántes, de mirar por sus almas y por sus cuerpos, y si más cartas se an visto bien, mostraua en ellas mi deseo y su neçesidad; y asy, todas quantas hordenanças se an hecho para bien destos naturales desta gouernaçion y la de Higueras y Honduras, todas las he hecho y requerido al gouernador que las haga apregonar, y en algunas ponia pena de excomunion para poner temor.

De todo esto tube sacado los testimonios, y dexelos de enbiar, por evitar prolixidad. Digo esto, porque oygo dezir que me an acusado de remiso, y como no lo entienden y les duele poco la turbaçion del pueblo, habla cada vno como le pareçe; y no son tan largos los poderes de los obispos destas partes como es el ruydo y sonido, que más poder tiene y más puede el más ruyn alguazil que prouee vn gouernador o vn alcalde, que no el obispo; y agora el Audiençia a dado á entender, que no ay para qué el obispo sea protector ni visitador. Pluguiese á Dios que pudiesen los obispos destas partes ser obispos sin este cargo; y pluguiese á Dios que fuesen ellos tan bastantes que pudiesen suplir lo que son obligados y lo nuestro. El mal es que con este sonido de Audiençia quieren lo mandar todo, y son como los perros del hortelano: yo no les pienso dezir cosa alguna; no quiero que piensen que á mí me pesa; yo e disimulado y disimulo; ellos an proueido visitadores y á deudos suyos, y V. M. nunca lo a querido fiar sino de los perlados o personas eclesiasticas. V. M. prouea sobre ello lo que más á su Real seruiçio conuenga, que con el mando de V. M. descargaré.

En lo que toca á las yglesias, escripto tengo como por vna çedula de V. M. e tenido cuydado de visitar á Higueras y Honduras, y para este efeto e ydo tres vezes, que no es poco trabajo ni menos costa, y sienpre proueya de ministros, ansy para las yglesias como para los naturales, y sienpre dexava hechas hordenanças conçirnientes á la doctrina christiana y para descargo de la conçiençia Real, y en todos e hecho sienpre más de lo que puedo; y por ser tan lexos y el camino tan trabajoso, no e ydo más vezes, y lo más prençipal por thener mucho que hazer en esta gouernaçion y obispado, porque este año pasado, si plugo á Dios, començé á confirmar, por estar ya la gente dispuesta para resçebir tal sacramento, que con el ayuda destos religiosos de San Françisco y Sancto Domingo se a hecho y haze mucho fruto; y tanbien e acudido á lo de Chiapa, y como e sido solo hasta agora, e hecho lo que mis fuerças an bastado. Agora es ya venido perlado para Chiapa; tendré quitado un pedaço de la carga. Tanbien me dizen que estaua despachado el de Honduras, pues está ya consagrado; bien es que venga, que siempre hará prouecho su presençia, y yo tengo bien que hazer en lo que tengo entre las manos, y por mi saluaçion que querria que V. M. proueyese en cada pueblo vn obispo, y ansi lo suplico por mi parte, porque el dia de oy, en esta primera hera, convendria auer perlados en abundançia, para comunicar á estas pobres gentes los benefiçios de Dios, lo qual no se puede hazer por vno solo, por ser la tierra de tanta distançia y auer tanta neçesidad en cada lugar; y con esto e dicho algo de lo que toca á mi descargo.

Quiero dezir, no obstante las hordenanças, lo que otras vezes e dicho, que V. M. deue proueer para el descargo de su Real conçiençia quatro ó çinco cosas, y si no las prouee, saluo mejor juiçio, siento que la Magestad de Dios se lo tiene que pedir; lo contrario es contra Dios y contra el proximo, en daño de su alma, y menoscabo de su cuerpo, y como esto sea, no puede ser sin pecado mortal, y como sea asy, ni V. M. ni el Papa podrán dispensar ni disimular sin pecado. Es lo primero porque e dicho todo esto, que estos yndios no se carguen por ninguna via y manera, pues se ofende Dios y se menoscaba y resçibe perjuicio su doctrina y fe catolica. Lo que todos pueden dezir en contra, es, que se perderia el trato y contrataçion. Pluguiese á Dios que se perdiese, y en su lugar entrase la contrataçion de Dios y de su fe. Mas, para esto, ay buen remedio: mande V. M. que se abran y adereçen los caminos cada año vn par de vezes, y ayúdeles V. M., pues es razon, para adereçarlos, y adereçados, mucha superabundançia ay de cavallos y yeguas y bueyes y carretas con que se podrá sustentar la contrataçion; y si esto allá no se manda, acá no creo abrá efeto, porque acá todos pretenden su ynterese. Lo otro es, que mande V. M., como más fuere seruido, que estos pueblos destos naturales se junten y tenga poliçia humana, pues tan neçesaria es para la Divina. Siguense mill prouechos de juntarse para con Dios y á sus almas y á sus cuerpos, y quien otra cosa siente, V. M. crea que no açierta y que está engañado. Lo terçero es, que aya al presente abundançia de religiosos, porque sin obreros para tanta gente y en tal tierra, no se puede hazer mucha hazienda, y no es ya tienpo de dilatar el bien que se les puede hazer, pues biven en paz y quietos en sus casas; y como esto se haga, V. M. a descargado y todos podemos mejor descargar. Esta es la llaue desta nueva iglesia y planta. Lo quarto, que V. M. ynbie á mandar que ninguno sea hosado, ni obispo ni presidente ni visitador ni otra persona particular resçiba de los yndios cosa alguna, ni vna pluma que sea, porque asy conviene, eçepto quando entraren en sus pueblos á visitar, que se les pueda dar lo honesto.

Como tenga entre las manos la masa deste obispado y sea tenido á dar quenta á Dios de lo espiritual y temporal, desvélome en lo que soy obligado á proueer y avisar á V. M., para que se mande; y como los aya visitado muchas vezes, y como cada dia ando con ellos, y cada dia me vienen á buscar, y les pregunto de su vida, y me ynformo, tengo más plática y experiençia que otro ninguno. Y es ansy, que en la tasaçion pasada que el liçençiado Maldonado y yo hezimos, no se pudo hazer tan cumplidamente como convenia al descargo de nuestro ofiçio y bien de los naturales, y por no tener entereza y clara ynformaçion, y como estos naturales sean tan pobres y thymidos de su natural, no hosan ni se atreuen á dezir verdad, porque á sus encomenderos, como cada dia los tratan y veen, temen los más que á los que los visitan de año á año; y agora en muchas partes hallo muchas cosas que convendria quitar, y avn de algunas e dado parte al Audiençia, y no me an respondido; deuenlo querer suspender hasta ver en qué paran estos negoçios, y á que V. M. haga merçedes á los conquistadores y pobladores, que es mucha razon que se les haga, y ganará mucho Dios, y V. M. descargará mucho su Real conçiençia. Es menester que se haga vna retasaçion o reformaçion de la tasaçion hecha, porque allá serian estas gentes muy entendidas y no se açertaria de vna vez ni de muchas, quanto mas siendo como son tan pobres de juicio y de hazienda. En este articulo mande V. M. que aya mucha advertençia.

Juntamente con esto ay otro caso que conviene proueer, y es, que muchos pueblos, como no acuden los tienpos, no pueden cunplir sus tributos enteramente, y dizen sus encomenderos que el año siguiente cunplan lo prinçipal y más las fallas del pasado. Yo e dicho que no tienen razon, porque, para pagar lo prinçipal, que es lo que el pueblo puede, tienen bien que hazer y que no pidan más y que se quexen del tienpo. V. M. mande y aclare sobre este articulo lo que más convenga y que no entren sus encomenderos en los pueblos, que reçiben muchas y graves vejaçiones; den les sus tributos enteros y no tenga más quenta con ellos; ansy conviene que se haga y se mande. Mande V. M. que aya en esto mucha advertencia.

Ansimismo, deue V. M. proueer y mandar que de los tributos y rentas de los pueblos se edifiquen yglesias y se compren hornamentos, pues á todo están obligados los encomenderos, pues lleuan el fruto.

Mándame V. M. le avise del buen tratamiento destos naturales; digo que, como se cunpla y V. M. prouea lo que arriba digo, ellos serán bien tratados y V. M. descargará su Real conçiençia. Esta gente es mucha y pobre, y como an sydo faltos de fee y de razon, no pueden en breue alcançar á conosçer lo que conuiene á sus almas y cuerpos; ay entre ellos muchos pleytos; no saben acudir á sus neçesidades sino á my y á los religiosos; y como nuestro poder no se estienda, ni acá quieren que se estiendan, mas de á los convenir y conçertar, hazemos los religiosos y yo lo que podemos, y ansy lo haremos sienpre; mas seria cosa muy conviniente estendernos á más, porque tanbien es menester el palo á las vezes como el pan, porque la Audiençia no puede más de aquello que está al rededor dellos, ni menos, avnque quieran, lo saben hazer, porque es menester paçiençia y zelo para oyrlos y para cumplir con ellos, y para ynquirir lo que conviene. V. M. lo aclare y prouea lo que más fuere seruido. Si V. M. y su Consejo piensan que los obispos podemos mucho en estas partes, en verdad que tiene más poder y autoridad vn clerigo que tenga de comer en su reyno medianamente: en esto va mucho, que para nosotros, que somos poquitos, y que tememos á Dios y al Rey, ay veynte formas de justiçia; para estos pobres no ay ninguna: proueha V. M.

Mándame V. M. le auise que cómo se haze justiçia por los que tienen á cargo: por ser cosa que ynteresa mucho al alma de V. M. me atreuo á dezirlo. Lo primero es, que el liçençiado Maldonado, que es presidente, es buen honbre y buen christiano y de buenos respetos, honesto, pero es muy remiso, casi tanto como yo; no es nada cuydadoso ni vigilante, ni se le dá mucho por la republica ni por la poliçia della, no se desvela nada en como se aya de avmentar; todo lo qual es neçesario para el que a de gouernar y ser cabeça; y agora que a tomado muger (que es lo mejor que él podria hazer), no sé sy tendrá más cuydado o menos de los oydores: á mí no me satisfazen mucho sus letras ni su vida, avnque los he conversado poco. Para tal cargo convenia que fuesen más buenos y más doctos que los obispos, que más pueden y más valen y mucho más fruto pueden hazer con su buen exemplo y vida, si quieren: dizenme que ay diuision entre ellos; pesarme ía si durase.

Açerca de las decimas e suplicado á V. M., por muchas vezes, mande dar asyento, porque conviene mucho que no aya pasion entre la yglesia y pueblo, y prometo á V. M. que en todas las Yndias no ay perlado ni benefiçiados ni yglesia más pobres: sy V. M. fuere servido de hazernos merçedes, reçebirlas hemos en limosna como pobres; y si las dezimas se pagasen, como son obligados de derecho, syenpre abria para mediana sustentaçion. Esta yglesia padesçe mucho: V. M. sea servido de mandar darle ayuda de costa para su fábrica; y los novenos de que V. M. nos a hecho merçed, bien los auemos menester, avnque fueran terçias, segun nuestra pobreza y la carestia de la tierra. Suplico á V. M., nos mande aumentar la merçed por algunos años como V. M. fuere servido.

Por mí á V. M. suplico, sea servido de me hazer alguna merçed, para que salga de devdas, en pago del trabajo que quatro años a tengo con Hunduras y diez o doze con Chiapa; y en la renta que tengo, çertifico á V. M. por mi consagraçion, que para limosnas no ay. Acá no se puede dar poco, porque los pobres son muy pobres, y el que tiene poco, avnque sean pocas las limosnas, se le acaba presto; y los pobres acuden al obispo y no es razon, pues son padres de pobres, los enbien desconsolados. Suplico á V. M. se acuerde de mí; no quiero más merçedes de quanto salga de debda, y pues soy su capellan y cada dia ruego por su alma y por su cuerpo por lo espiritual y temporal, no es mucho que V. M. me haga estas merçedes y limosna.

El adelantado Aluarado, que sea en gloria, el mayor criado que V. M. tuvo en estas partes, sienpre biuió en su

Real seruiçio; dexó quarenta mill pesos de deuda, todos gastados en hazer armadas para servir á V. M., y por no thener herederos, lo heredó V. M. Por amor de vn solo Dios, V. M. se compadezca de los pobres acreedores, que muchos dellos se an alçado y están en carçeles, segun me afirman: con dar V. M. lo que el adelantado dexó, por quatro años no más, se pagarian todas sus debdas, y V. M. descargaria su Real conçiençia; hazerse ía mucho bien á los pobres, que están perdidos; animarianse todos sus criados, que le siruen: gran loor y meresçimiento delante de Dios, porque en lo que dexó, no huvo para pagar el dote de la primera muger. Pongolo á la postre para más memoria.

Los moços que an nasçido en esta tierra, están ya de edad de poder ser aprouechados. En la Trinidad thenemos neçesidad de renta para les preçeptar de gramatica; el preçeptor acá está, que es Joan Çuarez, clerigo de buena vida y doctrina, por el partido. Suplico á V. M. que es para el descargo de su Real conçiençia y bien y honrra desta tierra.

Las donzellas tienen gran neçesidad y de fauor y ayuda y socorro de V. M., y si en breue V. M. no lo remedia, y no manda dar horden para que sean remediadas, corren mucho riesgo y peligro, de que Dios Nuestro Señor será muy deservido; y V. M. será el que más ganará en semejante hobra de grande charidad.

Antes que çerrase esta carta, resçebí letra de Fray Bartolome, obispo de Chiapa, y vna çedula del Prinçipe nuestro señor, en que manda por ella se le adjudique la provinçia de Soconusco, por quanto está çerca de Chiapa. En verdad que él hizo relaçion de lo que no avia bisto ny menos sabe, ni lo puede visitar syn que entre por çerca desta çibdad, para entrar en camino por do pueda caminar: digo esto, porque V. M. vea si trae buenas ganas. Yo, como digo arriba, para cada pueblo querria se proueyese al presente vn obispo, y el padre Fray Bartolome, en verdad que trae de mar á mar por encomienda, y que son menester media dozena de obispos para poder hazer algun benefiçio. Sy en algo me pusyere con él ante la Avdiençia, crea V. M. que no será por el ynterese, syno porque se sepa cómo no hizo relaçion verdadera, y cómo pidió lo que no puede cunplir.

Más a de ocho o diez años que V. M. me hizo merçed de

vna çedula y prouision de quinientas mill maravedis, y por caso de los frangeses, porque tomaron el navio en que venia, estuve más de dos años sin que se despachase otra; pues V. M. me hizo la merçed, no es razon que la pierda, y será para ayuda de la limosna, que arriba pido, y ayuda de costa. Tanbien tengo suplicado muchas vezes, se me quite çierto ynpedimento que los ofiçiales de V. M. me pusieron en çierta paga que me hizieron, por la ausençia que hize en conpañia del adelantado, que aya gloria, y del tienpo que gasté en compañia del visorrey; de lo qual se me deue muy buena paga, por buen serviçio que á V. M. hize; no es la diferençia de dozientos ducados, y en verdad que avnque se me dieran dos mill, no se me pagava. Suplico á V. M. mande proueer en todo, y de vna cosa tan notoria y que tanto seruiçio hize, no ay para que aya de enbiar testimonio; á todos es notorio que conservé los naturales de la comarca del puerto de Acaxutla, y es notorio quanto aprouechó estar yo en medio del visorrey y del adelantado, y todo lo demás que hize en su conpañia.

Con esto acabo al presente, y V. M., sino obiere proueydo, sea seruido de proueer con breuedad, porque no se dilate el bien destas partes; que esto es lo que conviene al serviçio de V. M.

Muchas vezes e suplicado á V. M., fuese servido de mandar hazer alguna merçed á vn cuñado mio, que sé que es honbre de bien, para que pasase á estas partes, por gozar dél y de su muger; sé que a ydo á suplicarlo al Consejo y nunca a auido efeto: suplico á V. M. que, en pago de mis serviçios, se le haga merçed conforme á la calidad de su persona, que por solo venir á estas partes, meresçe más de lo que puede pedir.

Dios Todopoderoso guarde y prospere á vuestra Sacra Magestad por muchos años, y aumento de muchos reynos y de su sancta Fe é Yglesia. De Guatimala, 4 de junio de 1545 años.

Sacra Cesarea Catholica Magestad, indigno capellan y cryado que besa pies y manos de Vuestra Sacra Cesarea Catholica Magestad

Episcopus Cuachutemallensis.

Sobre.—[*A la S. C. C. M. del*] Emperador [*y*] Rey nuestro [*Señor*].

LXXVIII.

Carta del obispo de Guatemala al Príncipe D. Felipe, pidiendo más religiosos, para el aumento y conservacion de la Fé Católica, y exponiendo los abusos que habia que evitar y necesidades que satisfacer en aquella provincia.—Guatemala, 20 de setiembre de 1547.

Mui alto y muy poderosso Prinçipe y Señor:

Supplico á V. A. humillmente se lea mi carta toda por entera.

Porque desta çibdad y de Mexico siempre e scripto á V. A., todo lo que me a paresçido que conuenia escrevir para el descargo de la Real conçiençia de V. A., y como las informaçiones ayan sido muchas y buenas y con mucho zelo, no tengo cosa nueva que escreuir, más de remitirme á lo scripto.

En lo tocante á esta gouernaçion, ella está buena en lo temporal, y en lo spiritual se trabaja todo lo posible por los religiosos de San Françisco y de Sancto Domingo, que lo hazen como sieruos de Dios, saluo que son pocos; y esto no ay quien lo pueda remediar sino V. A. En vn pueblo prinçipal hallé muy ruynes los señores y prinçipales que, con estar baptizados y confirmados y de quien yo me fiava más que de otros, boluian de quando en quando á sus ritos y cerimonias; es pobre gente y es menester andar siempre sobre ellos, y para esto conviene abundançia de religiosos y saçerdotes: tengolos presos, y he consultado al Audiençia lo que deuo hazer.

Resçebí carta de V. A. çerca de los religiosos de Sancto Domingo, y de su recomendaçion y carta para el Audiençia: ellos lo an hecho y hazen muy bien y como siervos de Dios, y por mi parte, todo quanto fuere en mí, los visitaré y consolaré y ayudaré, y como tenga vn poco de espaçio, bolueré á ver el fructo que se a hecho y haze, para dar testimonio de vista de todo. Menester será proueher perlado y quien haga justiçia en las cosas que se ofreçieren; y en esto, hasta que lo vea, no podré afirmar el cómo se deua hazer.

A V. A. tengo supplicado, se acuerde destos mestizos y mestizas el remedio que se les deue dar, ques vna de las prinçipales partes de buena gouernaçion para estas gentes, y fué seruido ymbiar vna çedula para que la Audiençia hiziesen relaçion de cómo se haria. No ay otro cómo, sino que V. A. mande que de sus rentas Reales se gaste cómo sean doctrinados y las donzellas se casen conforme á su calidad. Gran limosna será y mérito para con Dios Nuestro Señor, pues sus padres son muertos y en seruiçio de V. A. y pobres, sin gozar de lo que trabajaron, y otros lo gozan que, por ventura, no lo sirvieron: V. A. lo prouea como más fuere seruido. (55)

Ansimismo tengo supplicado por vn preçeptor de Gramatica, ques ya tiempo que lo aya, y se pierde mucha doctrina y buenas costumbres, que se suelen adquerir en semejante exerçiçio. (56)

El maestre-escuela desta Sancta Iglesia está en esos reynos y creo que no boluerá: supplico á V. A. que la persona que se proueyere, sea calificada en letras y adornada de buena vida y virtudes. (57)

Si no me engaño, por mi parte tengo scriptas otras muchas en fauor destos yndios; y todo lo bueno que se a proueydo para su buena gouernaçion y substentaçion, a sido conforme á mis relaçiones. Venida que fué esta Audiençia, porque estuviesen advertidos, les comuniqué por palabra y por scripto firmado de mi nombre, en su acuerdo, todo lo que convenia proueher y me lo agradezçieron; y el liçençiado Rogel, á quien fué cometido lo que yo les avia dado en mi memorial, vino á esta çibdad y prouinçia, para remediar esto y otras muchas cosas. (58) Y lo primero que hizo, fué en presençia de los más prinçipales desta çibdad, mostró mi memoria, y les dixo: «Veis aqui lo que vuestro obispo procura; y si juntamente con esto remediara lo que avia de remediar, todo lo tuviera por bueno.» Solo procuró que se indignase todo el pueblo comigo, como lo han mostrado bien los vezinos por cartas que han scripto al Consejo de Yndias de V. A., lo qual lleuó muy á cargo Hernan Mendez, vno de los procuradores destas gouernaçiones, el qual fué contra voluntad de todos, por ser hombre apasionado; solamente fué en gracia del liçençiado Diego de Herrera, cuyos negoçios lleuó muy á cargo, y del obispo de Nicaragua y del de Chiapa, cuya pasion es notoria á todos: y el prouecho que se a seguido del de Chiapa, S. M. lo abrá muy bien sentido y los çiegos lo veen y los sordos lo han oydo (con zelo y no segun çiençia) destos pobres yndios. Debaxo de grande yproquesia, quieren dar á entender á S. M. y á su Consejo que solos ellos son los que desean descargar su Real conçiençia, y con este color, aborresçen á los españoles vasallos de V. A.; do ningun seruiçio se sigue á Dios Nuestro Señor, ni menos descargo á S. M., ni más bien á los naturales, sino mucha alteraçion y desasosiego en todos, é ynpidimento é estoruo para la doctrina. Y verdaderamente, muy poderoso Principe y señor, ay pocos que miren y entiendan el laborinto destos yndios con la simpliçidad que se requiere: allá es ymposible entenderse; acá á los más les falta esta simpliçidad neçesaria, y al que la tiene y acierta por ventura, no se haze tanto caso de su dicho. Si no me engaño, los años pasados escreuí en dos o tres cartas vn capítulo, y primero á mi paresçer esençial; podrase ver por ellas, qué repuesta tengo de V. A., avnque no deste capítulo. Yo siempre e sido enemigo de yproquesia, y creo que me a hecho daño; para lo del mundo, e procurado siempre la paz y conformidad desta republica, y algunas vezes e disimulado algunas cosas, por no apretar tanto, que rebentase, esperando buen fin, como conviene en estas tierras nueuas, en cuyo prinçipio todo rigor fuera más dañoso que prouechoso; que como las plantas heran nueuas, con rezia furia todas se arrancaran y se fueran, por no tener raizes. Exemplos ay muchos en estas Yndias: vean lo de Cumana (59) que e scripto; está de molde y agora avemos visto lo del Pirú. (60) A mí no me pesa de auer gouernado esta tierra, y auer sido en gouernarla en lo spiritual y temporal en toda paz y quietud, y asi creo ques el mejor pedaço que ay en las Yndias, avnque pobre; agora se vá haziendo tiempo de reformar algunas cosas, porque los más desean açertar y desean quietud y quieren más vn pan en paz que muchos bienes con ruydo. V. A. sea seruido de dar asiento y quietud para siempre, que esto es lo mejor, y para mejor descargo de su Real conçiençia y augmento de la doctrina de Jesuchristo y buena bivienda de sus vasallos, asi españoles como naturales, sin que los que gouiernan se muestren azedos, que, çierto, lo hazen por sus yntereses, fauores y merçedes que esperan, como si açertasen y descargasen á S. M. Buelvo á Hernan Mendez, procurador que me abonó en tal manera con los del Consejo, que dixeron á Alonso de Oliueros, otro procurador, que yo hera mercader; lo qual hizo porque le tocaua la reformaçion que pedí al Audiençia que se hiziese, de que él me tovo mala voluntad, que se halló presente: de lo qual yo hize poco caso, y él se embarcó para esos reinos con su pasion. Y asi permite Dios Nuestro Señor que vengan estos escandalos, para que se sepa la verdad; y V. A. mande hazer ynformaçion, y de lo malo sea yo corregido y castigado.

En lo de mi doctrina y offiçio pastoral, digo y hoso dezir que a casi veinte años que siruo á S. M., y los doze a que soi obispo, y siempre e procurado descargar su Real conçiençia; y çierto, creo que no me engaño, que no ay perlado acá que en esto me aya hecho ventaja; dexo la vida aparte, que á todos confieso por mejores. Y en pago de veinte años de seruiçio, con tanto trabajo y auer sido siempre ospital de pobres, que esta a sido mi mercaderia, digan los del Consejo que soi mercader por informaçion de quien me tiene mala voluntad, por su ynterese acreditado por alguno de los de acá, que pretendia no sé qué; le estoi, muy poderoso señor, muy corrido y afrentado, por auerse dicho esto estando como estó pobrissimo y con deudas de más de seys mill pesos, y que siempre e supplicado á V. A. sea seruido de hazerme merçed y limosna para salir destas deudas. Supplico á V. A. se sepa si digo verdad, y si sy, se me tenga en seruiçio y se me haga alguna merçed, para darme aliento para adelante, que ya me voi haziendo viejo; veinte años de seruiçio no se pasan en balde: y si miento, quedaré por ruyn; mas no será razon mienta un perlado á su Prinçipe. Siempre e dicho verdad con sana yntencion y sin pasion y no por ynterese, ni jamas tal he pretendido, como tengo por çierto que pretenden los que hazen semejantes informaçiones, sin saber más lo que conviene proueher, que los que nunca lo vieron, mas de querer destruyr á los españoles, y pesarles de qualquier bien y merçed que V. A. sea seruido de les querer hazer; pues yo doi mi palabra á V. A., como perlado, que han venido pocos á las Yndias que, en tan poco tiempo, ayan sido tan aprouechados como Herrera y Rogel. Quieren para sí vn dios y vn prinçipe, y para los demas confusion y perdiçion.

Dizenme que está nombrado el liçençiado Rogel para hazer la reformaçion y retasaçion que V. A. manda se haga por su Real çedula, que fué seruido de me enbiar, la qual çedula ymbié luego al Audiençia. Agora, si es tiempo, plega á Dios que se açierte, y no sea como lo pasado; y supplico á V. A. que no pase sin castigo lo que hizo Rogel, que lo que yo dixe en acuerdo, como en confesion, lo viniese él á dezir en público. Tan gran desacato y malicia no es razon que se disimule: dexo su vida á parte, que a sido y es muy viçioso, tanta, que tiene infamada su Real Audiençia; y por ques público y notorio y verdad lo oso escreuir; yo descargo y V. A. haga lo que fuere seruido.

En esta çibdad ay dos pueblos, el vno se llama Yçalco, que está en poder de dos vezinos, y otro Tacuscalco, en poder de quatro: son de mucho ynterese, y en ellos no ay justiçia ni razon. E dado auiso por scripto y por palabra al Audiençia, y no se a remediado, ni estoi confiado que se a de remediar sino viene expreso mandato de V. A. y de ese muy alto Consejo, y expreso mandato que se reforme, y que no entren por ninguna via ni manera sus encomenderos ni criados en los dichos pueblos, ni traten ni contraten por sí ni por terçera persona con los dichos yndios. Mandelo V. A. encomendar á la memoria como se proueha. (61)

En esta çibdad de Sanctiago, y en la villa de San Saluador, y en la villa de San Miguel ay, en cada vn pueblo destos, vna persona que biue en pecado público, y por descomuniones no he podido apartarlos, que en estas partes se tienen en poco: dí parte á la Audiençia, requerisela, y para hazer justiçia me pidieron mi dicho; yo lo dixe, y jamas han proueydo cosa. La prinçipal cosa en que más se an de ocupar los que gouiernan, es en desarraigar semejantes personas que ynfaman la republica y dán mal exemplo, espeçialmente en tierras nuevas. Llamanse Bartolome Bezerra, Antonio de Figueroa; si estos se casasen, çesaria su mala ventura: es el terçero Gaspar de Aviles; sy traxese su muger, que está en esos reinos, tambien cesaria su perdiçion, que es el más perdido de todos. En estas partes basta vno para confundir vn pueblo. Escriuo esto á V. A. para que lo escriva á su Audiençia, y tomen empacho y verguença de no proueher en cosa tan neçesaria y que tan façilmente se puede remediar. (62)

Anme çertificado que el obispo de Honduras a hecho relaçion que yo le huve gastado doze mill pesos: çerca deste artículo, dó por testigo al presidente Alonso Maldonado; quántas vezes fui para el bien y reformaçion de aquella provinçia y la tuve con harto mejor lustre que tiene agora, y si gasté más de mill castellanos en ydas y venidas, sin que entrase en mi poder vn peso de oro, ni más ni menos; y esta es la verdad.

A V. A. supplico se acuerde de mi yglesia, que está muy pobrisima y los vezinos pobres; y pues V. A. tiene con qué, sea seruido de mandar ayudar y fauoresçer para que se acabe de hazer. (63)

Vna de tres cosas prinçipales y neçesarias para el bien destos naturales, es el juntarse, porque sin esto, no puede auer poliçia diuina ni humana: para este efecto, me a ymbiado V. A. dos çedulas, y asi lo procuramos los religiosos y yo; y pues es esta la cosa más ymportante, V. A. mande que vn oydor o dos lo tomen muy á pechos, que nosotros daremos toda la horden que se deue thener. (64)

Escripto tengo que la Audiençia no está en lugar que compete á Audiençia: asi por esto, como por estar muy lexos desta çibdad, que es la prinçipal destas gouernaçiones, asy en vezindad de españoles como en comarca de mayor abundançia de yndios, que para tener en justiçia todo esto, se proueyó el Audiençia; que por no ir los yndios allá y ávn los españoles, dexan perder su justiçia. El Audiençia no creo a dado notiçia desto, que por no hazer gasto huelgan más de biuir allí entre veynte vezinos como labradores, que no venir á esta çibdad, do han de biuir como çibdadanos y oydores. Ganarse a mucho en la pasada, si V. A. es seruido de mandarla; que do están agora, ni tienen yndios ni españoles á quien hazer justiçia. Y conviene mucho, y es vn artículo muy esençial, que siempre anden dos oydores visitando la tierra y deshaziendo agrauios, que es vna jente tan pobre y tan medrosa, que, si no van á sus casas á les preguntar lo que les conviene, no se les da nada que se pierda todo: con aver dicho esto, he descargado algo de mi conçiençia. (65) No se me ofreçe otra cosa: V. A. prouea lo que más fuere seruido. Nuestro Señor guarde y prospere á V. A. con vida del ynvictisimo Emperador, para ensalçamiento de su Fé y augmento de mayores reynos y señorios. De Guatimala, 20 de setiembre de 1547.

Muy alto y poderoso Principe, de V. A. yndigno capellan y criado que sus Reales manos besa

Episcopus Cuachutemallensis.

Sobre.—Al muy alto y muy poderoso señor el Principe de [*España*].

CHIAPA.

LXXIX.

Carta de fray Pedro de Feria, *obispo de Chiapa, al Rey Don* Felipe *II, remitiéndole un memorial de lo que en aquella provincia pasaba.*—Chiapa, *26 de enero de* 1579.

Catholica Real Magestad:

Por que envio vn memorial de las cosas que ay en esta provinçia de Chiapa, que V. M. me tiene encomendada, tocantes á vuestro Real seruiçio, y en respuesta de lo que por V. M. me a sido mandado, esta solo seruirá de suplicar á V. M. sea seruido de mandar ver el dicho memorial, y proueer acerca de lo en él contenido lo que más al seruiçio de Nuestro Señor y de V. M. convenga. Cuya Real persona, casa y estado Nuestro Señor en su sancto seruiçio guarde. De Chiapa, 26 de henero de 1579 años.

Besa los Reales pies de V. M., su menor vasallo y capellan

Frater Petrus, Episcopus Chiapensis.

MEMORIAL DEL OBISPO DE CHIAPA, DON FRAY PEDRO DE FERIA, PARA S. M. DEL REY DON PHELIPPE NUESTRO SEÑOR, EN SU REAL CONSEJO DE INDIAS.

Pareciome poner en este primer lugar deste memorial, lo que tengo por más neçesario é importante al seruitio de V. M., para descargo de vuestra Real conçientia y de la mia, y para la buena administraçion desta prouintia y naturales della en las cosas de nuestra Religion Christiana, y es, que yo soy enfermo de asma, y toda esta prouintia, sacados seys o siete pueblos, es tierra muy caliente y muy humeda (calidades muy contrarias á mi salud). E visitado vna vez todo el obispado, y segunda vez e tornado á visitar buena parte dél, y voy continuando esta segunda visita con intento de acabarla. E lo hecho y hago lo con mucho trabajo y pesadumbre, por la destemplança de la tierra y contrariedad della á mi salud. Hecha esta visita, que ahora voy haziendo, entiendo que no podré hazer otra; y como los naturales son nuebos en la fe y los ministros pocos, tienen neçesidad de que el prelado á menudo los visite y de ordinario ande entre ellos; por lo qual, con toda la humildad é instançia que puedo, suplico á V. M. sea seruido de hazerme merçed en dar orden como esta carga se me quite á mí, y se dé á persona que tenga salud y fuerças y las demas partes requisitas para poder trabajar y cumplir con la obligaçion del offiçio; y no suplico se me haga esta merçed por no trabajar ni seruir á V. M., sino por entender (por las causas dichas) que estoy obligado á ello, y que este es el maior seruiçio que de presente puedo hazer á V. M.

Quatro años a que vine á esta provintia, y asta ahora ninguna relaçion e hecho á V. M. de las cosas que tocan á la doctrina de los naturales, hasta hauerlo visto por vista de ojos y paseadolo todo. Ahora que e hecho esto, me pareçió dar á V. M. la notiçia siguiente:

En este obispado de Chiapa ay ochenta y ocho o noventa pueblos, en espaçio de sesenta leguas, poco más o menos, de oriente á poniente y de norte á sur. El maior dellos (que es Chiapa de los Indios) tiene mill y doçientos vezinos: ay otros dos,

Comitlam y Tecpatlam, que tienen de quinientos á seysçientos vezinos; ay otros tres ú quatro que tienen á quatroçientos vezinos, y otros tantos á treçientos: los demás tienen á doçientos, y á doçientos y veynte, y treinta y çinquenta, y la mayor parte dellos no llegan á doçientos: es toda tierra caliente y humeda, como arriba queda dicho. Todos estos pueblos tienen á cargo los religiosos de Sancto Domingo, eçepto quatro, que visitan los religiosos de San Françisco: clerigo, ninguno ay, fuera de la cathedral.

Los religiosos de Sancto Domingo tienen en todo este obispado çinco conventos: el prinçipal es en este çiudad, otro en Chiapa de los Indios, otro en Tecpatlam, prouintia de los Çoques, otro en Copanabastla, y otro en Comitlam. En el convento de la çiudad ay quinze o diez y seys saçerdotes, en el de Tecpatlam ay ocho, en los demás ay quatro en cada uno; de manera, que en todo el obispado ay treynta y quatro o treinta y çinco religiosos saçerdotes. Entre estos çinco conventos tienen repartida la visita de todo el obispado, en la forma siguiente:

El convento de la çiudad tiene seys visitas, y en cada vna dellas dos religiosos, que de ordinario andan discurriendo de pueblo en pueblo y siempre residen cada uno en su visita, sino es quando se congregan en su convento de la çiudad; lo qual hazen tres o quatro veçes en el año, que son para la Semana Santa y Pasqua de Resurrection, para la fiesta del *Corpus Cristi* y de Sancto Domingo, y quando an de elegir prior. Detienense cada vez destas en su convento, ordinariamente, doçe o quinçe dias; todo el demas tiempo del año asisten en sus visitas. Destos dos religiosos que andan en cada visita, el vno es siempre intérprete de la lengua de los naturales que tiene á cargo, y el compañero algunas veçes lo es, y otras no: al presente casi todos son lenguas. Cada visita destas tiene seys o siete pueblos, distantes vnos de otros á tres, y á quatro, y á çinco, y á seys, y á siete leguas; visita ay, que desde su primer pueblo hasta el postrero, ay quinze leguas, y en ninguna ay menos distançia, entre los pueblos estremos, de diez leguas. Detienense en cada pueblo quatro y çinco y seys dias, más o menos, conforme á los enfermos y neçesidades que ay; de suerte que, en la era de ahora, cada mes y medio pueden muy á plazer dar una buelta á toda la visita.

En los otros quatro conuentos se tiene el mismo orden en sus visitas, que el que acabamos de dezir que tiene el convento de la çiudad: los religiosos hazen todo lo que pueden como sieruos de Dios y fieles basallos de V. M., pero no pueden todo lo que es neçesario. Quando enferma algun indio estando los religiosos ausentes, lo qual acaeçe cada dia, si el que enferma es maçehual (ansi llaman á la gente pleveya), no suelen enviar á llamar á los religiosos para que le vengan á confesar, sino es siendo la enfermedad general en el pueblo; y ansi, de ordinario, de la gente comun mueren muchos sin confesion. Si el que enferma es prinçipal, algunas veçes enbian á llamar á los religiosos que lo bengan á confesar, lo qual aconteçe de ordinario á tiempo que están tres y quatro jornadas del enfermo, y en ir el mensajero y venir el religioso, suelen pasarse quatro y çinco dias y más, porque la tierra es muy aspera y los caminos muy malos; á cuya causa tambien se mueren muchas veçes los prinçipales sin confesion. Para remedio desta tan grabe neçesidad espiritual, en que va la salbaçion de los basallos de V. M. y el descargo de vuestra Real conçiençia, era neçesario que en cada pueblo vbiera su ministro, o al menos que estubiera tan çerca, que en vn dia pudiera ser llamado y venir á qualquiera pueblo de su visita á socorrer en las neçesidades dichas: y en tanto que los naturales no tubieren este recado, padeçen estrema neçesidad espiritual, pues de ordinario ay enfermos, y de ordinario están los pueblos sin ministros, donde se sigue que de ordinario mueren muchos sin confesion; y como son gente nueua en la cristiandad, y no tienen bastante inteligentia para tener la contriçion que es neçesaria para salbarse sin el sacramento de la Penitençia, siguese, vltimadamente, que es ordinario condenarse muchos é irse al infierno por falta de ministros; los quales en este obispado al presente no son más que los dichos, ni pueden hazer más de lo que queda declarado. Y aunque viniese copia de ministros, como los pueblos son pequeños y los naturales dellos pobrisimos, en ninguna manera podrian, no solo dar salario á los que an menester, pero ni aun el sustento ordinario de cada dia; que aconteçe muchas veçes dexar los religiosos de ir á visitar los pueblos, o si ban, no detenerse en ellos el tienpo que era menester, porque los indios no los pueden sustentar; pues sacarlo á los encomenderos de los tributos, seria no dexarles nada. V. M. será seruido de mandar que atentamente se mire este negoçio, y se probea de remedio á tan estrema neçesidad espiritual desta gente. (66)

Ya comiença á haber en esta çiudad clerigos hijos de vezinos: al presente ay dos, ya de misa, y de aqui á un año habrá más, y cada dia an de ir creçiendo. Esta iglesia no tiene que les dar, porque no ay en ella sino solas dos capellanias de á treinta y çinço pesos de renta cada vna, que no ay para çapatos; pues darles pueblos de indios que visiten, si no viene por orden de V. M., no es poderoso el obispo para lo hazer, sin graue escandalo i turbaçion, porque los religiosos de Sancto Domingo, que lo tienen todo á cargo, se an luego de oponer á ello y lo an de contradezir, como lo han hecho en los pueblos que se dieron á los religiosos de San Françisco; y seria escandalizar á los naturales, viendo tanta disension y conpetençia entre el obispo y los religiosos y clerigos, sobre entrar en sus pueblos y tener cargo dellos. V. M. será seruido de enviar el orden que en esto se a de tener, para cumplir con las neçesidades de los naturales en el capítulo antes deste declaradas, y para no hechar por puertas agenas los clerigos hijos de vezinos; de manera que se cumpla con lo vno y con lo otro en paz, sin turbacion ni escandalo de nadie, en espeçial destas nuevas plantas, lo qual yo hasta ahora e procurado con todas mis fuerzas.

Con los religiosos de Sancto Domingo que residen en este obispado, se offreçió vn negoçio el año pasado de setenta y siete, que fué occasion de que ellos rezibiesen y aian tenido pesadumbre, del qual me pareçió dar notiçia á V. M. y hazer relaçion verdadera de lo que pasó, lo vno, porque entiendo que por otras vias V. M. la habrá tenido o tendrá, por ventura, no tan cumplida y con tanta verdad como pasó; y lo otro, para que por esta occasion se prouea en lo de adelante cómo no aya semejantes turbaçiones. Y antes que comiençe á referir el caso, V. M. sea çierto que los dichos religiosos an trauajado y trabajan mucho en el descargo de vuestra Real conçientia con los naturales desta provinçia, y viuen en mucha obseruançia de su religion, y son benemeritos de qualquiera merçed que V. M. sea seruido de les hazer; y que su zelo es muy bueno, y con él intentaron lo siguiente: Y es que habiendo pasado tres o quatro años que el licenciado Cristobal de Axcueta, oidor de vuestra Real Audiençia de Guatimala, habia visitado esta prouinçia, y tasado los tributos en todos los pueblos della, sin que los naturales ni otro por ellos hubiese reclamado, ni quexadose de las tasas, y los dichos religiosos habian confesado á los encomenderos, sin haberles puesto escrupulo alguno por ellas; venido yo, se resumieron, todos de conformidad, en que las dichas tasas eran injustas, y que los encomenderos no podian con buena conçiençia vsar dellas, y que si no quitaban y trocaban çiertas cosas dellas, que ellos tenian apuntadas, no debian, ni podian los dichos encomenderos ser absueltos. La qual determinaçion predicaron en mi presençia y de todo el pueblo, açercandose la quaresma del año de setenta y siete; y como lo determinaron y predicaron, ansi lo pusieron por obra, que aquella quaresma que se siguio á ningun encomendero confesaron. Yo no tube este pareçer por açertado, ni me conformé con él, antes mandé á mis clerigos confesores que no lo siguiesen, ni alterasen sobre el caso las conçiençias de los encomenderos, sino que los confesasen como antes, con tal que vuiesen guardado y guardasen las dichas tasas, y á los dichos religiosos rogué veçes que depusiesen sus escrupulos y no alterasen ni turbasen con ellos la republica, y que si los naturales se sentian agrabiados con las dichas tasas, y á ellos les pareçia que se debian moderar, recurriesen á la Audiençia y pidiesen nuebas tasas, que yendo el negoçio desta manera guiado, yo les ayudaria quanto pudiese; pero que por solo su pareçer y escrupulos, no era razon mudar el estado de los negoçios, ni yo lo permitiria. Mi fundamento para este pareçer fué este: las dichas tasas fueron hechas por juez conpetente, hombre docto y cristiano; para haberlas de hazer, hizo las diligençias ordinarias y acostumbradas conforme á las instructiones y orden que V. M. en semejantes negoçios tiene dado. Esto hecho, pronunció sentençia de tasa, la qual fué consentida por entranbas partes; los encomenderos tomaron la posesion de los tributos que por ella les fueron adiudicados; vsaron y gozaron della muchos años paçificamente, sin contradiçion alguna. Las cosas no se an mudado de como estaban al tiempo de la sentençia, porque en los naturales no a habido notable diminuçion, ni son más pobres que entonçes (aunque siempre lo son mucho); luego, la tal sentençia de tasa no puede ni deue ser alterada sin autoridad de juez conpetente, con conoçimiento de causa; y debaxo de este fundamento, teniendo el respeto que se deue y todos somos obligados á tener á los ministros de vuestra Real justiçia, fuí y soy de pareçer contrario al de los religiosos, y no e dado lugar á que mis clerigos ayan inobado ni alterado las conçiençias de los encomenderos sobre el caso. De lo qual se siguieron, entre otros, dos efetos: el primero fué, que los religiosos reçibieron tanta pesadumbre de que yo no siguiese su pareçer, y admitiese á la confesion á los que ellos excluian, que me declararon y publicaron por inabsoluble; y desde estonçes asta ahora no an querido ni quieren confesarme, ni á quien me confiesa, ni á quien confiesa á los dichos encomenderos; del qual peccado yo nunca me e confesado ni pienso confesar, ni por esto, ni por otra causa e dexado de amar á los dichos religiosos y tratarlos muy como á hermanos, ayudandoles quanto me es posible, conçediendoles la ayuda que me piden, y áun convidandoles muchas veçes con ella, para que á plazer y con quietud hagan su offiçio y ministerio; porque considero, como es razon considerar, su buen zelo, y sus muchos trabajos y gran fruto que han hecho y hazen en esta provincia. Y si en haber guiado este negoçio por este camino e errado, entendiendo mi yerro, estoy presto de enmendarlo; y si no e errado, V. M. sea seruido de proueer lo que en semejantes negoçios, quando se offreçieren, se a de hazer, para que se ebite todo genero de turbaçion y escandalo.

Lo segundo que se siguió de lo dicho, fué, que los vezinos desta çiudad se indignaron é alteraron tanto con los dichos religiosos, que luego procuraron de traer aqui religiosos de San Françisco, pareciendoles que con esto los de Sancto Domingo se moderarian en sus opiniones, i que quando ellos los excluyesen de la confesion, estotros los admitirian: lo qual ansi se hizo, que en effeto, vinieron y an fundado monesterio, donde al presente residen. Y porque, segun pareçe, an enviado quexas á V. M. de que yo no les e dado visita de indios, y V. M. me hizo merçed de mandarme escrebir sobre ello, para que conste á V. M. la verdad de lo que pasa, envio aparte relaçion de lo suçedido en el caso, á la qual me remito: solo diré aquí que, segun el poco recado que los dichos religiosos an tenido y tienen para descargar vuestra Real conçiençia y la mia, con los pueblos que les e encomendado, más escrupulo ay en lo que se les á dado, que no en no haberles dado más; tanto, que los religiosos de Sancto Domingo, por ello (demas de la causa arriba dicha) me tienen por inabsoluble, y el provinçial desta provinçia me escribió sobre el caso vna carta que enbio con esta, para dos effectos. (67) El primero, para que á V. M. conste haberse hecho con los dichos religiosos de San Françisco más de lo que su poco recado de ministros en cantidad y calidad sufria, y en lo que yo me e puesto con mis religiosos, por amor dellos. Lo segundo, para que, si V. M. fuere seruido que á los dichos religiosos de San Françisco y á los clerigos hijos de vezinos se dén visitas de indios en este obispado, quitandolas á los de Sancto Domingo, que lo tienen todo, se nos envie por orden lo que se a de hazer; pues por esa carta y por la experiençia se a visto y entiende la contradiçion de parte de los religiosos de Santo Domingo, de que neçesariamente se siguiria escandalo y turbaçion en los naturales; el qual cesará enbiando V. M. á mandar lo que se a de hazer con los vnos y con los otros, y el orden que en ello se a de tener.

Desde que vine á este obispado, se a predicado en él la bula de la Sancta Cruçada dos años, por el orden que V. M. a enbiado, en lo qual de mi parte se a puesto toda la calor y diligençia posible, con deseo del effecto que en ello V. M. pretende. Los españoles casi todos la an tomado; pero estos son pocos, porque en todo el obispado no ay más que esta ciudad, que aún no tiene çien vezinos. Los naturales, con haberse predicado en todos los pueblos desta provinçia, an tomado tan pocas, que entiendo es más lo que se gasta en la predicaçion, que en la limosna que se saca. Esto no obstante, si V. M. fuere seruido que la predicaçion de la dicha sancta bula se continue, de mi parte se hará todo lo posible como asta aqui.

En esta iglesia no ay al presente ni a habido, más a de diez años, prebendado alguno nombrado por V. M.: yo, viendo la soledad de la dicha iglesia y su falta grande de seruiçio, e nombrado arçediano, masescuela y vn canonigo, por virtud de vna çedula en que V. M. haze merçed á los perlados destas partes de Indias, que donde no vuiere prebendados, pueda cada vno nombrar en su iglesia quatro. Y porque á cada uno destos tres en particular e dado carta para V. M., aqui solo diré que son personas benemeritas y dignas de que V. M. les haga la merçed.

Los diezmos deste obispado se remataron este año de 79 en mill y treçientos y quarenta pesos de minas, que es el maior valor que an tenido.

Esta iglesia no tiene otra hazienda sino la parte que le cabe de los diezmos, de la qual paga á V. M. los dos novenos: está pobrisima de ornamentos y de ediffiçios, como consta por la informaçion que dello envio. A V. M. suplico sea seruido de hazerle merçed y limosna para edificar lo que falta y proveerla de algunos ornamentos, y demás desto, de le hazer merçed de los dichos dos novenos por tiempo de diez v doçe años.

Con este memorial envio el poder que V. M. me a mandado al enbajador que reside en corte romana, para que por mí y en mi nombre, haga la visita de los límines de los Sanctos Apostoles, y lo demás que yo de derecho estoy obligado á hazer, el qual poder envié dos años a, y e sabido que se perdió el navio donde iba. (68) Esto es lo que al presente se offreçió de que dar aviso á V. M. De Chiapa, 28 de henero de 1579 años.

Frater Petrus, Episcopus Chiapensis.

Sobre.—A la Catholica Real Magestad del Rey Don Philippe, Nuestro Señor, en su Real Consejo [*de las Yndias*].

[illegible], prebendado alguno nombrado por V. M., y a vacado la [illegible] de la dicha iglesia, y en esta falta grande de servicio de nombrado arcediano, maestrescuela y un canónigo, por virtud de una cédula en que V. M. hace merced a los beneficiados destas partes de Indias, que, donde no hubiere prebendados, puedan [illegible] nombrar en su iglesia quatro. Y porque [illegible] más destos [illegible] en particular escribo carta para V. M., aquí solo digo que son personas beneméritas y dignas de que V. M. les haga la merced.

Los diezmos deste obispado se conmutaron este año de 79 en mill y seiscientos y quatro pesos de minas, que es el mayor valor que an tenido.

Esta iglesia no tiene otra hazienda sino la parte que le cabe de los diezmos, de la qual paga a V. M. los dos novenos, tiene necesidad de ornamentos y de edificios, como consta por la información que dello envío. A V. M. suplico sea servido de hazerle merced y limosna para edificar lo que falta y proveerla de algunos ornamentos y demás desto, de le hacer merced de los dichos dos novenos por tiempo de diez y ocho años.

Con este memorial envío el poder que V. M. me a mandado al embaxador que reside en corte romana, para que por mí y en mi nombre haga la visita de los límites de los Santos Apóstoles, y lo demás que por derecho estoy obligado a hazer, el qual poder envío [illegible] y no se sabe que se perdió el navío donde iba. Y esto es lo que al presente se ofrece de que dar aviso a V. M. De Chiapa, 20 de hebrero de 1580 años.

Frater Petrus, Episcopus Chiapensis.

Sobre.—A la Cathólica Real Magestad del Rey Don Phelippe, Nuestro Señor, en su Real Consejo de las Indias.

PERÚ.

GOBERNACIONES

DE

CRISTÓBAL VACA DE CASTRO

Y DE

PEDRO DE LA GASCA.

CRISTÓBAL VACA DE CASTRO.

LXXX.

Carta del licenciado VACA DE CASTRO *al Emperador Don* CÁRLOS, *refiriendo las penalidades de la navegacion hasta aportar en la Isla Española.*—SANTO DOMINGO, *4 de enero de 1541.*

Sacra Cesarea Catholica Magestad:

De la Gomera escreuí á V. M. cómo auia llegado allí á veinte y dos de noviembre, y cómo partia de allí primero de deziembre, y lo que más avia que dezir. Despues acá hemos pasado esta mar con trauajo, porque corrimos dos vezes tormenta, la vna dozientas leguas antes de las islas primeras, con vendabales y aguazeros, la otra çerca de la isla Dominica, con tan rezio nordest, que entraua la mar por vna parte en la nao y salia por otra; fué tal, que nos debatió házia el Sur, de manera que no podimos tomar la isla de Sant Juan por la parte del Norte, donde tiene el puerto, para hazer la visitaçion de aquella fortaleza, y á trauajo podimos tomar esta isla de Santo Domingo, donde plugo á Nuestro Señor que llegué á treinta de deziembre y entiendo en la visitaçion desta fortaleza. Y con otra nao que partirá á los quinze deste mes, escriuiré á V. M. y ynbiaré la visitaçion de la fortaleza y mi pareçer con ella, y lo mismo en la de Sant Juan, porque he allado aqui vezinos de aquella çiudad de quien se puede tomar bastante relaçion. Nuestro Señor la vida é imperial estado de V. M. guarde y prospere. De la çiudad de Santo Domingo, 4 de henero de 1541.

De Vuestra Sacra Cesarea Catholica Magestad humill servidor y criado que sus imperiales pies y manos besa

El liçenciado Vaca de Castro.

Sobre.—A la Sacra Cesarea Catholica Magestad del Emperador y Rey Nuestro Señor.—Dése en el su Consejo de las Yndias.

LXXXI.

Carta del licenciado CRISTÓBAL VACA DE CASTRO al Emperador Don CÁRLOS, participándole el asesinato del marqués Don Francisco Pizarro y la rebelion de Don Diego de Almagro, el mozo.—QUITO, 15 de noviembre de 1541.

Sacra Cesarea Catholica Magestad:

POR otras he escrito á V. M. cómo fué Dios seruido que en el galeon en que venia de Panamá, no pudiese tomar la tierra del Perú por la via de Puerto Viejo, y arribé á vn puerto de Andagoya, que se dize la Buena Ventura, desde donde se viene á esta tierra por la governaçion de Popayan; y cómo en Cali estove tres meses á la muerte, y de allí, durante la enfermedad, puse en paz á los governadores Venalcaçar y Andagoya, que estavan para se matar; y luego que enbié al puerto que he dicho, enbié vna caravela á Lima y puertos del Perú á que supiesen cómo avia llegado allí; y desde Cali hize mensagero por tierra hasta aquí, á Quito, para que desde aquí se enbiasen las cartas á Lima, é asy se hizo.

Antes que llegase á esta çiudad, supe cómo los de Chile y parte de don Diego de Almagro habian muerto al marqués don Françisco Piçarro, y luego lo escreuí á V. M. por la via del puerto do arribé; despues acá, heme detenido algunos dias en escrevir á V. M., por poder escreuir algunas cosas determinadas y muestra de tiempo.

Segun he sabido por cartas de personas que estauan en conpañia y conformidad de aquella gente, y de algunos que aqui han venido, y por otras vias, el matar del Marques estava acordado entrellos dias ha, y ansi a mucho tienpo que ellos conpran armas y an allegado á sí la gente que han podido, avnque esperavan que viniese juez y si no quitase la governaçion luego al Marqués é le degollase, matar á los dos; y asi tenian acordado de lo hazer comigo. Despues que supieron por cartas que les escreuieron de corte y se lo publicó el Marques y su secretario que yo no traya poderes para hazer lo que ellos querian y me tuvieron por muerto, executaron su proposito en la muerte del Marques y en alçarse con la tierra, que es lo que deseavan y asi paresçe por las cossas é delitos que despues han hecho, de que daré aqui cuenta á V. M.

Vn Juan de Errada, que hera como curador de don Diego, hijo del adelantado Almagro, con otros diez que fueron con él, salieron de la casa de don Diego, aviendo poco que el Marques avia venido de misa, y no estavan con él sino su hermano Françisco Martin y vn Françisco de Chaves, y fueron dando bozes por la calle «mueran traidores,» sacadas las espadas y armadas dos vallestas y vn arcabuz; y entrando en la casa del Marques, toparon en la escalera con Françisco de Chaves, que se yva á su casa, y alli le mataron y á dos criados suyos; y entre tanto el Marques se vistió vnas coraças; y dos pajes que defendian la camara á do estava, los mataron, y despues al Marques con vn pasador que le dieron por los pechos, y al Françisco Martin tanbien; y el Marques se defendió valientemente y mató á vno de los contrarios; y entre tanto que esto pasaua, el don Diego con algunos de acavallo por las calles, que no saliese nadie de sus casas á ynpedir aquel hecho; y luego hizieron resçebir por governador al don Diego; y á los que en el cabildo contradixeron, que fué el liçençiado Benito de Caravajal y Diego de Aguero, los prendieron y quisieron degollar; y hecharon al Marques y á su hermano en la plaça cabe la picota, como á dos honbres comunes y mal hechores, y alli estovieron hasta la tarde, que vn Barbaran los hechó en vna sepoltura entranbos. Saquearon las casas del Marques y le tomaron todo el oro y plata y hazienda que tenia, y pasose á biuir en sus casas el don Diego. Saquearon las casas de Françisco Martin y Françisco de Chaves y de Antonio Picado;

tomaron las naos que estavan en el puerto y les quitaron las velas y timones; tomaron á todos los de la çiudad los cavallos é armas; no les dan lugar que honbre ninguno salga fuera; tienen guardas en los caminos; degollaron publicamente á vn Horiguela, dos ó tres dias despues que llegó á Lima de Panamá, dizen que porque los llamó traydores y por alborotador; dizese que han hecho lo mismo de Picado; tienen voluntad, y ponenlo por obra, de hazer lo mismo á los amigos y parte del Marques. Y sabiendo mi venida, no han enbiado ni escrito, antes enbiaron á vn Garçia de Alvarado á los pueblos de la costa, Truxillo y Piura, con çiento y çinquenta honbres, en vn galeon grande, que hera del Marques, para me prender, y sino hiziera lo que ellos querian, matarme; y allí tomó las armas y cavallos á los vezinos, é á muchos el oro é plata é todos los dineros que allí hallaron de difuntos, que algunos, Maçuelas y otros, avian allegado; y en el camino prendieron á vn Cabrera con otros veynte é çinco que venian para mí, é al Cabrera é á vn Bozmediano y vn Villegas degollaron en San Miguel publicamente, y tanbien diz que por alborotadores, que por tales tienen á todos los que quieren seruir á V. M. Dizese que á vn Caçeres é vn Cardenas, que llevauan en el galeon presos, avian degollado en Truxillo; prendieron á vn liçençiado Leon, que venia agora de España, en San Miguel, que hazia lo que allí tocava en seruiçio de V. M., y muy bien.

Dizen que han enbiado á V. M., y publican que para que los perdone y haga merçedes; y esta ni es fidelidad ni voluntad de obedesçer, syno dar manera de dilaçion en el obedesçer las prouisiones que yo trayo de V. M., entre el yr y venir, y rehazerse en este tiempo para su proposito, si pudiesen. Esto es lo que, de su parte de estos, se a hecho hasta agora.

Lo que de mi parte se a hecho es, que luego que supe, avnque por ynçierta nueva, en Popayan, la muerte del Marques, escreví al governador Venalcaçar que no se fuese de Cali hasta ver otra mia; escriviome que él la tenia por çierta, y por esto queria venir á Quito comigo: asi lo hizo, puesto que me a detenido aquí algunos dias esperandole.

Despues que supe la certinidad de la muerte del Marques, escreuí luego y enbié mensageros á los capitanes que estavan en entradas desta parte de Lima, á Alonso de Alvarado, que estava en los Chachapoyas, é á vn capitan Juan Perez, que estava ay çerca, é á vn Verdugo, que a dereçado çierta fortaleza cabe Caxamalca y está dentro con quarenta honbrès, con yntençion de defenderse de los de Chile, sy viniesen; y al capitan Vergara, que estava en los Bracamoros. Y todos han holgado mucho con saber mi venida, y anme respondido que estarán todos aparejados para se juntar comigo en el camino, á do yo los escriviere, y con mucha afiçion de seruir á V. M. Al capitan Alonso de Alvarado enbió luego don Diego de Almagro á requerir que se juntase con él; é mandandoselo como governador, él le respondió que fuesen para traydores, que el avia de seruir á V. M.; y ansi me a escripto que, avnque viniesen todos contra él, tenia aparejo para se defender; y lo mismo me escriuió el cabildo de la Frontera, vn lugar que se a poblado en los Chachapoyas.

Screuí luego asimismo al cabildo del Cuzco y personas particulares, y enbié el treslado avtentico por dos escriuanos de la prouision de governador que V. M. fué seruido de darme, y el testimonio de cómo aqui fuy resçebido por ella, y poder para la presentar y requerir. Escreví á vn capitan Per Alvarez Holguin, que estava con çiento é çinquenta hombres en la tierra del Cuzco, que yva á vna entrada; y despues escreví á Lima y enbié el mismo despacho por quatro vias, con cartas para el cabildo y para otras personas que solian ser de su parte y agora les son contrarios, como es Gomez de Alvarado y otras personas de calidad. Escreví al don Diego y enbié dos personas á la çiudad por espías, para que me escrivan lo que pasa o venga vno; presto me verná de todos respuesta; y escreví á los pueblos de la costa y personas particulares della, y estarán todas en seruiçio de V. M.

Y la gente que deste recavdo y prouision se podrán juntar comigo, son el governador Venalcaçar, que a traido quarenta honbres y a enbiado por otros çiento; alcançarme an en el camino, segun él dize. Muestra mucha voluntad de seruir á V. M. De los capitanes Alonso de Alvarado y Juan Perez y Verdugo, dozientos; del capitan Vergara, çiento; de esta çiudad, con la copia de gente que ha venido á se juntar comigo y seruir á V. M., saldrán más de dozientos; de los pueblos de la costa, con algunos pueblos de los de la sierra é gente que se an ydo allá al tiempo que vino á la costa Garcia de Alvarado, çiento y çinquenta onbres; y tengo por çierto que, açercandome házia Lima, en Truxillo o Caxamalca se me verná copia de gente; porque, á lo que entiendo, hasta las piedras se querian levantar contra esta gente, y á lo que me an escripto personas de credito, mucha de la gente que está con el don Diego, sabido que voy y llevo poder de governador, tienen voluntad de se venir para mí, y así lo dizen publicamente al don Diego; y para esto se dará en Lima de mi parte la manera que conviniere. Todos andan haziendo ynformaçiones que no fueron en la muerte del Marques.

Demas desto, espero alguna gente de Panamá y Nicaragua, adonde enbié personas de recaudo por armas y cavallos, porque supe que en los que se avian de juntar conmigo avia falta de estas cosas, y prouey que traxesen dos navios con la gente que estoviese aparejada, para señorear la costa y que no se vayan estos ni hagan los daños que hazen. Escreuí á los oydores é al governador de Nicaruaga é Guatimala é Mexico que, si por allí fuesen personas de acá, les prendiesen é secrestasen sus bienes é lo que llevasen, hasta hazerlo saber á V. M., o se me escriuiese.

A Gonçalo Piçarro, que es entrado á la Canela con dozientos hombres bien adereçados, enbié á llamar con quarenta honbres bien armados, y no pudieron yr más de treynta o quarenta leguas, por estar toda la tierra de guerra, y supieron cómo Gonçalo Piçarro está ya tan adentro y tan lejos de aquí, que, si no enbiase tantos como el llevaua y con tan buen recaudo, no podria aprouechar de alcançarles, ni pasar adelante, porque la tierra está toda de guerra y los rios grandes y el camino lexos; y porque todavia fuera poner en aventura la gente que á esto enbiase, y la tardança que podrian hazer, quise más conseruar esto aqui, por la neçesidad que al presente se muestra; y asi enbié á que se viniesen los quarenta honbres, que no podian pasar adelante.

En el Cuzco resçibieron á don Diego por governador, y algunos vezinos se salieron, y a subçedido que, despues que llegaron mis cartas y despachos, que se metió dentro Pero Alvarez Holguin con la gente que tenia y vn capitan de arcabuzeros Pedro de Castro, é vn capitan Diego de Rojas, con la gente que tenia, é vn Gomez de Tordoya é otros, é toda la gente de los Charcas é Arequipa, que quedó despoblada; y enbiaron á llamar á Pero Anzures, que estava en çierta entrada çerca, é á vn don Alonso de Montemayor, que yva con çien honbres de parte de don Diego al Cuzco y le prendieron, y alguna gente de la que con él yva, se fué al Cuzco de su voluntad. A se sabido esto por cartas de Lima que an venido á Truxillo é á San Miguel, é porque por parte de don Diego se enbió á llamar á Garçia de Alvarado, que estava en la costa, como he dicho, con gente, diziendole lo que pasava en el Cuzco, que fuese luego, porque el don Diego con toda su conpañia queria yr sobre él, diziendo que estava alçado, como si fuera por el turco, estando en seruiçio de V. M.; y ansi se partió el Garçia de Alvarado con toda su gente para Lima. Dizen que ay en el Cuzco quinientos honbres y muy bien armados y mill negros y con sesenta pieças de artilleria, porque, demás de la que alli avia, se llevó toda la que traxo á Arequipa vna nao gruesa bien armada de las del obispo de Plasençia, que pasó el Estrecho y quedó alli en Arequipa; y más vna pipa de polvora que traya; demás de traer consigo vn Candia, que haze cada dia muniçion. El don Diego y sus prinçipales no pueden sacar la gente de Lima, que dizen que no quieren yr ni pelear contra christianos: esto me escrivió agora vn Aguilera, de Guamachuco, que vino alli poco ha de Lima, y otras personas, por cosa çierta.

Y lo que acá paresçe y se puede colegir de todo, es, avnque el fin de la guerra es dudoso, que estos no se pueden sustentar, porque, si van al Cuzco, puedoles tomar las espaldas é la tierra, sy vienen á esta parte, los del Cuzco hazen lo mismo; si están quedos, juntamonos los vnos y los otros y somos dos tantos; y avnque tomasen el Cuzco, que no se sabe cómo, segund son muchos é aperçebidos los de dentro, ay muchas causas para que sea tan reñido el negocio, que los de Chile an de perder mucha parte de su gente, y avnque sea poca, no queda para sostener ni hazer rostro, y los que quedaren del Cuzco, se an de juntar comigo, porque saben que, de los que tomaren, no an de dexar ninguno. Esto es, en caso que, los de don Diego no se viniesen para mí algunos, que creo que serán muchos. Y como yo tenga de mi parte razon y justiçia, á quien Nuestro Señor Dios sienpre corresponde, y la boz de V. M., tengo confiança que haré justiçia destos, tan exenplar como latroçidad de sus delitos lo requieren, syn ronpimiento ni batalla, que esta se a de escusar de mi parte lo que pudiere.

Tengo en mi conpañia capitanes y personas cuerdas, sin las que se me an de juntar, y esperimentados, que se an hallado en la tierra é cosas en ella acaeçidas y en otras conquistas, seruidores de V. M.; y ansi, todo lo de açá se tratará con la buena diligençia y buen consejo que ser pudiere, para dar á V. M. la cuenta que soy obligado.

Aunque yo tenia gran pena del trastorno de mi jornada, paresçe, segund muestran los negoçios, guiada por Dios; porque, á executar esta gente la desverguença que tenian conçertada, la tierra se perdia, y en venir por este puerto de Quito, se a podido hazer y proueer lo que conviene, sin estorvo, que á ninguna parte llegara que lo pudiera hazer.

En las cosas que se an de hazer acá se entenderá, dando lugar el tienpo. Aqui se a començado á tomar quenta á los ofiçiales que agora ay, y todo anda mal parado, porque, desde que se ganó la tierra, no se a tomado cuenta, y son muertos los oficiales syn tener fianças. A los prinçipios no hobo libros de cuentas, syno papeles; dizen que no avia papel en la tierra; sacarse a en linpio lo posible y enbiaré á V. M. la relaçion de la cuenta y cobrança; y estando paçífica esta tierra, que será presto, plaziendo á Dios, queda aparejada para se poblar y hordenar lo de la hazienda, de manera que V. M. lleve más que hasta aqui; y tanbien lo que toca á la justiçia y christiandad y reformaçion de la tierra; que hasta agora está hecho poco; deve aver sido la causa, las alteraçiones que ha avido.

A lo que he entendido desta prouinçia y Tierra Firme, me paresçe que estaria mejor el Avdiençia en esta que en Panama, porque casi todos los pleitos de alli son de esta tierra, y de Panama y Nicaragua vienen aqui dos vezes en el año con su mercaduria, y podrian enbiar sus causas; y á Cartagena, tan bien le está yr á Santo Domingo como á Panama, que con vendoval, es tan poco yr alli, como al Nonbre de Dios, y muy pocas causas vienen de alli á Panama, porque muchos de los que van á pleitos á Panama, se mueren de la enfermedad que alli ay, y si el pleito es largo, no pueden alli asistir por la careza de la tierra; y en esta provinçia haria mucho prouecho el Audiençia. V. M. prouea lo que más fuere seruido que será lo mejor.

Dizese tanbien acá, que allá se trabta de la entrada donde se tiene por çierto que ay la mina de esmeraldas. Sepa V. M. que ay acá quien la tome y lo haga bien á su costa, syn partidos, sino que pueble la tierra y se reparta, y la mina quede por de V. M.; y para que se vea quan bien la busca, que ponga yo vn vehedor o dos. En semejantes cosas y otras que de acá se podrán pedir y escrevir, V. M. se detenga hasta escrevirme, porque de todo podré enbiar desde acá çierta relaçion y lo que á mí paresçiere, sy V. M. mandare.

Llegando aqui con esta carta, vino á mí vn mensagero de don Diego de Almagro y truxo solas dos cartas; vna suya y otra del liçençiado Rodrigo Niño, que agora vino de España, é luego fué á ser regente de don Diego. Lo que la carta de don Diego en efeto dezia, es, contar las causas que houo para la muerte del Marques, y no concluye en que yo vaya ni obedesçer, sino que mirado por mí lo vno y lo otro, haga lo que fuere seruiçio de Dios y de V. M. Quando este mensagero de allá partió, no heran llegados los mios, segund él dize. Escriueme el Rodrigo Niño, entre otros desvarios, que no vaya yo allá hasta que venga respuesta de V. M., porque vea la voluntad que estos tienen: yo respondí á todo lo que convenia, y en esto no ay más que dezir. De Truxillo y de otras partes me an escripto el don Diego y sus secazes enbian á mí á Françisco de Barrionuevo y á vn Oñate. Dios lo guie todo á su seruiçio y al de V. M., y como convenga al bien desta tierra.

Los yndios de la ysla de la Puna mataron á vn Çepeda que los tenia á cargo; dizenme que á su culpa. Luego se porná en ello remedio, y para lo vno y lo otro partiré de aqui en fin deste mes, plaziendo á Dios. El qual guarde y prospere la vida é ynperial estado de V. M. Desta çiudad de Quito á quinze de novienbre deste año de 1541 años.

De algunas cosas, que por acá conviene se dén prouisiones y cartas, se dará allá notiçia á V. M. y Consejo. Suplico á V. M. las mande despachar.

Agora me an escrito que pasó vna caravela por Paita, que venia de Lima, y que venia en ella el obispo del Cuzco y vn dotor Velazquez, casado con vna su hermana; fué teniente general del Marques. Dizenme que viene huyendo para mí: no sé lo çierto.

De Vuestra Cesarea Catholica Magestad, humill criado y seruidor que sus Reales pies y manos beso—El liçençiado Vaca de Castro. (69)

LXXXII.

Carta del licenciado Cristóbal Vaca de Castro al Emperador Don Cárlos, dándole cuenta de la sublevacion y castigo de Don Diego de Almagro, el mozo, y de otros importantes asuntos. Cuzco, 24 de noviembre de 1542.

Sacra Cesarea Catholica Magestad:

Desde el valle de Xauxa, ques casi quarenta leguas de la çiudad de los Reyes é ochenta desta çiudad del Cuzco, á diez é ocho dias del mes de agosto pasado escriuí á V. M., con fray Francisco Martinez, religioso de Santo Domingo, é Alonso de Villalouos, dandole quenta de todo lo que en esta tierra auia subçedido despues que en ella entré, y lo que se auia hecho en seruiçio de V. M. para sacarla de poder de don Diego de Almagro y sus capitanes y secazes, que con tanta desverguença la tenian vsurpada y tiranizada, y el buen estado en que todo quedaua; y ansimismo enbié duplicados los despachos que antes auia enbiado con Diego de Aller, veniendo de Quito, por la dubda que podiera aver en su llegada.

En el despacho de Xauxa, escriuí á V. M. cómo con la gente que tenia junta en aquel asiento, con la graçia del Espiritu Santo partia la via del Cuzco para hechar estos tiranos, alçados contra V. M., de la tierra, que tan apoderados estauan della para la defender á V. M., que entre todos los otros delitos, y junta de gente, robos é artilleria y muniçion que para este efecto tenian hecho, avian en el Cuzco hecho vn cadalso, y en él, junta toda la gente alrrededor, con pregonero, en nombre del dicho don Diego, estando el dicho don Diego é todos presentes, se pregonó parlamento persuasibo para que todos le jurasen y le siguiesen é touiesen por gouernador, é le defendiesen contra todas personas del mundo hasta morir por él; y ansi lo juraron en vn altar aderezado como para dezir misa, que tenian debaxo del cadahalso, y ansimismo el dicho don Diego les juró quen destruyendo á sus enemigos é contrarios o echandoles de la tierra, que hera por mí y la gente que conmigo tenia en seruiçio de V. M., de repartir entrellos la tierra y darles lo que en ella ouiese; y esta fué la causa, segund despues se a sauido, porque no se me pasó nadie dellos, como yo pensaba y hera razon: y con esta determinaçion salieron desta çiudad en demanda mia.

Subçedió, que yendo me llegando á Guamanga, quarenta leguas de Xauxa, para desde alli despachar al don Diego é sus capitanes para atraerlos al seruiçio de V. M., con partidos que no fueran en desacato ni deseruiçio suyo, como despues lo hize, supe, por las espias que yo con ellos traya, que heran salidos deste Cuzco á mucha priesa á executar su proposito y conjuraçion, á darme batalla sin esperar respuesta de lo que auian enbiado á tractar conmigo con los mensajeros que me auian enbiado á Xauxa, que pareçe que no hera para efectuar partido sino para entretenerme y saber de mí é la gente é recaudo que tenia, ni tanpoco se quisieron nunca aprouechar, para venir al seruiçio de V. M., de muchas cartas y prouisiones que les auia enbiado y perdones para todos los que se quisiesen venir al seruiçio de V. M., que no oviesen sido en la muerte del Marques; y fuy auisado que venian á tomar la villa de Guamanga, á donde tenia al capitan Diego de Rojas con alguna gente, ansi para seguridad de la villa como para asegurar el canpo é saber lo que los contrarios hazian: y dime toda la priesa posible hasta entrar en la dicha villa con creçidas jornadas, porque hizieran muy gran daño si la ocuparan, y llegué con toda la gente del Real de V. M. un dia, á vna o dos horas de la noche, y en llegando supe de çierto cómo don Diego é su gente dos dias hantes avian llegado á vn asiento fuerte que llaman de Vilcas, ques á diez leguas de la dicha villa de Guamanga, que me obligó á estar alli aquella noche con toda la gente en el canpo á punto.

Y estando en el dicho asiento de Vilcas, continuando el dicho don Diego é sus capitanes é secazes su desverguença y rebelion, me enbiaron á Lope de Ydiaquez con cartas, vna del don Diego y otra de los capitanes, paliando é desimulando sus delitos y diziendo que la tierra hera suya, que la hauian de defender; amenazando me con batalla, porque pensavan que tenian el juego ganado é se tenian por señores de todos estos reynos, é demas de su dañada yntençion les ponia esta soberuia y atreuimiento la mucha artilleria que trayan de bronçe, que les auia fecho vn Candia, estranjero, tan buena como en Milan, y que como auian robado todas las armas é cauallos de la tierra, tenian por ynposible averme yo dado maña á hazer é juntar las que tenia, y venir ellos muy armados y con determinaçion de vençer o morir. Y antes que llegase el Ydiaquez á mí ni supiese de su venida, avnque hera cosa sabida y pública el dañado proposito questos trayan, continuando mi proposito de ganar el juego por maña é deshazerlos o reduçirlos al seruiçio de V. M., sin recuentro ni batalla, les auia enbiado al dicho don Diego é sus capitanes y secazes á vn vezino de Guamanga que se llamaba Alonso Garçia, con cartas para todos los prençipales, persuadiendolos que se viniesen al seruiçio de V. M., con buenos ofreçimientos y con perdones para todos los que dellos se viniesen al seruiçio de V. M., exçebtando los matadores del Marques: y en lugar de dar buena respuesta á tan buenas cartas y perdones que les enbiaua, ahorcaron el mensagero; porque vea V. M. qué yntençion tenian de conçiertos, y el proposito con que auian enbiado los mensajeros primeros é ynbiaban al Ydiaquez.

No obstante esto, quise todavia, para más convençer al dicho don Diego é sus capitanes y justificar la causa, tornar á les enbiar al mismo Ydiaquez é con él á Diego de Mercado, factor de V. M. en el Nuebo Reyno de Toledo, que avian sido muy amigos, con otras dos cartas, vna para el don Diego en respuesta de la suya, con todas buenas palabras de persuasion para que dexasen el camino que trayan, y que entendiese que hera muy claro, por las cosas que auia fecho de matar al Marques y alçarse por gouernador y apoderarse de la tierra y auer hecho la dicha junta de gente é sus capitanes y vanderas y no obedeçer las prouisiones de V. M., que yo traya, hera andar alçado contra el seruiçio de V. M. en estos reynos, y que heran casos de traiçion y crimen *lege magestatis*; que hiziese lo que en otras muchas le auian escrito de derramar la gente é venirse para mí, que en todas sus cosas le harian justiçia é le seria padre; sinificandoles la voluntad con que V. M. les hizo merçed de enbiarme á sauer las verdad de las cosas pasadas, para les hazer justiçia y remediarlos: é para que mejor lo pudiese hazer le enbiava mandamientos é prouision, á pedimento del fiscal de V. M., mandandole que ansi lo hiziese, ynserta la ley de la Partida que en el propio caso que trataua le daua por traidor no lo haziendo, con çitaçion y enplazamiento en forma, y tanbien para quél, no veniendo, se declararia aver yncurrido en la pena de la dicha ley y otras de los reynos de V. M.

É á los capitanes escriuí que bien creydo tenia, y que no obstante lo que dezian, avian de venir á seruir á V. M. en mi aconpañamiento, y que las firmas que venian en su carta creya que heran más para conplir que no para executar; que se viniesen luego para mí, que yo les haria buen tratamiento y en todo justiçia, y que supiesen que en el leuantamiento de don Diego, á quien aconpañavan, no solamente heran obligados á dexarle, mas á contradezirle é venir sin ser llamados á ello. Y para que mejor lo supiesen y lo conpliesen, les enbiaua y enbié otra prouision á parte, ynserta la mesma ley de Partida que les obligaua á ello so pena de traidores é que ouiesen la mesma pena, con el emplazamiento en forma, y que pasado el término que para ello les dí declararia aver yncurrido en las penas contenidas en la dicha ley y las declararia por tales.

Y ansimismo les enbié á dezir, por entretenerlos, para ver si vistas las prouisiones y lo que les obligaua las leyes se viniesen algunos para mí, que enbiasen vna persona, de los prinçipales que entre ellos handavan, para tratar de algunos medios, y les enbié seguro en blanco para que pusiesen á quien quisiesen: y mientra más yo le persuadia con estas buenas palabras y maneras, tanto más se ensoverbeçian; por manera, que me respondió el don Diego, afirmandose en su proposito, é los capitanes, que si yo pensava que avian de dexar al gouernador don Diego d'Almagro por venirse para mí, questaua muy engañado, é que bien hera que pensase en sus firmas heran para bien pareçer, que juraban á Dios de executar lo que me avian escrito en la otra carta, si no se hazia todo lo que don Diego quisiese: y las prouisiones que les enbiaua, en lugar de las conplir quemaronlas.

É porque los dichos mensajeros Ydiaquez é Mercado los reprehendian, contradiziendoles sus desverguenças, y diziendoles publicamente que mirasen mis prouisiones y las cunpliesen, y que mirasen que no lo haziendo heran traidores contra V. M., les respondian palabras feas en desacatamiento de vuestra Ymperial persona, y que á V. M. que estouiese presente darian la batalla, é que la tierra hera suya é la auian de defender; é los quisieron matar y se vieron en arto peligro, é que no les enbiase más mensageros que los aorcarian, y que porque viese que avian de conplir lo que me auian escrito se partian luego contra mí.

Venidos á mí, los dichos mensajeros, con las respuestas dichas, yo toue la vitoria por çierta, vista nuestra justiçia y sus desverguenças, tirania y rebelion, é partí de la dicha villa de Guamanga, porque no estaba alli buen asiento, dos leguas adelante á un asiento que se llama Chupas, que hera bien puesto para no ser ofendidos, si no fuera volbiendo por las espaldas á nosotros, é diose horden en feneçer el proçeso que se hazia contra ellos con los pedimientos neçesarios del promutor fiscal; y pasado el término é acusadas las reueldias dí sentençia, en que los pronunçié por traidores, é los condené á muerte de tales, al dicho don Diego é á sus capitanes é secazes, é confiscaçion de bienes é ynfamia de los hijos, y se pronunçió pregonada publicamente; y en execuçion della mandé que la gente de guerra fuese toda en mi conpañia, en lo qual, con ver la ynfamia de los delitos é ynsultos de los contrarios, y con ver la honrra é fama que se les siguia á ellos, se allegaron é animaron mucho. É porque desde que entré en Guaraz, toda la gente de guerra que alli allé con Per Aluarez Holguin y la que yo traya conmigo, é la que despues lleué de Lima, sienpre apellidaron por canpo franco; visto que la batalla auia de ser en el canpo, donde no auia saco de pueblo, sino cauallos y armas, y tomalles los toldos que trayan, se le dí porque ansi convenia al seruiçio de V. M., é sin darselo lo auian de hazer ellos, é con esto se animaron más á hazer lo que deuian; y como los deseruidores de V. M. se vinieron açercando á mí hasta ponerse vna legua grande, nos dieron trauajo algunas noches de estar en hordenança en el canpo, como convenia, pensando que vinieran de noche.

Sabado diez é seis de setienbre, bien de mañana, supe de nuestros corredores como estos deseruidores de V. M. yvan media legua de través de nuestro asiento, por vnos llanos que llaman Asalomas, para tomarnos las espaldas y asentar su artilleria á terrero y dar en nosotros; é miradas por mí las causas que auia é me forçaba á dalles batalla, avnque ellos no nos la vinieran como vinieron á dar, que heran muchas, porque si se fueran á los llanos, como lo pudieran hazer, por el aspreza de la tierra y deuersidad de caminos, la prouinçia se perdia, é no los podiamos seguir é sin resistençia ocupavan los puertos de mar, é pudieran hazer el saco quellos tenian acordado de Panama é Nonbre de Dios, é si se nos bolvieran al Cuzco o prouinçia de Charcas hera neçesario estar sienpre en frontera contra ellos, é para anbas cosas estas y para si se dilatara la batalla como venia ya el ynvierno y grandes aguas desta tierra, demas de estar toda desipada, que los yndios no tenian ni auia maiz que poder dar para la gente, se me auia de deshazer mucha parte della como se me deshazia ya, que de más de mill honbres que tenia por nómina, como á V. M. escreuí, con los que venian de Lima, no me hallé con más de seteçientos y çinquenta, porque algunos de Lima, no heran llegados, y otros con la poca constançia que ay en la gente desta tierra, como en la otra escreuí á V. M., se me auian desapareçido, que la tierra es de tal manera que avnque aya dos mill guardas se pueden yr los ruines; y si el don Diego é sus secazes se fueran á Chile o á otra parte, en desahaziendose la gente de acá auian de tornar á ocupar todo el reyno, é si nos retraxeramos heramos perdidos porque los yndios desta tierra que siruen de carga y comida nos dexaran, porque tienen de costunbre dar tras la gente que le pareçe que huye, é de la parte de los contrarios sienpre se auian de estar juntos, porque como todos heran deliquentes, auian destar para su defensa, en espeçial despues de la conjuraçion que entre ellos ovo en el Cuzco, como he dicho, y sienpre se temian destos, como despues se a sauido, que, quedando estos en el reyno, ya que otro remedio no tovieran, auian de procurar de meter gente estraña para su defensa é deseruiçio de V. M. É por estas causas é otras muchas, me pareçió que Dios nos hazia grand merçed en traernoslos á las manos, porque la tierra es de tal manera, que en vn paso que se quisieran detener, nos pusieran en muy grand trauajo de poder llegar á ellos, é ansi que lo vno é lo otro me forçaron, y convino hazer con ellos como hizieron vuestros gouernadores contra Joan de Padilla y comunidad, é mandan las leys de vuestros reynos se haga en semejante caso como este, mayormente, que supe que tenian conçertado con el Ynga, que otro dia, domingo, diese en nosotros con dos o tres mill yndios de guerra por vna parte, é aquel tienpo dar ellos en nosotros, que la bondad de esta gente hera tal, que deste enemigo de V. M. se querian ayudar; é determiné de hazer lo que más convenia al seruiçio de V. M. y bien vnibersal de toda la tierra, é darles la batalla y acometerles ántes que nos acometiesen. Y luego proibí de poner toda la gente en horden, é mandé yr al capitan Nuño de Castro, con algunos arcabuzeros, é al capitan Per Anzures, con algunos de á cauallo, que subiesen vna cuesta larga que auia en medio, por donde los contrarios yvan, y los entretouiesen con alguna escaramuça, porque no pudiesen poner su real en el sitio quellos querian, donde nos tenian mucha ventaja, y ansi se hizo; é yo me dí priesa á caminar con toda la gente, asta subir á lo alto de las lomas por donde los contrarios yvan, los quales, visto que los siguiamos, hizieron alto y se pusieron en horden para nos esperar, é asentaron su artilleria que tenian, que heran seis medias culebrinas de diez á doze pies de largo, que echauan de bateria casi vna naranja, é otros seys tiros medianos, todos de fruslera y otros pequeños, en la qual, como tengo dicho, tenian toda su esperança, que pensauan abrirnos con ella muchas vezes, segun les auia ofrecido el Candia que se la auia hecho, é otros quinze o veynte griegos artilleros que traya consigo, que no sé quien los auia traido á esta prouinçia.

Y hablada por mí primero la gente, por mí por sus esquadrones, como en tal caso convenia, nos fuimos llegando en esta horden: en vanguardia dozientos é diez de á cauallo, en los quales yvan Per Aluarez Holguin, maestre de campo, con su conpañia, é los capitanes Per Anzures é Gomez de Aluarado y Garçilaso con sus vanderas, y en otra batalla yvan ochenta de á cauallo, é algo más al estandarte Real con la gente de mi conpañia, é el capitan Alonso de Aluarado con la de la suya; yo quedé con treynta é ocho de á cauallo bien aderezados para socorrer á la neçesidad que oviese; y en la infanteria yvan los capitanes Martinez de Castro y Pero de Vergara é Joan Velez de Guevara, con çiento é sesenta arcabuzeros y dozientos é sesenta piqueros, algunos de los quales yvan con el artilleria; é los contrarios serian quinientos, entre los quales heran dozientos é veynte de á cauallo, en que auia quarenta hombres de armas tan bien adereçados como podian salir de Milan, é çiento é ochenta arcabuzeros, é los demas piqueros. É llegandonos más çerca, enbié vn capitan Francisco de Caravajal, sargento mayor del Real de V. M., y otro Segura, que heran de buen conocimiento de las cosas de la guerra por el mucho tiempo que la auian exercitado en Italia, que viesen por donde los podiamos entrar, que escusasemos el daño de su artilleria; y hallose buen recaudo, porque con la priesa que les dimos la pusieron en ruyn sitio, y ansi, sin esperar la nuestra, porque á hazerlo resçiuiriamos daño más que provecho della, se començó la batalla: la qual, de los tantos á tantos que heramos, fué cosa muy reñida, que subçedió, cosa nueba, de apartarse los vnos de los otros de cansados é tornar á pelear; y estando en esta duda, entré con la gente que tenia, con lleuar el apellido de V. M. los delanteros, en cuya bentura dió tan buen esfuerço á los nuestros é desmayo á los contrarios, que luego se conoçió la vitoria, é començaron á huyr; puesto que de los que conmigo entraron murieron tres, vn primo mio (70) y otros, y fueron algunos heridos. Sea Dios loado por todo, que tanta merçed nos hizo en hazer este seruiçio á V. M., é ganar de nuebo estos reynos de gente tan tirana, que tanta conpañia tenia pública y tan grande secreta en estos reynos. Y como á este tienpo hera ya de noche, é los muertos heran pocos, temí que los contrarios se rehiziesen para venir á nosotros, é no con poca pena me dí la mayor priesa que pude, con dar alarma, en juntar la gente con sus vanderas, porque handavan ya muchos en los toldos de los contrarios desmandados á tomar sus alhajuelas; y pareçió despues que fué merçed de Dios en dar esta horden, porque segund se supo, más de dozientos de los contrarios estauan ya juntos para boluer sobre nosotros; é á vn criado mio, que se adelantó, estavan desarmando para degollar, y como oyeron dar alarma y vernos juntar los vnos y los otros, se huyeron, é aquel quedó biuo, aunque bien herido. Toda aquella noche estubimos los de cauallo é soldados en cuerpo de guarda, é ansi se acauó de concluyr en ganar estos reynos.

Luego, aquella noche, despaché con yndios mensajeros á la çiudad de los Reyes é pueblos de los Llanos y al Cuzco y estançias de christianos, que supiesen la vitoria, que Dios Nuestro Señor nos auia dado en la bentura de V. M., y estouiesen muy aduertidos de prender los que por allá fuesen derramados desta gente.

De los de la parte de V. M., murieron quarenta honbres, dos más o menos, é todos de arcabuzes, que ninguno murió de lança ni espada, y pocos de calidad: destos fueron el capitan Per Aluarez Holguin, que desde aquel dia de mañana se conoçió muerto en su manera, y ansi lo auia él dicho, é ansi por su causa, touimos algund daño, porque le encomendé el mandar ronper al avanguardia y detubose en esto; por manera, que nuestra ynfanteria resçiuió daño de los contrarios, por tardarse los de cauallo, é por esto entró vn tiro del artilleria por vn lado que lleuó çinco honbres y murió vn pariente mio, como he dicho, y vn capitan Ximenez; y Gomez de Tordoya que fué el primero que del Cuzco salió en busca de Per Aluarez Holguin, para que se juntase en seruiçio de V. M., salió tan mal herido de vn arcabuçaço, que murió despues dél. De los contrarios no se sabe los que murieron, porque en el canpo pareçieron pocos, y no se sabe los que despues murieron de heridas; pocos devieron ser todos; y en la muerte de Per Aluarez, lo probeyó Dios como convenia, porque él hera tan alterado é de biuir sienpre en motin con gente comun, que me abia de poner en trauajo y dar aparejo para que le degollase.

Despues desto, de los que se prendieron en la batalla començé luego á hazer justiçia, y en el mismo lugar que fué la batalla, se hizo de seis, que heran prinçipales; el uno vn Cardenas, que fué deseruidor de V. M. en el tienpo de las Comunidades, y despues con Rincon, en Françia, segund acá dizen los que le conoçieron, y hera vno de los capitanes; é los otros quatro, de los que fueron en la muerte del Marques. Y despues en Guamanga se hizo justiçia de quatro capitanes, de los que auian firmado las cartas de que arriba he dado quenta á V. M., los tres dellos de á cauallo y el vno de arcabuzeros, y de otros que fueron en la muerte del Marques é del consejo secreto destos males é delitos; y alli se prendieron más de çiento y çinquenta de la gente que se auia allegado el don Diego é sus secazes.

Fué tan buena la probidençia de enbiar al Cuzco y á la çiudad de los Reyes, que con el auiso que desto tomó la çiudad del Cuzco, prendieron al don Diego de Almagro, é al Diego Mendez y á otros dos que fueron en la muerte del Marques, y aquel que auia sido su criado, que se dize Joan Rodriguez Barragan, que le acabó de matar; y en esto verá V. M. la buena yntençion que tenia este don Diego, que con estos que digo é otros que le yvan siguiendo, que lo dexaron despues que lo vieron preso, se yva á juntar con el Ynga á los montes é sierras á donde anda, para desde alli, con su ayuda, tornar á hazer la guerra é daño que pudiese; é para esto se queria ayudar de vna profeçia, que dezian que tenian entre sí, de ciertos desvarios, que les a salido todo en blanco, que por ser tales, no doy dellos á V. M. quenta.

De la çiudad de los Reyes se proueyó de enbiar al camino

alguna gente de la que allá auia quedado, que auian de venir conmigo; y treinta é tantas leguas de Lima, prendieron catorze o quinze, y entre ellos çinco de los matadores del Marques, de los quales se hará allá justiçia por la horden que yo tengo dada: e enbiado á Francisco de Barrionuebo, mi teniente, en la dicha çiudad y á los alcaldes della.

Procuré, como he dicho, con todas fuerças y deligençia, de aver al don Diego y capitanes é sus prençipales cabeças á las manos, para hazer tan exenplar castigo, por conplir lo que á V. M. escriuí; que ansi como hasta agora auian sonado los desacatamientos que en estas partes se an hecho á V. M., ansi suene el castigo dellos y la subjeçion perpétua en que queda esta provinçia; y con esto pareçe que quedan castigados los otros ynsultos que se an hecho en estas Yndias del mar Oçeano despues de descubiertas, y ansi ha convenido al seruiçio de V. M., porque por estar estas prouinçias tan remotas é apartadas, es muy neçesario que aya grand castigo más que en otras partes, y quede en mucha subjeçion, por estar tan lexos el remedio y ser tan dificultoso. Y tengo para mí por çierto, segund resulta de las provanças que se an tomado, que con esta vitoria é castigo y destruiçion que se a hecho desta seta, se conserua todo lo de Tierra Firme, de más de estas partes, en seruiçio de V. M.; por questos tenian conçertado entre sí, si vençiesen, como ellos tenian por çierto, de matarme á mí é á los vezinos que les heran contrarios é repartir sus yndios é mugeres entre sí, y allegar consigo á la otra gente comun que conmigo andaua, y armar quatro o çinco nauios con artilleria gruesa de bronze, que hera muy façil de hazer al Candia con la abundançia que acá ay de yndios fundidores, metal é carbon, y con esto, tomada á Panama é Nonbre de Dios, poner alli fronteria, y despues á Nicaragua y Guatimala, y hechar á fondo todos los nauios que hallasen en toda esta mar del Sur sino los suyos de armada, y handar sienpre visitando la costa de Mexico, para, en auiendo nauio, hecharlo á fondo, que nunca ouiese en qué poder pasar á ellos; porque para defenderse de la justiçia Real de V. M. y de su castigo, todo esto pensauan hazer, y alçarse con estas prouinçias para sienpre, si pudieran. É porque vea V. M. como se estendian á esto sus pensamientos é determinaçion, é quanto avia que tenian pensado de matar al Marques, antes que se pensase de mi venida, que segund dizen vnos que vinieron agora de Chile, enbiando el Marques, mucho antes que muriese, á vn Valdiuia por capitan á Chili, para conquistar y poblar la tierra que ouiese, enbiaron estos deservidores de V. M. gente con él conçertados que á çierto tienpo, que hera el quellos pensauan matar al Marques, matasen ellos allá al Valdiuia é se alzasen con aquella tierra por ellos, para ser de todo señores en vn tienpo, y que sauido por el Valdiuia, hizo allá su proçeso contra ellos é hizo justiçia de çinco dellos.

En lo de don Diego é los questán con él presos, se a dilatado por nueuos cargos que se les ha hecho despues que yo vine, demas de los dichos, é por saber dellos si en alguna parte tienen encubierto los dineros que robaron á V. M.

La horden que con toda la otra gente allegados á este don Diego é sus capitanes se a tenido, avnque todos an sido tales como V. M. vé y mereçian muerte, atenta la justiçia que se a hecho en todos los capitanes y cabeçeras y prençipales entrellos, a sido desterrar á estos otros á Nicaragua y Guatimala, porque en estos reynos no conviene que quedasen, y á esos de España no convenia que fuesen; porque, segun pareçe en las provanças, sienpre tenian ojo de ayudarse de Françia, en caso que les subçediese daño de acá, y porque, no vayan á dar auiso de esta tierra y sus entradas, me pareçió bien no los enbiar á esas partes. A sido con auto de que, por algunas causas, los mando enbiar aquellas prouinçias y entregar á los gouernadores dellas, para que hagan lo que les mandaren hazer, á tanto que, sauido por V. M. sus delitos, sea seruido, o de mandar los perdones, o executar en ellos la sentençia de muerte que contra ellos está dada por mí; é si V. M. fuere seruido, se a de tener atençion que la muchedunbre de la gente se a de perdonar, haziendose justiçia en parte, y en el mismo auto, lo suplico á V. M., porque siendo seruido de lo hazer, se pueda dar por color, entre otras causas, mi suplicaçion. Ellos enbiarán á suplicar á V. M. les haga merçed del perdon: quando V. M. fuere seruido de lo hazer, pareçeme que no conviene que bueluan á esta tierra. E ya son partidos los que han de yr á Nicaragua, aparejase para los que han de yr á Guatimala;

con esto se acaba lo que hay que dar quenta á V. M. de las alteraçiones pasadas: é cómo por las çiudades y pueblos desta tierra y españoles que acá ay, é de los naturales yndios della, no podré escreuir á V. M. el gran plazer é contentamiento que tienen de verse libres de los robos é tiranias é muertes que estos hazian, y crueldades en yndios, y las quesperauan cada dia resçiuir de sus manos, ques para alabar á Dios, que sea loado por todo. V. M. tiene esta tierra en perpétua subjeçion, sin que se pueda pensar alteraçion, ni cosa de riesgo, ni otra rotura que en ella subçeda; porque como faltan estos vandos de Almagros y Piçarros y se aya en estos hecho el castigo que he dicho, no ay por qué pensar otra cosa.

He dado á V. M. tan larga relaçion de todo, porque sepa la verdad de lo que ha pasado, é lo que pareçe por las provanças ques como aqui digo, porque escriuirán á V. M. muchas diuersas cosas, y sepa V. M. que esta es la verdad.

Lo que demas desto hay que hazer á V. M., es, que los tratos que he escrito á V. M. que trayo con el Ynga, andan con mucho calor, avnque él me enbia papagayos é yo á él brocados: a me enbiado en vezes dos capitanes de los prinçipales suyos, de tres que tiene, é las buenas respuestas que de mí han lleuado, y darle á entender como V. M. me dió sus prouisiones de seguro para él y perdon de sus cosas y delitos, é que V. M. manda que le dé uien de comer en la tierra y sea bien tratado, y con ver que falta el Marques é sus hermanos, de quien él se temia, ansi por aver muerto á Juan Piçarro como por otras cosas, a se resuelto con vn mensagero, que agora me enbió, que le dén yndios en çinco partes que pide; vna, que ay acá, que tenian por ofiçio en tienpo de su padre de traer las andas, que llaman anderos, y otros que tienen sitio de plazer, é otros donde se criaua, para que le provean (71) ques una yerua quellos traen en la boca, y otros que le dén ovejas é maiz, y çiertos orejones, que son entrellos como caualleros armados por V. M. en España, y personas de ábito entrellos; é luego verná, é no quisieron yrse hasta verme entrar en el Cuzco, ques gente que mira en el valor y reputaçion del que gouierna, é con ver esto muy conplido, se subjetan en estremo; y ya los tengo despachados y espero presto respuesta. Tengo esperança en

Nuestro Señor Dios y en su misiricordia y bondad, que me ha de hazer merçed de traer este en mi tiempo en seruiçio de V. M.: luego que venga, lo haré saber á V. M.

Luego que se desbarataron estos deseruidores de V. M., enbié por los hijos del Marques, que estauan en Truxillo hasta acabar este negoçio, é los hize traer á la çiudad de los Reyes á su casa, é alli les dí yndios, que alli tenian, para que los siruan y les dén lo que ouieren menester, entretanto que V. M. enbie á mandar lo ques seruido que se haga con ellos.

Luego como se acabó de desbaratar esta gente, procuré de derramar la que conmigo tenia, por evitar la vexaçion y daño de los naturales, é porque fuesen á seruir á V. M. en descubrimientos y entradas y á poblar, al capitan Pedro de Vergara á la prouinçia de los Pacamoros, de donde salió para seruir á V. M. en esta jornada.

Al capitan Joan d'Olmos enbié á poblar é conquistar lo de la baya de los Caraques, porque se entraua en ello la gente del adelantado Andagoya: este lleuó cargo de buscar é descobrir á su costa la mina de las esmeraldas y que quede enteramente para V. M., sin quél ni otra persona tenga parte alguna en ella, con todo buen recaudo, para que no aya fraude; é desto ay buena obligaçion é seguridad y con él enbié veedores para que vean como se cunple lo que toca al seruiçio de V. M.

Al capitan Joan Perez de Gueuara enbio á la prouinçia de Moyobanba, para que acaben de poblar aquella prouinçia y pase adelante, que ay notiçia de buena tierra.

Ansimismo vá el capitan Alonso de Aluarado á lo de la prouinçia de los Chachapoyas, á donde está fundado vn pueblo que llaman Levanto, y él estava alli al tiempo de la muerte del Marques.

Ansimismo he proueido á Rodrigo Martinez de Bonilla, thesorero de V. M. en la prouinçia de Quito, para que conquiste çierta tierra de que se tiene notiçia en aquella prouinçia, que se llama (72), para poblar é conquistar por alli; que descubierto aquello, se vá á juntar con la prouinçia de los Pacamoros, donde se descubrirá grand parte de tierra.

Agora llegó aqui vno de los dos honbres que en la otra

escriuí á V. M. que venian de Chile, el qual dá buena notiçia de aquella tierra, como verá V. M., siendo seruido, por vna relaçion della quél enbia; yo tengo proueido, como en la otra escriuí, vn nabio que les lleue herraje y ropa y otras cosas, é con toda breuedad se entiende en enbiarles por tierra socorro de gente para que acabe de poblar y conquistar aquella prouinçia el capitan Pedro de Valdiuia, que la a poblado, y pasen adelante.

Ansimismo ay notiçia que entre esta prouinçia de Chile y el nasçimiento del rio grande que llaman de la Plata, ay vna prouinçia que se llama (73), hazia la parte de la mar del Norte, de aquel cabo de las sierras nevadas, que diz que es muy poblada y rica; por manera, que la cordillera de las sierras nevadas que atrauiesa estas provinçias hazia el Estrecho, queda entre las prouinçias de Chili y esta tierra: tengo proueido para ello al capitan Diego de Rojas, por ser persona zelosa del seruiçio de V. M. é que tiene mucho cuidado del tratamiento de los yndios, con muy buena conpañia de gentes.

Ansimismo he enbiado otro capitan á poblar otro pedaço de tierra buena, ques entre la prouinçia de los Chachapoyas é la de los Pacamoros, que serán çien leguas de largo, y de alli se podrán conquistar más. (74)

Al capitan Rodrigo Docanpo, que enbié por mi teniente á la çiudad é prouinçia de Quito, a de poblar y fundar otro pueblo en la prouinçia de Çumaco, ques çerca de la de Quito, y de alli van á lo de la Canela, de donde salió agora Gonçalo Piçarro, que la prençipal causa por do se pierden los que van á estos descubrimientos, es por no poblar con tienpo.

Al capitan Pedro de Puelles enbié á la prouinçia de Guanuco, que se auia despoblado al tienpo de la muerte del Marques, y no estaua paçífica, para que la torne á poblar é paçificar, y conquiste á Yllatopa, ques otro yndio que anda alçado como el Ynga y es su pariente, é la prouinçia de Ruparrupa, questá alli junto.

Demas desto tengo proueido que vn cauallero, que se llama Estopina, natural de Xerez de la Frontera, y vn Ballejo de los Charcas, que son personas de buen caudal, armen á su costa dos nauios, é conquisten y pueblen çiertas yslas questán en esta mar del Sur, hazia el estrecho, á su costa, para V. M., sin otra condiçion; que será cosa de mucho aprouechamiento y de que V. M. será muy seruido.

A sido muy bueno este expidiente que se a fecho en enbiar á estos descubrimientos, porque demás del acreçentamiento que en ello viene al Real patrimonio de V. M., ques en lo que yo tanto desseo emplearme, remedianse los españoles que acá ay, y escusanse muchos ynconvinientes y la vexaçion é daño que hazen á los naturales la mucha copia de gente, porque con las alteraçiones pasadas y la no buena horden que asta aqui a auido, están muy desipados y fatigados.

De los bienes que se an confiscado destos delinquentes, para la camara de V. M., se ha auido é abrá buena cantidad con que se cunplirá la mayor parte de lo que se a gastado en esta jornada de la Real hazienda de V. M.

Avnquesta tierra de presente está destruida y fatigada por los grandes daños y trauajos que en ella a auido, é los naturales desipados, espero en Nuestro Señor, que con la buena maña y horden que me entiendo dar, y con estar tan entendido en las cosas de la tierra, que muy breuemente a de aver muy grand riqueza é prosperidad, de que redunde á V. M. muy gran seruiçio y abmento de su patrimonio é hazienda Real; é con toda breuedad entenderé, en auiendo dispusiçion, de enbiar á V. M. todo lo que por acá pudiere aver, para ayuda á los grandes é muy continuos gastos que V. M. tiene; porque de pocos meses acá se a descubierto mucha copia de minas de oro é muy ricas, de que se saca muy grand cantidad, y es tan bueno, que en lo que se a fundido agora en esta çiudad, que hize hazer la fundiçion en mi presençia en la casa della, a auido oro de veynte é tres quilates y dos tomines.

Los yndios que estauan vacos se an repartido todos entre los conquistadores y personas que han seruido á V. M. en estos reynos, que estauan agrauiados sin tener yndios, y entre los que an seruido en el reduçimiento é paçificaçion dellos, lo más justamente que ha sido posible, que no a quedado sino dos repartimientos moderados puestos en mi cabeza, para los grandes gastos que se hazen para el autoridad del ofiçio de gouernador, de que á V. M. dará quenta el mensajero; é ansimismo a sido neçesario repartir de los yndios que tenia el Marques, entre muchas personas conquistadores que estauan sin yndios y agrauiados, porque heran en mucha cantidad los yndios que el Marques tenia; y convino ansi al descargo de la Real conçiençia de V. M.

V. M. tiene çierta cantidad de yndios en la prouinçia del Collao, ques entre esta çiudad del Cuzco y los Charcas; ay casi dozientas leguas y no ay pueblo ninguno despañoles; y en esta prouinçia, ques abundosa de comida, handan muchos españoles hechos bagamundos y rancheando los yndios y tomandolos lo que tienen, que avnque yo proueo en el remedio, por ser la tierra tan larga, se puede hazer trauajosamente; é son tantos los delitos que en este despoblado se hazen, que no ay justiçia que los pueda remediar como conviene. E ansimismo ay otros ynconvinientes y daños, que sino oviese tanto aparejo en estos vagamundos, no avria auido tantos leuantamientos y alteraçiones en esta tierra; y avnque yo procuraré de sacar destos yndios todo el prouecho que yo pudiere, pareçeme que seria V. M. más seruido, y la hazienda Real acreçentada, en que V. M. mandase hazer alli vn pueblo despañoles y se repartiesen los yndios, porque estando por de V. M., como se an menester personas para el benefiçio y administraçion dello, estas no pueden dexar de aprovecharse é no se pueden tener tantas granjerias; y poblandose, los españoles que los touiesen, entenderian en granjerias y en buscar minas, y no podria dexar de aver mucho de quintos más que se puede aver de aprouechamiento, y çesan los ynconvinientes dichos é otros muchos, é hazerse ía alli vn pueblo de los mejores desta gouernaçion, y avria más aparejo para continuar los descubrimientos y entradas que por aquella parte se pueden hazer, y remediarse yan muchas personas que han seruido mucho en esta tierra. V. M. lo mande veer, é conforme á otros negoçios que avrá auido desta calidad, podrá mandar prober lo que fuere seruido.

Luego que llegué á esta çiudad, començé á entender en las cosas del buen recaudo de la hazienda Real de V. M., como quien sabe quanta neçesidad ay dello, porque ay muchas cosas que enmendar para el buen recaudo della, y en la horden del quintar ay muchos defectos; é porque vea V. M. como handan, le hago saber, que la primera vez que hize abrir el arca de las tres llaues en mi presençia, allé vn fraude muy grande en ella, que por barras de plata he allado en ella copia de barras destaño, que llaman aca titi. Yo hando haziendo la ynformaçion y pesquisa dello, y sabido, lo castigaré como conviene, y he puesto nuebos ofiçiales y á vn honbre de muy buena calidad y bondad por thesorero. Ansimismo, entiendo en hazer hordenanças para que çesen todos los daños y fraudes que podria aver, é aya el buen recaudo que conviene. Con el primero mensajero enbiaré á V. M. relazion de todo lo que en ello se hiziere.

La diuision de los obispados, que V. M. me mandó por su ynstruçion que enbiase, vá con esta, (75) que como quien ha andado toda la tierra, desde el puerto de la Buenaventura hasta esta çiudad del Cuzco, llanos é sierras, la he podido hazer entendidamente; y demas desto hize juntar personas de calidad y honrradas, para que diesen su pareçer en ello.

En las provanças y en todo lo más de la ynstruçion comienço á entender: de aqui á dos meses enbiaré á V. M. mensajero, que lleuará despachado mucho de lo que traxe á mi cargo, y de lo que conviene á la buena gouernaçion destas prouinçias, porque con la priesa y ocupaçion que me a dado el paçificar y sosegar estos reynos, no he podido más hazer.

Por vn capítulo de la ynstruçion que se me dió, se me manda que procurase de cobrar del Marques çierta cantidad de oro é plata que por los conquistadores se le dió en esta çiudad, que quisieron que fuese para V. M., sobre quel Marques escriuió á V. M. vna carta en que dezia que él lo pagaria; yo he hecho en ello todas las deligençias que a sido posible para aberiguallo y lo ques, y allo ques en mucha cantidad de más de çien mill pesos; y como yo allé muerto al Marques, solamente se a podido prober sobresto dar provision á los ofiçiales de V. M. que enbarguen todos los bienes que pudiesen aver del Marques, y ansi lo han hecho; é demas desto, tengo escrito á los oydores de Panamá que çierta quantia que alli tiene el Marques, que son çerca de treinta mill pesos, los enbien á V. M., y les enbio sobrello carta de justiçia. É demas desto, porque V. M. sea dello mejor é más breuemente pagado, he secrestado vna mina que tenia, de plata, el Marques, en las Charcas, y puesto persona questé presente y la labre é benefiçie con el aparejo que alli tenia; y de alli se sacará con breuedad la paga desta deuda para V. M.

En la prouinçia que he dicho que ay de aqui á las Charcas, que se llama del Collao, ymformandome de otras cosas, he sauido como ay yndios que tienen por costunbre de vsar el pecado abominable entrellos, y andan vestidos de ábito de yndias: tengo aqui presos muchos; hazerse ha justiçia é ponerse ha remedio en esto. Algunos dizen, en sus dichos, questán diputados para este abominable pecado, para los pasajeros yndios que ván por aquella prouinçia, porque no entiendan con las yndias. A me penado mucho de ver en esta prouinçia esto: desarraigarse ha con el ayuda de Dios; y tanbien para esto convernia hazerse pueblo en aquella parte, como tengo dicho.

En la pasada, que aqui vá duplicada, (76) he escrito á V. M. como yva allá vn padre, que se dize Fray Françisco Martinez, por religiosos. Advierto á V. M. que son mucho menester, y clerigos ansimismo, porque hallo toda esta prouinçia muy pronta para convertirse y reçiuir nuestra santa Fee catolica; y á lo que dél y todos los caçiques prençipales entiendo, ninguna cosa les diré que no la hagan, como si se la dixera Guainacaua, porque los he sacado de los trauajos é robos é fatigas que han pasado con esta gente que seguian á don Diego, é gozan paçificamente de sus mugeres y haziendas, y en el cuidado que yo tengo de su buen tratamiento, y están entendidos cómo para esto me enbió V. M. á estas prouinçias. Y desto que aqui digo á V. M., ay neçesidad, porque en todas las çedulas que se dán de los yndios, se manda al conquistador que los yndustrie en las cosas de nuestra santa Fee catolica, y apretandoles yo porque no lo hazen, dán por escusa que no ay en la tierra clerigos ni religiosos para ello. A Paulo, yndio prençipal, hijo de Guainacaua, tornaré presto christiano y á sus hijos y parientes, porque agora están aprendiendo los nutrimentos de fee neçesarios para esto: será tan buena parte y prinçipio, ques parte para se convertir lo más desta tierra.

Los religiosos que acá ay, yo los tengo ocupados en quatro monesterios que he començado á hazer; vno en la prouinçia de Chincha, donde ay ya más de seteçientos mochachos aprendiendo la doctrina christiana; otro en la prouinçia de Guailas, porque torné christiano el caçique de alli y sus hijos é parientes; y otro en la de Xauxa, y otro en la de Guamanga; mas como estas prouinçias son muy grandes, han menester mucha copia de religiosos é clerigos. V. M. lo mande prouer.

Los ofiçiales que V. M. acá tenia nonbrados en lo que se dize Nuebo Reyno de Toledo, que son el gouernador Juan de Guzman, y el fator Diego de Mercado, y el thesorero Manuel d'Espinar, me han requerido con las prouisiones que de V. M. tienen; y mirado lo que V. M. por ellas manda, y que á mi ver conviene, con la mucha riqueza que se descubre en la tierra é la fundiçion mucha que ha de aver, para el buen recaudo de la hazienda, que aya más ofiçiales de los que residen en los Reyes, que hera bien questos entendiesen por agora en lo de Charcas y Arequipa; que pues esto de acá se sirue con ofiçiales sostitutos é aventureros, que se mudan y lo dexan quando quieren, é sin fianças é no á tan buen recaudo, que lo fuesen estos ofiçiales de V. M., que como propietarios y obligados por sus prouisiones y como criados, ternán más cuidado y mejor recaudo en la hazienda de V. M.; é ansi tengo acordado de mandar que entiendan en lo de Charcas y Arequipa, hasta que se auerigue donde cae esta çiudad del Cuzco, mas con aditamento que quede á voluntad de V. M., que no siendo seruido dello, bueluan los salarios y depongan los ofiçios. É tanbien me ha pareçido que conviene fundiçion en los Charcas é Arequipa, por la copia de minas que ay en aquellas dos prouinçias y el peligro que ay en los caminos de traer aqui la plata y oro á quintar, que a caesçido perderse en los rios cantidad, y porque con grand ystançia se me a pedido por todos los vezinos y personas.

Todos los capitanes han seruido bien á V. M. en esta jornada, y cabe bien en ellos qualquier merçed que V. M. sea seruido de mandarles hazer; porque, avnque han reçiuido dineros en cantidad, ansi los que fueron con Per Aluarez del Cuzco, en lo que él aqui repartió de los quintos de V. M., é los que estauan abaxo que se juntaron conmigo, lo mismo, que los ofiçiales de V. M. dieron por mi mandado al capitan Alonso de Aluarado çinco mill castellanos y á Pedro de Vergara y su gente otros quatro mill, y les convenia remediarse desta gente alterada; yo les e mejorado sobre los yndios que tenian, todavia. An seruido bien é con tan buena voluntad que, como tengo dicho, cabrá en ellos qualquier merçed que V. M. le hiziere.

Si V. M. fuere seruido de mandar pasar á estas partes el Audiençia, que conviene, como tengo escrito en otras, el liçençiado de la Gama está muy entendido en las cosas destas partes; é ansi por esto como por ser persona de calidad, seria buena eleçion para oydor.

Si V. M. se siruiere de mandar que se haga el pueblo quescriuí, en Collao, é que se repartan los yndios que alli V. M. tiene, yo podré tener mano como se ayan, de las personas á quien se encomendaron, quarenta mill pesos de oro con que siruan á V. M., sin que tengan en los yndios más preheminençia que los otros que tienen los demas que en estas prouinçias están encomendados y poseen, y estos, con mucho contentamiento é voluntad de todos.

El mensajero que enbio con este despacho, que se llama Françisco Bezerra, dará á V. M. entera relaçion y quenta de todo lo que desta tierra quisiere saber, porque, como testigo de vista, podrá ymformar de todo: ansimismo suplicará á V. M. algunas cosas de mi parte. Suplico á V. M. sea seruido de me mandar hazer merçed en ellas. Cuya vida é Ymperial estado Nuestro Señor guarde y acreçiente con muchos más reynos y señorios en su santo seruiçio. Del Cuzco, veynte y quatro de novienbre de 1542.

Por los juezes eclesiasticos destos reynos se proçede muchas vezes, o contra la justiçia seglar sobre gentes que se dizen de corona, o por sacar algun delinquente de yglesias ó semejantes cosas, y ponen entredichos; y como el Abdiençia está tan lexos, en yr é venir por el remedio, en caso que no se proçede bien, pasa mucho tiempo, de que se resçiue daño por los vezinos y christianos. Yo, despues que acá estoy, hago lo quel Abdiençia de Valladolid, porque, avnques artículo de Chançilleria o Consejo, miro al remedio, y ansi se a hecho provecho en muchos casos, que no se hiziera, si se esperara á yr á la Abdiençia; ni tanpoco alli tienen horden en semejantes casos, puesto que yo se la dexé por escrito. Suplico á V. M. me mande dar prouision para poder mejor hazer lo susodicho, o mandarme sobrello lo ques seruido se haga, porque hasta aqui más a sido lo que he dicho por via de buen consejo á los juezes eclesiásticos, e ponerles en razon é despusiçion juredica para que remedien, que como juez é superior; avnque no se ha dexado de remediar todo lo que ha subçedido, ynordinada o ynjustamente, en agrauio o fuerça de vuestros subditos: é ansi allé esta çiudad con entredicho de muchos dias, e luego se quitó por mal puesto é se otorgó apelaçion á la justiçia.

De vuestra Sacra Cesarea Catholica Magestad humilde criado é seruidor que sus Reales pies é manos beso—El liçençiado Vaca de Castro.

LXXXIII.

Carta del licenciado Cristóbal Vaca de Castro á Doña Maria de Quiñones, su mujer, dándole instrucciones para gestionar lo que en una memoria que remitia, suplicaba á S. M.—Cuzco, 28 de noviembre de 1542. (77)

(Facsímile X.)

Señora:

Porque sé la pena en que estará vuestra merçed, aviendo llegado allá en salvamento, que espero en Nuestro Señor Dios que ansi avrá sydo, vn religioso de Santo Domingo que se llama Fray Françisco Martinez, y vn Alonso de Villalobos, natural de Castroverde, aviendo visto mis cartas, que levavan hechas á xviii de agosto deste año de quarenta y dos, en que escrevya á vuestra merçed cómmo yva á dar la batalla á los traydores don Diego de Almagro y sus capitanes y gente que se avian levantado con estos reynos á S. M., y muerto al Marques su governador; por no saber vuestra merçed el sucesso dello, quise ynbiar á Françisco Bezerra, criado myo que esta lieva, para quytaros, señora, desta pena y hazeros saber commo les dí la batalla, y fué la más ruda y reñida que jamás se vyó, de los tantos á tantos como eramos; y fué Nuestro Señor servido y su gloriosa madre, de que su dia, sabado diez y seys de setienbre, me dió la más gloriosa vitoria que a dado á capitan general en el mundo. Y avnque entré en ella á tienpo de peligro, que murieron tres de quarenta que entraron conmigo, y otros heridos, salí libre, avnque no my espada, ropa y armas de sangre de los contrarios; y porque el mensajero dará larga relaçion y cuenta de todo, y porque creo que Paez la ynbia de lo que me a suçedido despues que de allá partí, no tengo más que dezir en esto, de suplicaros deys graçias á Dyos Nuestro Señor y á la Virgen gloriosa Nuestra Señora, su madre, por ello.

Yo, señora, he hecho á S. M. tan gran serviçio en ganarle estos reynos de tales tiranos y tantos y tan bien armados, encavalgados y artillados, que gelos tenyan ocupados y tiranizados con tales y tantos desacatamientos hechos á S. M., en averle muerto publicamente á su governador y saqueado casas y muerto otros muchos y robado la tierra y todas las rentas Reales, y apoderadose de todo, de tal manera que quando entré en estos reynos solamente hallé por S. M. la villa de Quyto, trezientas leguas de la çibdad de los Reyes, y tenyendo estos traydores determinado de defender estos reynos á S. M., y ávn tomarle á Panama y Nonbre de Dyos y tenyendo tan buen recado para ello y yo no vn maravedí, porque no lo tenya S. M. en estos reynos, ny gente, ny avya armas ny cavallos, que todo lo tenyan robado los contrarios; y con todo esto, y más que dirá el mensajero, me dí tan buena maña y diligençia que uve dyneros y gente y armas y cavallos y lo que fué más neçesario para los vençer y ganar, commo digo, estos reynos. Y pues al marques don Françisco Piçarro se tuvo por tan gran serviçio ganar estos reynos de indios, que fué ganarlos de ovejas, que por ello le dieron marquesado en ellos, y despues los perdió por su culpa y los gané yo de perdidos y de gente de nuestra naçion, y tal commo aquy digo, querria tratar allá commo se me hiziese merçed S. M. en las cosas que van en vna memoria, que vá dentro desta carta, y otra commo ella lieva el mensajero; que de tales serviçios y albriçias no es nada darme todo esto que pido, que más razon era que S. M. me diese más de lo que pido, pues lo dy estos reynos, y por semejantes cosas y de menos serviçio á otros estados; y no que vá por memoria, digo, esto que se a de pedir, areys allá más o menos como vierdes que se toma lo de acá que he servido y el tienpo diere lugar; y sy á vuestra merçed pareçiere que conviene tomar trabajo de hablar sobre ello al comendador mayor y secretario Samano, y cardenal y conde de Osorno y los del Consejo de Indias, hazerlo heys, porque hará provecho; y para lo vno y lo otro ayudaros heys del presydente del Consejo Real, que pues yo he dado acá á su hermano vn repartimiento de indios muy buenos, y con vna myna de plata muy rica, hallandole á puerro en aquella mala tierra de Cali, obligaçion tiene de hazer bien lo que me tocare. Y tanbien os ayudad de la señora doña Maria de Mendoça, muger del señor comendador mayor; que pues yo tengo cuydado de servir á todos, razon es que en esto me lo agradezcan y paguen; y pues yo, señora, lo he trabajado y lo merezco, bien es que allá se trabaje para aver algun provecho y se porfie que lo hagan, porque destos serviçios tales que hazen cavalleros, se suelen començar las casas y mayorazgos.

Y avnque yo, señora, ynbio aquy el memorial que digo de lo que se a de pedir, myrado, commo he dicho, commo se toman allá mys serviçios y lo de acá, y tentado lo que allá se podrá mejor aver, alargareys o acortareys conforme á lo que allá vierdes y os pareçiere, y á Françisco Beçerra y al señor doctor Pero Lopez; y por aventura, o Almaguer, dirán en que será bien ponernos á pedir, mayormente Almaguer, que á my, que é visto lo de acá y lo que he servido y trabajado, y que sé que dy estos reynos á S. M. de my mano, bien sé que es poco lo que ynbio á pedir; y para esto podrá ver esta carta el señor doctor Pero Lopez, en lo que toca á esto, y dezir lo que le pareçe que es bien hazer.

Y quando vuestra merçed oviere de yr á casa de alguno de

los que he dicho, yd honrradamente en vuestra mula, bien aconpañada, y escudero y capellan viejo y honrrado y con moços y pajes. Con la señora doña Maria de Mendoça, es bien que tengays conversaçion y visitarla y darle algunas cosas, que con esto, se hará como quisierdes, y la condesa de Ribadavya, su madre, aprovechará, por ser yo su servidor. Todo esto se entiende, estando en Valladolid la corte, que á estar fuera, bastará escrevir vuestra merçed á todos.

Avnque pocos dias ha que vy en vna carta que vyno de Sevilla, que dezia commo Diego de Aller y Alonso de Arguello, que de acá yo avya ynbiado el año pasado y enbarcaron en el Nombre de Dyos, primero de abril, con despachos para S. M. y para vuestra merçed, avyan llegado buenos á Sevilla, que plega á Dios Nuestro Señor sea ansy, que no podria reçebir mayor plazer de cosa del mundo, todavia diré aquy lo sustançial de lo que con él escrevya y ynbiava, y tanbien de lo que escrevy con el frayle y Alonso de Villalobos, porque, hasta que sepa çierto que an llegado y vuestra merçed reçebydo las cartas y lo que levavan, no dexaré de dezir en todas las cartas que escriviere, en breve, lo que con ellos escrevya y ynbiava, commo digo.

Con Diego de Aller, demas descrevir á S. M. y á toda la corte, ynbié y le dy vna instruçion de lo que avia de hazer; y la mysma y más copiosa y añadyda levaron el padre y Alonso de Villalobos, y la mysma, y lo que agora se a de pedir, lieva Bezerra.

Escrevy con todos, de las cosas de acá y de my salud, y porque, plaziendo á Dyos, lo dirá Bezerra, no lo escrivo aquy.

Escrevy con Diego de Aller á vuestra merçed, cómmo avia ynbiado de Santo Domingo dos myll y quynientos ducados para pagar á Juan Navarro; y porque despues he visto, por vuestras cartas y las suyas y de Françisco de Reloba, cómmo llegaron en salvamento y se pagó, y sobró poca cosa que levó Françisco, no ay que dezir más en esto de dar graçias á Dyos por ello.

Tanbien, señora, escrevya commo llevava Diego de Aller á cargo, y despues el frayle y Villalobos, sy Diego de Aller no lo oviese hecho, de cobrar de çiertos mercaderes en Sevilla lo que se perdió en la mar en la nao de Pero de Aburto: pues me lo aseguraron, bien creo, que, avyendo llegado Diego de Aller, commo escriven, se avrá hecho; syno, Villalobos o el padre lo cobrarán, y syno, vaya Françisco á ello. La carta de seguro quedó en poder de Juan Navarro quando partí de Sant-lucar.

Tanbien avia de cobrar en Sevilla treynta y tres myll y tantos maravedis, que me devia vn Juan de la Puebla en Sevilla, de çiertos quyntales de vizcocho que le vendió Carrança en Sant-lucar. Aveys, señora, de saber qué se a hecho en esto, y cobrar lo que faltare.

Tanbien, señora, os escrevia con Diego de Aller cómmo os ynbiava con él çinco myll y quynyentos y çinquenta castellanos, sin lo que les dy para él y Arguello, que fueron al Diego de Aller ochoçientos ducados, y á Arguello quatroçientos para su camino y trabajo y gasto; y escrevia que, de los çinco myll y quinientos y çinquenta castellanos, se avian de pagar á Hernando Romano myll y quynyentos ducados que me prestó, commo sabeys, quando de allá partí, y más trezientos que yo queria que le diesen de intereses. De lo demas que restava, dezia que diesedes á doña Catalina vn quuento, de casamiento, y conprasedes ay vna casa. Los dichos dineros que levava Diego de Aller en barras de tal oro, que vale allá más, porque lieva plata mezclada. Otras cosillas, que demás desto levava Diego de Aller, van aquy por memoria dentro desta carta, y los conoçimientos que dexó, de todo esto que reçibió, Diego de Aller, levaron el frayle y Alonso de Villalobos, para cobrar por ellos, en caso que sea menester.

Lo que, señora, más escrevy con Diego de Aller, fué encargaros el estudio desos mochachos y el recado y recato de las cosas de vuestra casa, pues veys que syn esto no ay nyngun bien, y que se hiziese el casamiento de doña Catalina, ofreçiendose cosa de qualidad, y ansi os lo torno á pedir por merçed se procure. Casi lo mysmo escrevy á vuestra merçed con el padre Fray Françisco Martinez y Alonso de Villalobos, que con Diego de Aller, y por esto, no ay que repetirlo, mas de que de lo que levaron y os ynbié con ellos, vá memorial dentro desta carta; y tanbien vn memorial de lo que ynbié y levó Bezerra, firmado de su nombre. Den todos buena cuenta y cobrad, y pongase todo á recado, commo adelante dyré en esta carta, y los memoriales guardad tanbien á recado. Ansi hecho, estos pocos dyneros de lo que me quedó del axuar que de allá truxe, que commo cargué tanto pensando ser todo acá menester, a sobrado que bender por vn criado myo, de que se a sacado esto. Lo que me a vuestra merçed de agradeçer, es la chaquira, que es la más linda que acá se a hecho; y para doña Catalina ynbio ocho tenaçuelas, que son allá muy estimadas, que las que allá ay no valen nada con estas, y tanbien para que ynbieys á la señora condesa de Myranda y á quien os pareçiere, que vos, señora, ya sé que no las aveys menester: con estas, dizen acá que quitan las indias todo el vello, por delgado que sea, y los indios las barbas que les nacen, porque tienen por gentileza no las tener: son las quatro de oro; no es muy fino, porque sean más reçias, y quatro de plata.

Confio en Nuestro Señor Dyos, que todo lo que he ynbiado y agora vá, avrá llegado y llegará en salvamento á vuestro poder: plega á él, por su mysericordya y bondad, sea ansy y commo allá vuestra merçed y nuestros hijos lo an menester, pues a sydo servido que pasase yo tantos trabajos y peligros para lo ganar con su ayuda.

Vna cosa aveys de tener en gran cuydado y poner muy gran diligençia en ello, y es que todo lo que allá oviere ydo y agora llegare, lo reçibays muy secreto, y ávn los de casa no lo sepan, y lo tengays secreto fuera de casa en algun depósito de monesterio, o do al señor doctor Pero Lopez pareçiere; comunicad con él, que bien creo que se puede fiar de su merçed; y ávn, si ser pudiese, no querria que lo supiese syno vos y Geronymo Vaca, sy allá os pareçiere que lo callará, y aveys de fingir neçesydad y que yo no he ynbiado nada, syno çiertos dyneros para pagar á Hernando Romano y Juan Navarro quatro myll castellanos que tomé allá prestados para my viaje; y con esto, se disimulará todo lo otro. Y esto se a de hablar en caso de neçesydad, que se sepa o aya sabido algo y sea menester responder o satisfazer, y no de otra manera; y esto todo conviene, porque, avnque todo es poco, mientras menos viere el Rey y sus privados, más merçedes me harán, y quando me respondierdes á lo que se a llevado, bastará dezir que reçebistes mys cartas y todo lo que yva en los memoriales, y ansi de los mensajeros.

Yo truxe acá poder del señor Comendador mayor de Leon para cobrar acá sus rentas: ynbio le agora quatro mill castellanos; anse de quedar en Panama para que ynbien quando fuere el oro de S. M. Tanbien truxe poder del señor secretario Samano para cobrar acá çiertas deudas suyas: ynbiole mill castellanos; pareçeme que es bien que buestra merçed sepa esto y que se haze della. Lo demas que digo que lieva Bezerra, va en el memorial que digo que va dentro desta, y ansimysmo algunas otras cosas que levava para dar, lo quel va remitido, á lo que allá os pareçiere que se haga.

La muger de vn secretario myo ynbió con Françisco Martinez el frayle y Villalobos, çiertas cosillas, como el sonbrero y vna medalla, á doña Catalina; escreviale y tanbien á vuestra merçed; perdieronse las cartas: respondedle commo si las reçebierades, que no se pierde nada.

De vuestra merçed no he reçebido cartas, despues de las que me escrevistes de julio del año pasado de myll y quynyentos y quarenta y vno; agora me dizen qne vienen cartas de Castilla: plega á Nuestro Señor vengan algunas vuestras y con las buenas nuevas que deseo.

Yo, señora, quedo bueno, avnque bien arto de trabajos, que esta tierra y guerra me a dado, que ocho meses no se me quitaron las armas de á cuestas, y el más tienpo dormir con ellas, porque avia tanta neçesydad de no dar lugar á algunos ruynes de los myos, commo guardarme de los contrarios, mayormente quinze dias antes de la batalla, y avn agora no se puede vevir descuydado: y todo no es nada, con los que me dá vuestra absençia. Todo esto de my salud y buen suçeso, que en lo de acá Dyos me a dado y dá, echo yo á vuestras oraçiones y de doña Catalina y monjas. Dios lo conserve, y nos dexe ver con salud, commo deseamos. Amen.

Sy allá pareçiere que se dé de la chaquira á doña Maria de Mendoça, agase, que yo ynbiaré arta, o á alguna muger de las del Consejo de Indias o á otra persona que veays que es menester y aprovechará: hazedlo allá como vierdes, que conviene contentar.

Despues de escrita esta, acordé de ynbiar con Françisco Bezerra, á Carrança, perdonado de los enojos pasados, para mayor seguridad de lo que ynbio, para, sy vno adoleçiese, llegue el otro con el ayuda de Dyos, y tanbien para segurydad de los despachos que levava Bezerra; y ansy todo lo que lievan vá á cargo de todos, digo, de ambos, y tanbien para que más familiarmente sepays dél todo lo de acá. De Bezerra aveys, señora, de hazer caso, que a de entender en todo lo prinçipal y negoçios de corte, puesto que ayude Carrança en lo que fuere menester. A las monjas mandé que diesen ocho ducados; hágase, y sy por otras no aveys dado çincuenta ducados á su padre de Juan de Reloba, ynbiadgelos luego, que se le deven de las cosas que acá se vendieron suyas despues que falleçió.

Al señor Antonio de Fonseca escrivo que, sy supiere de algun buen cavallero y de buen mayorazgo que tenga persona, os lo escriva, para sy os pareçiere se trate dello.

En esta misma carta dexo descrevir vna cosa que escrevia en la otra, y es que vn cavallero de Sahagun, que se dize Per Ansurez, me avya rogado que os escriviese le hiziesedes merçed de traer á su esposa, que tiene en Sahagun, á vuestra casa y conpañia; y ansy os lo escrevya, porque, demas de ser de la tierra y deudo de deudos, es aora capitan de my guarda y muy servidor myo y persona que fielmente me ama, que ay acá pocos o nynguno. Sy no está hecho esto quando él llegue, no será menester; mas sy él quisiere que se haga, o otra qualquyer cosa que le convenga, lo hazed. Todos mys negoçios lieva á cargo, que los sabe bien y los sabrá bien negoçiar, y tiene allá favor para ello. Comunycarse an él y Bezerra para todo; va hablado en lo del secreto que arriba os escrivo que de todo se tenga, y tanbien de lo que él lieva para daros, que va ansy mismo en otro memorial en esta carta, firmado de su nombre. (78) Hagase en el recado de todo commo le pareçiere, que él se dará buena manera en ello.

Tanbien le encomendé, sy allá se ofreçiese alguna buena conpra, que tratase della, en su nombre. Harase allá commo os pareçiere, y lieva memorial de cosas que aora me pareçió que se podian conprar; digo en su nombre y commo para él, que de otra manera, no conviene que para my en my nonbre se conpre vna paja, syno que se entienda que no tengo ni teneys vn maravedy.

Yo tenya acá vn criado, que tenya cargo de la casa, y muy

bueno y leal servidor; era de Villabraxima, cabe Medyna de Rio Seco; muriose, que me pesó mucho; dexó vna hija en Villabraxima, mochacha; escrivo la carta, que va con esta, á sus parientes, para que la den y la leveys á casa para que os sirva y despues yo la case, porque me la dexó encomendada en su testamento y avyamelo él bien servido. Supliços, señora, que ynbieys allá la carta, y sy la ynbiaren sus parientes, la tomeys á cargo.

Sy acaso S. M. y esos señores myos y amygos proveyeren que yo esté acá más tienpo, que ya, señora, veys que no nos estaria mal, para poder comprar vn buen mayorazgo que quedase memoria de nuestros padres y de nosotros, y quisierdes ynbiar açá á Pero de Quiñones o á Antonyo, hazed commo os pareçiere, que, venyendo con el capitan Per Ansurez, bien sé que verná bien tratado; y sy no, hagase commo os pareçiere, porque no quiero que sy algo se le ofreçe, me hecheys la culpa.

Otra cosa no ay más que se ofrezca que escrevir, de quedar suplicando á Nuestro Señor os guarde y á todos esos hijos y hijas, y os libre á todos de mal y nos dexe ver con salud, commo deseamos. Desta gran çibdad del Cuzco fué la hecha de la carta que levó Bezerra duplicada desta, á XXVIIJ de novienbre del año pasado de MDXLIJ. Esta es hecha, con lo que aquy vá añadido, á ..... (79) de março deste año de myll y quynientos y quarenta y tres años.

Vuestro servidor

El liçençiado Vaca de Castro.

[*Juan de Samano.*] (80)

MEMORIAL DE LO QUE LEVÓ DIEGO DE ALLER PARA DAR Á DOÑA MARIA DE QUIÑONES, MY MUGER, EN VALLADOLID.

Reçibió y lieva á su cargo çinco myll y quinyentos y çinquenta castellanos, de á quatroçientos y çincuenta cada vno, y en barras de tal oro, parte dello, que valia más, por ser sobre plata el oro y de quilates. v U DL ps.

Levó más quatro esmeraldas, la vna en vn boton engastado en oro, que pesó, con el oro, dos pesos y medio y nueve granos.

Otra engastada en vn anyllo, que está quebrado el oro por medio, á lo delgado, enfrente del engaste, que pesó todo vn peso y medio.

Otras dos esmeraldas pequeñas de vn tamaño, con dos señales de oro en medio de las esmeraldas.

Más dos vasos, el vno de plata y oro, que pesó çinquenta y dos pesos, y el otro de plata y piedras de colores por çima, que pesa setenta y dos pesos.

Vna copa de oro sin sobrecopa con dos asas: es de oro fino y hecha de indios; pesa setenta y tres pesos.

Vn ylo de chaquyra de oro, que pesa diez y ocho pesos.

Otro ylo de chaquyra de oro y morado oscuro, que pesa çinco pesos.

Otro ylo de chaquyra de turquesas, pequeño.

Vn salero, que son dos medios, de oro fino, que pesa quinze pesos.

Vna cadenylla de oro fino, que pesó, con vna sortija pequeña de oro engastada en ella vna esmeralda y vna turquesa juntas, quatorçe castellanos o pesos.

Levó Dyego de Aller, para dar á Enao, criado del señor Comendador mayor, dozientos castellanos que dyó para él el tesorero de Quyto, que se llama Rodrigo Nuñez.

Más, levó para Enao otros noventa y tres castellanos, que ynbió para Enao y dió vn Diego de Torres vezino de Quito.

Más, levó ochenta castellanos de la çibdad de Quito, que ynbiava para que se diesen en la corte á vn letrado que les ayudase en sus cosas, y avyalos de dar al liçençiado Hernando Diez, abogado en la corte, y sy ally no estuviese o no fuese vivo, avyalos de dar á vn doctor Avalos, hierno del liçençiado Villa, letrado de contadores en la corte.

De las cosas sobre dichas que levó Diego de Aller, dexó conoçimientos en my poder, firmados de su nonbre, y levaronlos el padre Fray Françisco Martinez y Villalobos, y otra relaçion levaron Beçerra y Carrança.

El liçençiado Vaca
de Castro.

LXXXIV.

Carta del cabildo de la ciudad del Cuzco al Emperador Don Cárlos, refiriendo lo ocurrido en aquella tierra desde la muerte del marques Don Francisco Pizarro.—Cuzco, 20 de enero de 1543.

Sacra Cesarea Catholica Magestad:

Las nouedades y alteraçiones nueuamente acaesçidas en estos reynos, á que Dios Nuestro Señor ha sido seruido dar lugar por demeritos de los que en ellos resydimos, ha sido freno de nuestras lenguas y ligadura de nuestra libertad, para poder embiar á vuestra Sacra Cesarea Magestad entera relaçion del desastrado subçesso de la muerte del marques don Françisco Piçarro, gouernador destos sus reynos, que sea en gloria, y de lo demas hecho en total destruyçion dellos. Bien creemos que V. M. avrá tenido notiçia y relaçion dello, por aviso de la çibdad de los Reyes y de otros pueblos y particulares personas destas partes, y tenemos pena, creyendo que V. M. haya conçebido aver en esta çibdad algund descuydo para avisar y anteponerse á todas en lo que toca al seruiçio de V. M., como de nuestro Rey é Prinçipe, y como syenpre, dende la conquista y poblaçion destos reynos, lo ha tenido de costunbre. Y desto V. M. puede estar çierto no le aver avido, porque, sy hasta agora no se ha hecho, ha sydo cabsa la poca o ninguna livertad que hemos tenido, y tambien estar esta çibdad tanta distançia apartada de la çibdad de los Reyes, donde es el puerto y paraje de los navios, y tener esta tiranica gente tanta vigilançia y cuydado en el estorbo dello. Agora que Nuestro

Señor ha sido servido levantar la libertad de los vasallos de V. M., para que viban y se sustenten debaxo del fabor y bandera de su Real justiçia, que hasta aqui ha estado obpresa, y suspendido el efeto de su Real poder y natural vso, y linpiar la parba destos reynos de los escuros nublados que sobre la haz dellos estavan antepuestos, encaminados por tantas trayçiones y maldades, para que en ellos se escureçiese el Real nombre de V. M., acordamos de tratar en el proçeso de la presente lo más breue que podamos, todo lo acaesçido en el presente caso, porque creemos que V. M. se servirá en saberlo de parte desta çibdad, y le dará todo credito, como de quien más obligaçion que otra ninguna tiene á lo hazer y tratar de toda realidad de verdad.

Sabrá V. M. que, estando estos reynos y provinçias en toda la tranquilidad, sosiego, quietud y justiçia que convenia para se perpetuar en serviçio de Dios Nuestro Señor y de V. M., y estando el Marques y governador don Françisco Piçarro en la çibdad de los Reyes de la Nueva Castilla, entendiendo en las cosas tocantes á vuestro Real seruiçio y bien de la republica, esperando al liçençiado Vaca de Castro que se tenia notiçia que V. M. embiava á estos sus reynos á cosas tocantes á su Real serviçio y execuçion de su justiçia, y estando en aquella çibdad don Diego de Almagro, hijo del adelantado don Diego de Almagro, aconpañado de las personas que fueron con su padre á las provinçias de Chili y de otros muchos quél y vn Juan de Rada su ayo y otros que le aconsejavan y administravan procuraron juntar, que heran hasta número y copia de trezientos hombres; estando el Marques y los vezinos de la çibdad muy seguros, syn sospecha de pensar que persona nynguna se osase á atrever á yntentar cosa nynguna contra el Real seruiçio de V. M., espeçialmente viniendo juez por su Real mandado á hazer á todos justiçia de qualesquier agravios que pretendiesen aver resçibido, y saviendose por çierto que ya avia desembarcado en la provinçia de Tierra Firme y que no podia tardar, el dicho don Diego y sus aliados y confederados, paresçe que, pospuesto el temor de Dios Nuestro Señor y de V. M. y menospreçio de vuestra Real justiçia, con ynsaçiable sed y deshordenada cobdiçia, por se alçar y tiranizar estos reynos y sacarlos de vuestro Real dominio y poder, con diabolico ánimo de meter á cuchillo y matar á todos los vasallos de V. M. que se lo quisiesen estorbar y contradezir, vn dia de domingo, que se contaron veynte é seys dias del mes de junio del año pasado de quynientos y quarenta y vno, despues de la misa mayor, quando la gente estava comiendo y en más quietud y sosiego, y estando el Marques en las casas de su morada muy syn sospecha de lo que le avino, salieron por mandado de don Diego y sus consejeros hasta quynze o veynte ombres, quedando en su casa mucho número de gente á pie y á cavallo armados de todas armas ofensivas y defensivas, á punto de guerra, para se faboresçer é ayudar vnos á otros, y los quynze o veynte, lo más secreto que pudieron, fueron adelante y entraron syn ser vistos en la casa del Marques, por estar la gente del pueblo en sus casas comyendo; y ansi como entraron en el patio, el Marques y otras personas que con él estavan, se escandalizaron, y salió, á ver qué hera, vn cauallero prinçipal que estava con él, que se dezia Françisco de Chaues, á fin de poner paz y les estorbar que no hiziesen algund daño; y subiendo ellos por la escalera al aposento del dicho Marques y el Chaues que baxava, syn le dezir cosa ninguna, vno de los tales delinquentes le cortó la cabeça de vna cuchillada y quedó alli muerto, syn se poder confesar; y subieron al aposento del desdichado Marques, buscandole por todas partes, hasta que le hallaron, el qual juntamente con Françisco Martin su hermano y çiertos pajes y criados suyos, que á las bozes y ruydo se entraron en vna camara, y alli se hizieron fuertes y pelearon lo que pudieron, defendiendo sus personas con el ánimo que de tan valerosos caualleros se esperava; y commo los contrarios fuesen muchos más que ellos y todos muy bien armados y adreçados, y el Marques y su hermano y los demas no lo estoviesen, y de fuera les tiravan saetas y arcabuzes, no pudieron defenderse tan bien, que no les entrasen; y ansy como les ganaron las puertas y se metieron en ellos, mataron al Françisco Martin y al Marques y á dos criados suyos que dentro estavan, é hirieron á vn alguazil de la çibdad que traya la vara de justiçia en la mano y á otras personas que dentro en la sala se hallaron; haziendo en la persona del Marques, despues de muerto, por le deshonrrar y escarnesçer, muchas cosas de ynumynia é vituperio, que, porque V. M. doliendose dél no resçiba pena, dexamos de dezirlo. Y aviendo executado su dañado proposyto, y aviendose vañado en la ynoçente sangre del syn ventura Marques, salieron por la plaça adelante, ynvocando el nombre de don Diego de Almagro, olvidando el bienaventurado de V. M. Prosiguiendo el yntento de sus dañados proposytos, fueron á las casas del doctor Juan Blazquez, teniente general de governador, á le prender y matar, y alli mataron á vn criado suyo, porque les preguntó que qué querian, y le robaron y dieron saco á la casa, y el doctor se escapó é huyó al monesterio de Santo Domingo, de donde lo sacaron y llevaron preso. E yncontinente que se supo ser muerto el Marques, salió toda la gente de pie y cauallo que estava en çelada, y con grande alboroto y escandalo, tomaron y se apoderaron en las calles todas de la çibdad é las puertas de las casas de los vezinos y estantes, porque no saliesen á dar fabor á la justiçia, y les tomaron y robaron todas las armas y cavallos que en el pueblo avia, syn dexar cosa ninguna; y fueron á las casas del secretario Picado y dieron saco en ellas y le tomaron y robaron más valor de çinquenta mill castellanos, y él huyó y se dexó caer por vnas paredes y se escondió en casa del thesorero Riquelme, de donde le sacaron y llevaron preso. Y porque Alonso Palomino, alcalde de la dicha çibdad, salió en vn cavallo, apellidando que diesen fabor á la justiçia, á la plaça della, le quisieron matar y le quitaron la vara de justiçia que llevava. Y luego, de presente, por su propia abtoridad y sin otra diligençia alguna, començaron á dar pregones publicamente por la çibdad, nombrando al dicho don Diego por gouernador, y poniendo grandes penas y aperçibimientos á los que no lo cunpliesen; y prendieron á todos los vezinos y regidores y alcaldes de la dicha çibdad y los pusieron en las casas del dicho don Diego, haziendo carçel privada, y alli con grandes temores y miedos y poniendoles puñales y espadas á los pechos, les apremiaron á que helegiesen al dicho don Diego por gouernador destos reynos, y temerosos de la muerte, lo hizieron, é se hizo pregonar y alçar por tal; y luego quitó las varas á los alcaldes de V. M., que estavan canonicamente proveydos, y varas de theniente y alguaziles mayor y menor, y para mejor conseguir el fin de su dañado yntento, pusieron otros de su mano, prinçipales delinquentes faboresçedores y consejeros en los dichos delitos, los quales, demas de averse hallado en todo lo susodicho, ninguno dellos hera vezino de aquella çibdad: y proveyeron sus mensageros por todos estos reynos, apellidando el nombre del dicho don Diego é atrayendo á sí toda la gente que podian aver, distrayendolos del seruiçio de V. M. é prometiendoles grandes dadivas y averes. É aquel dia de la muerte del dicho Marques, pusieron ansimismo á saco la casa de Françisco Martin, su hermano, y la suya, en las quales robaron grand suma y cantidad de oro y plata y piedras preçiosas de grand estima y valor, y todas las escripturas y provisyones de V. M. quel dicho Marques tenia y el secretario Picado, para el buen govierno destos reynos. Y visto que para sustentar la gente en su dañado proposito, tenian nesçesidad de dineros, determinaron de tomar y tomaron todo lo que hallaron en aquella çibdad, de los derechos y quintos de V. M. y bienes de los difuntos, y del comendador Hernando Piçarro y de otras personas particulares, en que fué muy grand cantidad; lo qual todo gastaron é destribuyeron entre sí, repartiendo los yndios y haziendas agenas, como sy de sus pasados ovieran heredado el señorio y propiedad dellas: y luego proveyeron á esta çibdad sus mensageros, haziendo saber lo que avia pasado y cómo el dicho don Diego hera gouernador, y que en la tierra no avia quien contra él se menease; persuadiendo á este cabildo que lo reçibiesen por tal, ofresçiendo á todos grandes premios y significando, por otra parte, que al que lo contrario yntentase hazer, que le costaria la vida é hazienda, çertificandonos que venian en seguimiento del mensagero, para este efecto, dozientos honbres de armada.

Savida en esta çibdad la muerte del Marques, quedamos tan espantados, quanto el caso lo requeria, y avnque al presente en la çibdad avia poco aparejo de gente y otros adresços de cauallos y armas, para se prevenir contra las crueles amenazas de don Diego y de su gente, como leales vasallos y seruidores de V. M. y posponiendo antes el riesgo y aventura de nuestras vidas é haziendas, que no herrar en solo vn punto contra el Real seruiçio de V. M., como siempre hemos estado, determinamos de no resçebirle; y visto que por testimonio constava la muerte del

Marques y que no avia gouernador, este cabildo, en nombre de V. M., elegió y nombró por justiçia mayor y capitan general desta çibdad al capitan Grauiel de Rojas, atento ser cauallero y persona de calidad y zeloso del seruiçio de V. M., el qual sustentó esta çibdad y tuvo en toda paz y justiçia. Y si no sustentamos al liçençiado de la Gama, que á la sazon hera teniente por el dicho Marques, fué porque se halló absente, ocupado en la visitaçion de la tierra y en sacar al capitan Per Alvarez Holguin, que avia ydo por mandado del Marques á descubrir y poblar. Y proveydo el dicho capitan Grauiel de Rojas de los dichos cargos, se acordó que fuese en seguimiento del dicho capitan Per Alvarez, Gomez de Tordoya, para que bolviese, con la gente que llevaba á la dicha entrada, al socorro desta çibdad, para dar orden como se pusiese remedio en las trayçiones é tiranias que de parte de don Diego estavan fabricadas, y no darle lugar que se alçase con estos reynos. Y ansi, el dicho Tordoya fué en su seguimiento y le alcançó antes de la dicha entrada, ochenta leguas desta çibdad, y savido por él lo subçedido y lo que de parte desta çibdad se le dixo, dió la buelta á ella con toda la gente y la que más pudo recoger en el camino. É ansimismo se hizo saber lo subçedido á las villas de Charcas y Arequipa, de las quales salieron luego todos los caualleros y mayor parte de vezinos y conquistadores y otras particulares personas que dellas pudieron salir, y vinieron á esta çibdad, donde estaua ya el dicho capitan Per Alvarez con su gente. É visto quel dicho Per Alvarez, en su buelta, syrvió mucho, por el dicho capitan Grauiel de Rojas y por este cabildo fué acordado de lo elegir por justiçia mayor y capitan general, y se hizo luego y alçó vandera y estandarte Real en nombre de V. M., al qual se juntaron hasta trezientos hombres de guerra de pie y cavallo; y visto que hera número para resistir el dicho don Diego y su gente, avnque él tenia mucha más, se hizieron en esta çiudad adreços de armas y arcabuzes é muniçion y ponerse en orden toda la gente, para estar bien aperçibidos, como la calidad del caso lo requeria. Y en esta coyuntura tovimos notiçia como el liçençiado Vaca de Castro avia aportado á estos reynos y que estava en la provinçia de Quito, quinientas leguas desta çibdad, y que don Diego avia proveydo para que fuese en su busca á

Garçia de Aluarado, por su capitan, con çierta gente de pie y de á cavallo, á fin, si lo hallase, de matarlo o prenderlo. El qual, con la dicha gente, se metió en vn navio y aportó al puerto de Santa, donde desembarcó con la gente que llevava, y alli topó con Cabrera, mayordomo del Marques y otros veynte o treynta hombres, que yvan en busca del dicho liçençiado Vaca de Çastro, los quales, el dicho Garçia de Albarado prendió, y cortó las cabeças al dicho Cabrera y á otros dos o tres, personas prinçipales, que entre ellos estavan, con boz de pregonero, ynfamandolos de alborotadores, y les tomaron y robaron los cavallos y armas que llevaban, y mucha cantidad de oro y plata: y en la çibdad de San Miguel y en la çibdad de Trugillo, no dexaron cavallo, ni armas, ni bienes de absentes y difuntos y quintos Reales de V. M., que todo lo robaron y llevaron por fuerça, repartiendo la entre sy; é hizieron en los dichos pueblos resçibir y obedesçer por governador al dicho don Diego de Almagro, y con el dicho despojo y gente que pudieron juntar, se tornaron á la dicha çibdad de los Reyes, á cabsa que tovieron nueva que la gente que estava junta en esta çibdad, hera salida della. Y ansi fué, que, sabido en esta çibdad cómo el dicho don Diego avia despachado al dicho capitan Garçia de Albarado, con la dicha gente, para que fuese á buscar y prender al dicho liçençiado Vaca de Castro, luego acordamos en este cabildo, quel dicho capitan Per Alvarez, con toda la gente de guerra que aqui estava junta, se partiese para socorrer al dicho liçençiado Vaca de Castro y juntarse con él; lo qual se puso luego por obra, y salió desta çibdad con los dichos trezientos hombres, poco más o menos: y para la guarda y sustentaçion della quedaron hasta dozientos hombres, los quales fué muy nesçesario que quedasen, porque Mango Ynga, señor natural, con estas alteraçiones, se avia açercado á esta çibdad y se tuvo sospecha dél que vernia sobre ella; y con la dicha gente, quedó por capitan el dicho capitan Graviel de Rojas.

Sabido por el dicho don Diego, quel dicho capitan Per Alvarez con los otros capitanes y caualleros hera salido desta çibdad, proçedió contra el dicho capitan Per Alvarez y contra nosotros, apregonandonos por traydores, como sy para ello oviera cabsa alguna y tuviera la voz y poder de V. M. para podello hazer; y ansi, con esta determinaçion, salieron de la dicha çibdad de los Reyes, para dar vatalla al dicho capitan Per Alvarez y venir á esta para executar su dañada yntinçion y se enseñorear y apoderar en todos estos reynos, y dar buelta y poner gente de guarniçion en los puertos y traer navios y gente de armada por la mar, y resistir y defender estos reynos para que V. M. les confirmase y conçediese todo lo que ellos pidiesen; diziendo que sy V. M. ansi no lo hiziese, que meterian en esta tierra gentes de reyno estraño que se la ayudase á defender. Y estando en la villa de San Juan de la Frontera, quarenta leguas desta çibdad, el dicho capitan Per Alvarez tuvo nueva como ya los henemigos venian çerca, y á cabsa que en esta çibdad le fué mandado y requerido que se desviase todo lo que podiese de la gente de don Diego y de aver recuentro con ella, queriendolo cumplir, se partió luego de alli y pasó seys leguas de donde estava el dicho don Diego con su gente, esperandolo; y como el dicho don Diego lo supo, fué tras él y lo siguió veynte leguas, y visto que no lo podia alcançar, por la buena maña quel dicho capitan Per Alvarez se dió á caminar, acordó de boluerse al valle de Xauxa, para venirse á esta çibdad, y desde alli embió adelante á Christoual de Sotelo, su capitan, con gente de pie y de á cavallo y arcabuzeros. Y antes quel dicho capitan Sotelo llegase á esta çibdad, savido que avia entrado en ella vn mensagero del liçençiado Vaca de Castro, que vino secretamente con su poder y con la provisyon de V. M. de como le hizo merçed de las gouernaçiones de Nueva Castilla y Toledo, y por virtud de la dicha provisyon y poder, quando el dicho Christoual de Sotelo entró en esta çibdad, estava ya resçibido por governador della el dicho liçençiado Vaca de Castro, é aviamos resçibido por su theniente al liçençiado Antonio de la Gama, y el dicho Grabiel de Rojas se avia exsimido de la capitania, obedesçiendo en todo y por todo las provisyones de V. M.; y no embargante quel dicho Christoual de Sotelo le constó lo susodicho, ansi como entró en esta çibdad, se hizo resçibir por fuerça, teniendo toda su gente armada en la plaça y en la puerta del cabildo, trayendo á los regidores que á la sazon avia, que heran pocos, por fuerça, contra su voluntad, é haziendo otras tiranias y robos, que, por no ser prolixos á V. M., las dexamos de dezir; y solamente dezimos, que no quedó ninguna persona de todos los que avian ydo con el dicho capitan Per Alvarez, que no le quitasen los yndios y casas y esclauos ganados y heredades y oro y plata y todo quanto tenian, que fué en muy grand cantidad: y demas de los robos y daños que hizo á los tales, tomó todo lo que halló en la caxa Real de V. M. y en poder de los tenedores de bienes de difuntos, dando color que lo tomavan prestado; y proveyó luego á las villas de los Charcas y Arequipa, á donde hizieron lo mismo, é hizieron resçibir al dicho don Diego tiranicamente; y de las dichas villas, los dichos capitanes truxeron mucha cantidad de oro y plata, armas y cavallos, con lo qual el dicho don Diego, que hera ya llegado á esta çibdad, se rehizo de mucha más gente de lo que avia traydo. Y despues, dende á pocos dias, para efectuar su tirania y diavolicos pensamientos, se juntaron vn dia en esta çibdad todos los capitanes y gente que les seguian, y estando juntos en vn campo, se leyeron en vn cadahalso las provisyones que V. M. habia dado al adelantado don Diego de Almagro; y ansi leydas, se confederaron con juramento, hecho con grand solenidad y fuerças é poniendo sobre sí grandes é graues penas y maldiçiones, que todos syguirian é sustentarian al dicho don Diego, para que toviese la governaçion destos reynos y la resistir y defender á todas las personas del mundo que se la quisiesen contradezir; é hizieron pregonar en el dicho cadahalso publicamente çiertos pregones de preanbulos, diziendo y publicando en ellos muchas cosas feas, en grand desacato de las personas del reverendisimo cardenal de Sevilla é oydores del Real Consejo de V. M. de las Yndias y del Comendador mayor Françisco de los Covos, todo á fin de engañar la gente que nuevamente avian hecho y reduzilla á su tirania. Y despues de se aver juramentado é dados los pregones susodichos, se dieron muy grand priesa á rehazerse de armas é artilleria y arcabuzeria y picas, de todo lo qual hizieron muy grand muniçion en esta çibdad, por manera que se adresçaron tambien como si estovieran en Ytalia. Y estando ya bien adresçados para resystir y defender estos reynos, tuvieron nueva quel exérçito de V. M. se avia juntado con el liçençiado Vaca de Castro y que, como á gouernador destos reynos, le avian dado la obediençia en nombre de V. M.; de lo qual se emsoberveçieron é ayraron tanto, que acordaron luego de salir desta çibdad á buscar al governador para le desbaratar, y deshazer la gente que con él se avia juntado para servir á V. M. Y al tienpo que, para efectuar lo susodicho, avian salido desta çibdad, no contentos con los robos, fuerças y daños que avian hecho, ni con aver muerto tres o quatro hombres, que mataron porque tovieron nueva que se querian pasar al campo de V. M., tomaron á los que quedaron en el pueblo que no quisieron seguir su mala opinion, y los metieron en vnos cubos en prisyones, y no los quisieron soltar de alli, hasta tanto que cada vno dellos se compró y rescató por sus dineros, vnos á mill pesos y otros á quinientos y otros al respecto, segund lo que tenian; y acabaron de robar y disipar todos los yndios naturales desta çibdad y sus términos: y hecho esto, salieron todos desta çibdad con estandarte Real y vanderas tendidas, y encomençaron á caminar la buelta de la çibdad de los Reyes.

Estuvieron en esta çibdad seys meses, poco más o menos, y estando aqui, vbo entre ellos tan grandes desconformidades sobre el mandar, quel capitan Garçia de Albarado mató al capitan Christoual de Sotelo, teniente general que hera del dicho don Diego, y despues, desde á pocos dias, el dicho don Diego y el capitan Juan Balça mataron al Garçia de Albarado dentro de la camara del dicho don Diego; y porque en esta çibdad no quedase cabildo formado, que pudiese contradezir sus cosas, llevaron consygo obpresos al capitan Grabiel de Rojas y á Per Alonso, alcalde, y á Felipe Gutierrez, regidor.

Pues, tornando al proposito de lo que hizo el exérçito de V. M., despues que se apartó por la via de Bonbon, donde don Diego pensó alcançarlos para desbaratarlos, sabrá V. M. que prosyguieron su camino hasta llegar á la provinçia de Guailas, donde resçibieron cartas del liçençiado Vaca de Castro, gouernador de V. M., por las quales les hizo saber cómo él ya hera partido de la provinçia de Quito, y venia á se jumtar con ellos, avnque muy flaco de la grande y larga enfermedad que havia tenido; por las quales dichas cartas les embió á mandar, le esperasen donde les tomasen dichas cartas y nueva de su venida, de cuya cabsa el campo de V. M. paró alli y no pasó adelante, ansi por lo quel governador les enbió á mandar, como por hazer espaldas á la çibdad de los Reyes. Y desde la dicha provinçia de Guailas, no embargante quel dicho campo avia hecho mensageros al gouernador, le tornaron á escriuir, suplicandole diese priesa á su venida, por el daño que resçibiria la tierra, aviendo dilaçion; y el dicho gouernador, no embargante su mala dispusiçion, se dió priesa en el caminar y vino al tambo de Guaraz, que es en la dicha provinçia de Guailas, á donde el campo de V. M. le salió á resçibir, y le entregaron el estandarte Real de V. M. y las otras vanderas que llevaban, y le obedesçieron y resçibieron en nombre de V. M. por gouernador y capitan general destos reynos, con toda obediençia é vmilldad, como leales vasallos de V. M. heran obligados á le resçibir; y ansimismo concurrieron á la dicha provinçia de Guailas, á le obedesçer y servir, el capitan Alonso de Albarado, con la mayor parte de la gente que tenia en la poblaçion de los Chachapoyas, y el capitan Vergara, que venia con el gouernador con toda la gente que tenia para poblar y paçificar la provinçia de los Bracamoros. Y ansi, hecho el dicho resçibimiento, estando juntos los vnos con los otros, el gouernador proveyó que el exérçito se viniese á la provinçia de Xavxa, que es en el pasaje de la çibdad de los Reyes, treynta y çinco leguas la tierra adentro, y el gouernador se fué á la dicha çibdad de los Reyes, á donde ansimismo fué resçibido por gouernador y capitan general, y salió de alli con muy grand pujança á se juntar con la gente que estaua en la dicha provinçia de Xauxa, con la qual se juntó; proveyendo grandes avisos y recabdos, ansy para saber lo que hazian los contrarios, como para que ellos no supiesen ni entendiesen lo quél hazia, y otras cosas y prevençiones anexas á la guerra y arte militar, como sy toda la vida se oviera criado y esperimentado en ellas, en tal manera, que la gente y capitanes, avnque muchos avia bien entendidos en este menester, estavan admirados y espantados.

Estando en la dicha provinçia de Xauxa, llegó el liçençiado de la Gama y el jurado Gonçalo Hernandez y otras personas, que fueron desta çibdad á contratar çiertos capitulos y cosas que embiaua el dicho don Diego, todos á proposyto de sustentar su tirania, la qual dicha jornada açebtó el dicho liçençiado, á efecto de seruir á V. M., y poder avisar al dicho gouernador de las cosas que convenian á su Real seruiçio; y ansi llegó el dicho liçençiado á la dicha provinçia de Xauxa, é ynformado dél, se partió con el exérçito á la villa de San Juan de la Frontera, á donde llegó con todo su campo el dicho gouernador, avnque no con poco trabajo, caminando y dormiendo con sus armas bestidas á punto de guerra, esperando cada dia á los henemigos, y asi llegó á la dicha villa, á donde, por sus corredores del campo, tuvo notiçia que los contrarios estavan en el asyento de Vilcas, que es á diez leguas de la dicha villa, los quales hasta entonçes no avian tenido notiçia del exérçito de V. M. Savido por el gouernador estar tan çerca, proveyó luego sus despachos, avisandoles que se viniesen á meter debaxo del estandarte Real de V. M., perdonando á todos los que no tuviesen la culpa en la muerte del Marques y prometiendoles de les gratificar sus seruiçios y trabajos, con vn vezino de la dicha villa de San Juan, el qual fué con los dichos despachos; y predestinados en su mal proposyto, luego que llegó, siendo tomado por sus corredores, llevandole antel dicho don Diego y sus capitanes, ocultamente le dieron muchos tormentos, y no contentos con esto, á media noche, el mismo dia que lo tomaron, lo ahorcaron en mitad de su campo. Y no embargante todo esto, luego proveyó el dicho gouernador á Lope de Ydiaquez y al factor Diego de Mercado, embiandoles á mandar, de parte de V. M., que deshiziesen la dicha junta de gente y que se viniesen á meter debaxo de la vandera y estandarte Real de V. M., escriviendo particularmente á todos los capitanes y prinçipales consejeros del dicho don Diego, que lo cumpliesen ansi, dandoles á entender en el error en que estavan y dandoles cartas de seguro á todos generalmente, eçebto aquellos que se avian hallado en la muerte del Marques; todo esto á fin de escusar ronpimiento y las muertes de hombres que en el caso subçedieron, y haziendoles otros partidos y ofresçimientos. Y los dichos mensageros entregaron los despachos al dicho don Diego y sus capitanes, los quales, como sobervios y malos é yndaresçidos en su dañado proposyto y esforçados en su artilleria y gente que tenian, con pensamiento de llevar la vitoria, dixeron y respondieron que no querian conçierto alguno, syno llevarlo por rigor y fuerça de armas; diziendo y publicando entre su gente quel dicho gouernador lo hazia de miedo y amenazando á los mensageros que no bolviesen más con semejantes mensages, porque los matarian, y que dixesen al governador que se guardase, porque çient hombres estavan conjurados para le buscar y matar: y con esta respuesta se boluieron los dichos mensageros al dicho gouernador. Y luego, otro dia syguiente, partió el dicho don Diego del asyento de Vilcas en seguimiento del exérçito de V. M., y dende á tres o quatro dias, llegaron á vista dél, porquel dicho gouernador se avia salido, vista la respuesta que los dichos mensageros traxeron, de la dicha villa á vn asiento que se dize Chupas, á donde avia conçertado sus esquadrones y puesto todo á punto de guerra; teniendo, como tuvo, por çierto quel dicho don Diego le vernia á buscar. Y vn sabado, que se contaron diez é seys de setiembre del año pasado de quarenta y dos, visto el gouernador que con los susodichos no aprovechava ninguna razon ni cumplimientos, y que ya la cosa estava puesta en rigor de ronpimiento, el qual en ninguna manera se podia escusar, como animoso cauallero y viendo que la honrra de V. M. y libertad destos dichos reynos estava en la vitoria que aquel dia se esperava, enpeçó caminar, y hordenando su gente y capitanes, é ynstruyendolos é animandolos en lo qué devian hazer, poniendo delante el seruiçio de V. M. y valor de sus personas, y diziendoles otras palabras y amonestaçiones que pusieron grand ánimo é ynvençible esfuerço á todos generalmente; y anduvo visytando por su persona todas las capitanias y esquadrones, poniendolos en orden y en conçierto, y ansi llegó aquel dia, sobre tarde, sobre los enemigos, donde el dicho don Diego avia asentado su real á su ventaja en vn fuerte; y estando ya çerca el vn exército del otro, los contrarios empeçaron á se poner en orden y jugaron de su artilleria dende media legua. El exérçito de V. M., no mostrando ninguna flaqueza ni punto de pabor, syenpre procuraron de caminar y ganar tierra hasta llegar muy çerca de los contrarios, donde se detuvieron vn poco, esperando su artilleria, que venia atrás, por los pocos yndios que avia para la traer; y estando esperandola, se trabó la escaramuça de arcabuzeros de vna parte y de otra, tan brauamente, que fué nesçesario, visto por el gouernador y capitanes, que los contrarios con su artilleria, que hera mucha y muy buena, les hazian mucho daño, de acometerlos y ronper con ellos antes que llegase el artilleria: y ansy fué, que aremetieron los vnos con los otros, y se trabó vna muy ruda y cruel vatalla muy reñida y sangrienta de ambas partes, en la qual huvo muy señaladas cosas y hazañas entre personas particulares que alli se señalaron. Los contrarios pelearon muy bravamente, y duró el ronpimiento vna grande ora syn se conosçer ventaja de vna parte ni de otra, en tal manera, que, cansados de pelear, tuvieron nesçesydad los vnos y los otros tomar aliento y tornar á pelear; y estando la vatalla en peso, sobrevino en socorro del exerçito de V. M. el gouernador con la gente de su capitania, el qual acometió á tan buen tiempo y tan baronilmente, apellidando y nombrando á V. M., que luego se reconosçió la vitoria, y los contrarios començaron á huyr y el exerçito de V. M. syguió el alcançe, matando é hiriendo muchos dellos. Pero esto duró muy poco, porque sobrevino la noche, tan çerrada, que no se conosçian los vnos á los otros, á cuya cabsa mandó el gouernador tocar los ministriles y tronpetas porque se recogiesen los soldados, lo qual fué hecho luego, y toda aquella noche estuvieron haziendo su guardia y vela y sus çentinelas armados hasta que amanesçió; y siendo de dia, la gente salió en seguimiento de los enemigos y traxeron presos á todos los que pudieron ser avidos, y el gouernador los mandó prender y poner á buen recabdo, y de alguno dellos se hizo justiçia, por tener notables culpas. En el recuentro murieron personas prinçipales del canpo de V. M. en que fueron el capitan Per Alvarez Holguin y el capitan Ximenez, que yva en la capitania del gouernador, y Joan de Caruajal y Garçia de Montalvo, sobrino del gouernador, y òtros veynte y tantos hombres. Salieron heridos Gomez de Tordoya de vn arcabuz y el capitan Per Anzules y Gaspar Rodriguez de Canporredondo, su hermano, y el capitan Vergara y otros munchos de vna parte y de otra; y dellos murió el dicho Tordoya. La gente que de parte de V. M. entró en la vatalla fueron hasta seteçientos y çinquenta hombres, entre los quales avia trezientos y treynta de á cavallo y çiento y sesenta arcabuzeros y los demás pyqueros, con algunos artilleros que no llegaron al tiempo del pelear; y de los enemigos entraron quinientos hombres, poco más o menos, entre los quales avia çiento y ochenta arcabuzeros y dozientos de á cavallo y los demas piqueros é artilleros con muy buena artilleria. Y hecho esto, todo el exército de V. M. estuvo en el canpo otro dia siguiente, y luego otro dia movió para la villa de Sant Joan de la Frontera, donde ansymismo se avian prendido muchos de los que avian huydo de la vatalla de parte de don Diego, el qual y el capitan Diego Mendez escaparon de la vatalla, que no fueron muertos ni presos; y el gouernador puso muy gran diligençia en embiar gente por todas partes á buscarlos, y paresçiendo que podian aver buelto hazia esta çibdad, embió luego á ella al capitan Garçilaso de la Vega con sesenta honbres de cavallo, ansi para que buscase al dicho don Diego y las otras personas que avian escapado de la vatalla, como para que tuviese en paz y sosiego esta çibdad. Y subçedió quel dicho don Diego, con el capitan Diego Mendez y otros syete o ocho de á cavallo, antes quel capitan Garçilaso entrase en esta çibdad, yva á juntarse con Mango Ynga, señor natural destos reynos, y para tomar el camino, llegó syete leguas desta çibdad; de lo qual se tuvo aviso, y Anton Ruyz de Gueuara, alcalde, y Antonio Altamirano, regidor, y Rodrigo de Salazar se juntaron con çierta gente que para ello pudieron aver, y siguieron al dicho don Diego y á los demás y los traxeron presos á esta çibdad, donde agora están en vn cubo á muy buen recabdo, y con él el dicho Diego Mendez y otros dos o tres que se prendieron en su compañia.

Despues que el gouernador despachó al capitan Garçilaso para que viniese á esta çibdad, se detuvo en la dicha villa de San Joan de la Frontera doze dias, los quales se ocupó en mandar hazer justiçia de çiertos capitanes de don Diego que estavan presos y de todas las otras personas que se avian hallado en la muerte del Marques, y despachó al capitan Vergara á la conquista de los Bracamoros y al capitan Pedro de Puelles á la provinçia de Guanuco, y despachó al capitan Rodrigo do Campo por theniente de la provinçia de Quyto; y ansimismo despachó á todos los vezinos de la çibdad de los Reyes y de los otros pueblos de la costa, agradesçiendoles mucho el trabajo que avian tomado, y luego se partió para esta çibdad, en la qual entró y fué resçebido y obedesçido en ella en nombre de V. M., donde al presente resyde, dando orden en el buen estado y quietud destos reynos, y es de todos querido y amado, por la grand sagazidad y medios y buenas formas y modos que en todo ha tenido y tiene. Luego que entró en esta çibdad, hizo juntar este ayuntamiento y nos dixo, que la prinçipal cosa que V. M. le avia mandado hazer, hera que mirase mucho la onrra y abtoridad de los cabildos destos reynos, y que tuviesen toda livertad para escriuir y avisar á V. M. siempre la verdad del estado de la tierra y lo que conviniese á su real seruiçio, y no oviese las obpresynes y estorbos que hasta agora ha avido; y encargandonos que de aqui adelante tengamos espeçial cuydado dello: besamos las manos á V. M. por tan gran merçed.

Al tiempo quel capitan Per Alvarez Holguin entró en esta çibdad con la gente de su entrada, á dar orden en hazer junta de gente para remedio de las alteraçiones pasadas, todos los vezinos desta çibdad gastaron lo que tenian, é visto que para comprar armas y cavallos y otros adreços, é proveer la gente de guerra, que no havia de donde se oviese, se tomaron de la caxa Real de V. M. treynta y çinco mill pesos de oro, é los vezinos desta çibdad se obligaron que sy V. M. no los oviese por bien gastados, quellos los pagarian; y pues lo que se hizo fué por sustentar á estos reynos en seruiçio de V. M. y se sustentaron en su Real nombre, y todos los vezinos gastaron sus haziendas y se enpeñaron en grandes cantidades é andovieron vn año é más distraydos de sus casas, las quales robaron y saquearon el dicho don Diego y sus aliados, segund dicho es, suplicamos á V. M. tenga lo susodicho por bien gastado, pues fué para su Real seruiçio y libertad destos sus reynos.

Tanbien sygnificamos á V. M. los meritos questa çibdad tiene para meresçer en su Real seruiçio, y pues es la prinçipal cossa destos reynos y siempre ha tenido la fidelidad y lealtad que hera obligada, y della ha proçedido el comienço de la destruyçion destos tiranos, suplicamos á V. M. que tenga siempre memoria de la honrrar y faboresçer y hazer merçedes, y espeçialmente se la haga en la dar facultad de título é renombre de leal, pues con tanta razon lo tiene servido é meresçido; y demas desto, al perlado desta çibdad se le dé abtoridad y título de arçobispado della en todo este reyno.

Este cabildo besa las sacras manos de V. M. por la cresçida merçed que á todos sus subditos ha hecho en estos reynos, en aver escogido tan calificada y prudente persona para el remedio y libertad dellos, que por çierto que paresçe, que segund lo que ha hecho y trabajado con el espíritu y persona, desvelandose en lo que convernia al seruiçio de V. M. y remedio de tan cruel fuego como estava ençendido, que no bastava humano juizio á lo poder apagar é mitigar como él lo ha hecho, por ynterpretaçion de tanta prudençia y sabiduria; y porque somos obligados á avisar á V. M. en todos tiempos las cosas convinientes á su Real seruiçio é quietud y tranquilidad de sus Reynos, trãhemos á V. S. M. á la memoria, cómo á cabsa de aver en estas partes divisas dos governaçiones, de Nueua Castilla y Nueva Toledo, ha sido cabsa y prinçipal fundamento de los recuentros y vatallas pasadas é muertes de tantos cavalleros é hijosdalgo acaesçidas, é que nunca ha avido vn solo año de sosyego; de donde han proçedido notables dapnos é pérdidas á la hazienda Real de V. M. é sus subditos que en ella resydimos, y los yndics naturales están disipados y destruydos. Y pues esto está tan conosçido y entendido, suplicamos á V. M. no permita que de aqui adelante haya divisyon en estas dos governaçiones, pues más obligaçion ay para que V. M. cumpla con lo que conviene al abmento de su Real corona é patrimonio é bien general de sus subditos, que con las ynportunas petiçiones que algunos darán á V. M. suplicandole por el contrario; y estos tales no tienen fin ni zelo á su seruiçio, syno solamente á sus particulares yntereses. Y pues el gouernador Vaca de Castro ha servido tambien á V. M. como ha paresçido en le aver restituydo y ganado de nuevo estos Reynos, que con verdad se puede bien dezir, suplicamos á V. M. que, ynmitando la loable costunbre que los reyes progenitores de V. M. han tenido, y proçediendo en la que V. M. tiene en remunerar los seruiçios que le son hechos, sea servido que la provisyon hecha al dicho liçençiado Vaca de Castro, no sea quitada ni admovida, antes de nuevo se la confirme, ansi de la Nueva Castilla como de la Nueva Toledo; pues todos estos reynos están todos generalmente contentos con su persona y no querrian cada dia conosçer nuevas voluntades. Y en todo esto encargamos á V. M. su Real conçiençia, y de nuevo le suplicamos lo que por otras nuestras cartas le tenemos suplicado en este casso, porque es lo que conviene á su Real seruiçio y bien vniversal destos reynos.

Por otras cartas hizimos saber á V. M. el fallesçimiento del obispo del Cuzco; y cómo en estas partes está vna persona de mucha abtoridad é letras que se llama el regente Fray Tomás de Sant Martin, de la orden de Santo Domingo, maestro en santa Theologia é persona de grand dotrina y abtoridad, y que en estos reynos ha hecho grandes seruiçios á Dios Nuestro Señor y dotrina de los españoles y á V. M., en todo lo que se ha ofresçido, y espeçialmente en este presente caso de los robos y tiranias destas gentes, hevitando lo que pudo; suplicamos á V. M. sea servido de le presentar á la perlaçia desta çibdad, en lo qual, allende de nos hazer tan cresçida merçed en darnos vn tan docto prelado, V. M. descargará con él su Real conçiençia. Cuya imperial persona Nuestro Señor guarde con acresçentamiento de muchos más reynos y señorios é abmento de nuestra santa Fee catholica. Amen. Desta çibdad xx de henero 1543 años.

De vuestra Sacra Cesarea Catholica Magestad muy vmylldes vasallos que sus sacras manos besan—El liçençiado de la Gama. Grabiel de Rojas.—Pedro de los Rios.—Antonio Altamirano. Hernando Bachicao.—Rodrigo Maldonado de Alamos.—Por mandado del conçejo, Gomez de Chaues, escriuano publico y del conçejo. (81)

LXXXV.

Carta de Francisco Maldonado, *regidor de la ciudad del Cuzco, al Emperador Don* Cárlos, *denunciando la mala administracion del licenciado Vaca de Castro.*—Cuzco, *9 de marzo de 1543.*

Sacra Cesarea Catholica Magestad:

Los dias pasados escreuimos los deste cavildo desta çiudad del Cuzco á V. M., haziendo saber á V. M. la desgraçia y muerte del marques don Françisco Piçarro, gouernador de V. M. destos reynos, y con su muerte, toda esta tierra sentia gran turbaçion con la tirania de don Diego de Almagro y su balia, que, si no fuera por la gran lealtad que á V. M. esta çiudad tubo, como leales á la Corona Real de V. M., y alçaramos vandera en su Real nonbre, no se puede creer sino quel dia de oy estubiera este reyno muy peor que quando el turco entró en Ungria, asolados tenplos, descasando casadas, tiranizando la Real justiçia de V. M.; de todo lo qual, como tengo dicho ya por otras, V. M. a sido largamente ynformado.

Agora quiero dar cuenta á V. M., como soy obligado como su leal vasallo y criado y como regidor desta çiudad por V. M., de las cosas y el estado dellas en que está todo este reyno con la venida del liçençiado Vaca de Castro, que V. M. acá enbió por juez de comision, y tanbien fué reçeuido por gouernador de V. M., por fin y muerte del marques don Françisco Piçarro, por prouision de V. M. que para ello traia, la qual presentó en este cauildo y fué fauoreçida y se cumplió como V. M. nos lo manda.

Y despues de reçeuido, él se a dado tan poca maña al gouierno y paçificaçion deste reyno y á lo á él tocante, que çertefico á V. M. que más turbado y alborotado está el dia de oy, que nunca estubo jamas en vida de los gouernadores pasados, porque más se ocupa en su gran cudiçia que no en la administraçion de la Real justiçia de V. M.; por donde, V. M. hará muy señaladas merçedes á todos los vasallos que acá estamos de V. M., de nos proueer de remedio y con toda breuedad, porque asi lo hemos menester, y que V. M. nos envie su Real Audiençia y visorrey que nos tenga en justiçia, á quien todos los de acá deseamos: y ávn los naturales estarian más en sosiego, conoçiendo cada vno su amo, porque agora, certefico á V. M. que ni los naturales ni los españoles que acá estamos en seruiçio de V. M., no tenemos ningun reposo ni quietud, sino más alterados con la venida del liçençiado Vaca de Castro, por donde vmillmente suplico á V. M. quiera condolerse de vn tan ynsine reyno como este que V. M. aqui tiene.

Si al presente á V. M. no le enbia oro, no es por falta deste cavildo, sino porque el liçençiado Vaca de Castro más lo quiere aplicar para sí que para V. M., siendo todo de V. M.; porque bien avia de que poder sacar más de çien mill pesos de oro, porque todos los yndios de los que se hallaron en la muerte del Marques y despues en fauor de don Diego, tenianlos sacando oro en las minas, y todo aquel oro que se les tomó, que no a sido poco, era justamente de V. M. y de su Real fisco, lo qual lo vno y lo otro todo se lo tiene en sí el liçençiado Vaca de Castro. Y demas desto, a más de siete meses que toda la tierra y gran suma de repartimientos que están vacos, se la tiene en sí y no los a proueido á nadie de los seruidores que V. M. acá tiene, sino que él solo se sirue de todos ellos; de donde para V. M. se pudiera aver sacado mucha suma de pesos de oro, entretanto que an estado vacos, de que se pudiera hazer algund seruiçio á V. M.; porque en la caxa Real de V. M. no ay al presente qué poder enbiar, porque treinta y çinco mill pesos que avia, el capitan Per Aluarez Holguin los sacó para hazer la gente, que en esta çiudad se hizo en nonbre de V. M., para yr en busca del liçençiado Vaca de Castro, que teniamos notiçia que estaba en Quito, y lo demas de oro y plata que quedó en el Cuzco en poder de los ofiçiales de

V. M., don Diego de Almagro y su valia lo tomaron cuando al Cuzco vino, y asimismo todo el oro de los difuntos, porque ni dexavan lo de los biuos ni menos lo de los muertos, ni menos lo de los templos, porque á todo hazian, como más largo á V. M. tenemos dado aviso.

Y viendo esto, y el poco remedio que este reyno y los que acá andamos en seruiçio de V. M. tenemos, movido con el zelo que á V. M. e dicho, e acordado de dar esta breue relaçion á V. M. como la deuo, por ser su leal vasallo y criado y regidor desta çiudad por V. M., sin para ello pasion ninguna particular moverme, sino desear que V. M. nos enbie persona que nos tenga en justiçia, y para que los naturales sean conseruados; pues todo esto conbiene al seruiçio Real de V. M. y á la sustentaçion desta tierra. Y porque el que esta dará á V. M. es persona tan çierta y vn cauallero que tan bien se a mostrado en seruir á V. M. en esas partes, que es el capitan Alonso de Albarado, el qual á V. M. ynformará y tan largo y çierto, porque en todo ha sido parte y no pequeña para seruir á V. M., y tanto, que de pocos tan bien V. M. lo a sido en estas partes, á quien se remite toda la demas relaçion, y del arte que dexa este reyno, porque como de leal vasallo, V. M. le puede dar entero credito.

Este cabildo a querido muchas vezes enbiar procuradores á V. M. á dar relaçion asi de lo pasado como de lo presente, en que estamos, y el liçençiado Vaca de Castro no nos lo a consentido hasta que él aya enbiado sus despachos á V. M. No nos ponga V. M. culpa ninguna en el caso, porque no estamos tan en nuestra libertad, si V. M. no nos enbia el remedio, que á V. M. he dicho, de vn visorrey y su Real Audiençia; porque este reyno conbinientemente no se puede gouernar por vno, por la mucha longitud de tierra que ay y porque los naturales se gastan y destruyen por venir de vna parte á otra tan lexos, lo qual no se haria si estubiese dibidido en dos o tres gouernaçiones; y desta manera seriamos tenidos en justiçia y no abria pasiones, y cada vno entenderia en administrar la Real justiçia de V. M. en el lugar o parte donde V. M. le mandase, y no buscarian de ocuparse en dos mill leguas de juresdiçion; pues vea V. M. si vn onbre solo podrá gouernar lo que digo, como se deue; por lo qual á V. M. conbiene, pues es todo suyo y nosotros sus vasallos, proueer y con breuedad de remedio en todo y para todos. Nuestro Señor la Sacra Cesarea persona de V. M. guarde y su Real estado acreçiente como V. M. lo desea. Deste Cuzco, en 9 de março 1543 años.

Las Sacras y muy catholicas manos de V. M. besa

Françisco Maldonado.

PEDRO DE LA GASCA.

LXXXVI.

Carta del licenciado PEDRO DE LA GASCA *al Consejo de Indias, dando cuenta de su llegada al puerto de Santa Marta y de las noticias allí recibidas sobre el estado de los asuntos del Perú.*
SANTA MARTA, 12 de julio de 1546.

Muy Ilustre y muy magnificos Señores:

DESDE la Gomera dy relacion á vuestra señoria cómo auia llegado alli á IIIJ de junio y me hauia detenido en aquel puerto, reparando las naos de agua y carne y otras cosas necesarias para el viage; y porque alli me dió vna calentura que tuve necessidad de purgarme, de alli nos partimos á x del mesmo y descubrimos tierra en la ysla de Guadalupe á IIJ deste mes de jullio; y por huyr las calmas, aguaceros y huracanes que entre las yslas hauiamos de lleuar, si fueramos á hazer escala á Santo Domingo o á San German, y por lo que el camino torcia lleuando aquella derrota, y por excussar dilacion de quinze o xx dias, que los maestres de las naos, yendo á aquellos puertos, hauian de gastar, en hazer en ellos panatica para la buelta á España, me paresçió que deuiamos dexar aquel camyno y venir á hazer escala á este puerto de Santa Marta, que estaua en el camino derecho, y tambien por no hauer en él de qué hazer prouision de pan ny de otra cosa, sino de agua y leña y alguna carne, que en dos dias se haria; y ansi se hizo y llegamos á él el sabado á x del presente, y nos partiremos, plaziendo á Dios, mañana XIIJ del mesmo.

He hallado aqui nueva que Blasco Nuñez salió de la gouernacion de Benalcaçar con CCC hombres y fué sobre Piçarro, que segun dizen, estaua en el Quito con DCC, y que en XXVJ de henero huvo entre ellos batalla, en la qual dizen que murió Blasco Nuñez y la mayor parte de su gente, y que fué mal herido Benalcaçar, y que Piçarro le ha tractado bien y hecho curar, y que de la gente de Piçarro havian muerto muy pocos, porque demas de tener más de doblado número de gente, tuvo sazon de hazer su cosa muy á su salvo y seguro con la artilleria y arcabuzeria; y segun en esta tierra se tiene por cierta esta nueva, temo que sea verdad, specialmente que el licenciado Miguel Diez de Almendariz y estos officiales Reales que aqui he hallado, me dizen que es muy cierto esto. Tambien me dize el licenciado que estos dias estuvo aqui vna nao que hauia partido del Nombre de Dios quarenta dias ha, y que dezian los que en ella venian, que hauian dexado en el Nombre de Dios á vn don Pedro de Cabrera, que estaua alli por Piçarro con quarenta arcabuzeros, y en Panama vn Hinojosa con más gente: llegado allá, procuraré de dar á vuestra señoria relacion de lo que más sucediere. Y Nuestro Señor conserue y augmente vida y estado de vuestra señoria a su santo seruicio. De Santa Marta á XIJ de jullio de 1546.

Como he dicho, hallé aqui al licenciado Almendariz entendiendo en dexar en buena orden las cosas desta gouernaçion de Cartagena, para yr á la visita del Nuevo Reyno; que çierto, segun esto y aquello dista, para que se conserue lo vno, en tanto que reside en lo otro, hay necesidad de tan buena maña como él entiendo que se dá, specialmente hauiendo tan pocas personas en esta tierra de quien pueda confiar que le ayudaran á seruir á Dios y á S. M. Segun dizen, es largo y trabajoso el camino para el

Nuevo Reyno, y lo que por acá se gasta; pienso no solo terná trabajo mucho, pero gasto más que suffre su salario. En el breue despacho de las naos que en my compañia vinieron, ha ayudado y fauoresçido con todo cuydado y diligencia.

De Vuestra Señoria humilde siervo que sus manos besa

El licenciado
Gasca.

Sobre.—Al muy illustre y muy magnificos señores del Consejo Real de Su Magestad de Yndias.

LXXXVII.

Carta del licenciado Pedro de la Gasca *á Miguel Diez Armendariz, dándole noticia de la expedicion que disponia contra Gonzalo Pizarro.* — Panamá, *27 de febrero de 1547.*

Muy magnifico señor:

A treze de dizienbre, escreví á vuestra merçed, dandole quenta de todo lo que hasta alli avia subçedido y de el estado questos negoçios tenian, y le enbié á suplicar que, con toda la brebedad que fuese posible, mandase hazer en ese reino é governaçion toda la gente que pudiese, y lo mejor encavalgada y armada que se hallase, y que la mandase enbiar, por la governaçion de Belalcaçar, á juntarse con la quél tenia, para que toda entrase por aquella governaçion, y se fuese á ocupar á Quito é juntarse con nosotros, que, quando llegase, estariamos, Dios quiriendo, en aquellas partes. Y con aquellas cartas, enbié treslados abtenticos de las çedulas que S. M. para vuestra merçed y para los ofiçiales dese reino mandó dar, el qual despacho enbié endereçado á Juan Ortiz de Çarate, teniente de vuestra merçed en Santa Marta; y segun me escrivió, se partió el despacho á muy buen recaudo é rio arriba, con dos vezinos dese reino, á XVII del mes de henero, por manera, que, segun del camino me dizen, ya estará el despacho en poder de vuestra merçed o llegará en brebe. É ansi por esto, como porque en esta torno á enbiar treslado de aquella que entonçes á vuestra merçed escreví, no terné que dezir en lo que en aquella se contenia, más de referirme á ella y suplicar lo que en ella suplicaba. Lo que despues a subçedido, es que, en otro navio que llegó aqui en IX de henero, vino el señor obispo de Lima, con yntençion de pasar á España, y como halló aqui todos con la voz de S. M., determinó de reparar y bolver á serbir á S. M. é ayudar en esta jornada con su abtoridad, credito é gran prudençia y expiriençia de las cosas del Perú; tengo por çierto se hará mucho en seruiçio de S. M. y bien de la negoçiaçion.

En x del mes de henero llegó en otro navio Gomez de Solis, maestresala que hera de Gonçalo Piçarro, con yntento de pasar á España á procurar las cosas de Gonçalo Piçarro; é con ser vn cavallero bueno y de buena masa, y debdo del general y de Lorenço de Aldana, a determinado de hazer lo mesmo quel señor obispo de Lima, é ansi está aqui en serbiçio de S. M.: truxo 20.000 pesos, que, para enbiar á Hernando Piçarro, Gonçalo Piçarro avia tomado de la caxa de S. M., que an sido alguna ayuda para ayudar á suplir algo de las nesçesidades y gastos que aqui ay.

En el mesmo navio vino el regente é provincial de la orden de Santo Domingo, Fray Tomas de San Martin, persona de autoridad é de muchas letras y gran serbidor de S. M., con proposito de yr en España; y como halló que las cosas estavan, como él vino determinó de quedar á ayudarlas á serbir en ellas á S. M.

Ansimesmo vino en aquel navio el señor obispo de Santa Marta, é se ofresçio á quedar é á yr en la jornada; y no lo açebté, porque me paresçió que, no aviendo su señoria residido en su obispado despues que vino á esta tierra, que hera cargo de conçiençia el ynpedirle bolver á él, y tanbien porque, con aver estado tan poco en el Perú é su prelaçia ser fuera de aquella tierra, paresçia que no podia con tantos aprobechar su buelta; pero acebté la liçençia que me dió para enbialle á suplicar bolbiese ayudar en esta negoçiaçion, cada y quando que paresçiese que podia mucho aprobechar en ello, é ansi lo he escripto á S. M.

Despues, á xv del dicho mes, llegó otro navio, que dize, que quando salió del puerto de Lima, no quedaba navio alguno en él; pero que yvan bien quanto la costa arriba. En este tienpo, bolbieron los mensajeros que avian ydo por la Buena Ventura á encaminar los despachos de que ya escrebí á vuestra merçed, y bolbió con ellos Miguel Muñoz, capitan de Belalcaçar á quien él enbió á ofresçerse para esta jornada, y escribió vna carta, mostrando gran deseo de serbir en ella á S. M., la qual no enbio á vuestra merçed, por avella enbiado la semana pasada á S. M.: y este ofresçimiento hizo, sinenbargo que hasta agora no sabe el estado que las cosas aqui tienen é como están por S. M., antes cree que se están en la voz de Piçarro, porque no se lo escrebí, pero amonesté á los mensajeros que yvan á encaminar los despachos que, ni á Benalcaçar ni á otro nenguno dixesen cómo esto estava por S. M., porque de aquella governacion, tan vezina al Peru, no se reçumase y se entendiese por Gonçalo Piçarro, y se enpeçase á fortificar é hazer los otros dessiños que se entiende tiene proposito de hazer, quando supiere que de parte de S. M. se le quiere hazer guerra.

A plazido á Nuestro Señor que, sin aver hasta agora llegado gente de Nicaragua, donde ay nueva que ay dozientos é çinquenta onbres de cavallo hechos para venir á esta costa, ni de Guatimala, ni de Honduras, ni de Nueva España, ni de la Española, porque no a avido tienpo, avnque en todas partes se dá mucha priesa por las Abdiençias é visorrey de la Nueva España; se an allegado aqui desde el primero de dizienbre, ques para la voz de S. M., hasta oy mill onbres, gente toda muy buena, y entrellos personas de mucha calidad y xxiiii o xxv navios, y entrellos, dos de remos que se an hecho, quel vno dellos rema veynte por vanda, y mucha artilleria y muniçiones é arcabuzes é otras armas. An se enbiado, destas personas calificadas y desta gente y navios, á Lorenço de Aldana, y con él el capitan Hernan Mexia y el capitan Juan Alonso Palomino, con ccc onbres o cccc, las dos terçias partes é algo más arcabuzeros, toda gente buena y puesta en orden, con tres navios é vna fragata, todo bien artillado, con yntento que vayan al puerto de Lima y tomen los navios que á alli hobieren llegado, y tenga forma cómo en aquella çibdad se dén cartas y despachos por donde se entienda el bien que S. M. enbia, ques lo que más procura ocultar Gonçalo Piçarro, paresçiendole que, entendido, lo an todos de dexar y no querer perder sus ánimas, honras, vidas y haziendas y cobrar nonbre de traydores, por la desatinada pretendençia dél, ques de ser governador contra la voluntad de S. M.

Y de alli Lorenço de Aldana yrá la costa arriba, hasta Arequipa, y de alli procurará entrar en la tierra y recoger la gente, que á la boz de S. M. acudiere, y hará publicar las probisiones que de S. M. lleva, y dar las cartas que para muchos particulares van, que se espera serán de gran efeto. Van con él, el capitan Palomino, con çerca de dozientos onbres, y el padre regente, con algunos religiosos de su orden para yr por la tierra levantando las voluntades é alentandolas en el serbiçio de S. M.

Y el capitan Hernan Mexia bolberá la costa abaxo, con vna de las naos de armada, muy bien artillada, é çiento é tantos onbres, corriendo la costa é cogendo los navios que por ella arriba fueren, o recogendo la gente de la costa y haziendo publicar los despachos en los pueblos della, hasta bolberse á juntar con nosotros que, mediante el favor divino, estaremos ya en la costa del Peru.

Y nosotros partiremos de aqui á xv de marҫo: yrán en la armada al pie de xx naos, con buena artilleria y más de seteçientos onbres, muy bien en orden, porque ya los ay aqui y en el Nonbre de Dios, é de cada dia creçen, y creemos que lo de Nicaragua o mucha parte dello llegará juntamente con nosotros á la costa, á donde acudirá la demas del distrito de la Abdiençia de los Confines y lo de la Nueva España y lo de la Española que, si algo se detiene la rebelion de Piçarro, serán mucho número, sin lo que de la misma tierra del Peru tenemos entendido que acudirá á la boz de S. M. Esto es, en suma, el estado que las cosas agora tienen.

Y porque ya de aqui adelante quién primero podrá llevar nueva della al Peru, será aquellos señores que se partieron con la parte del armada que he dicho, o nosotros, a paresçido que abiertamente se puede ya escrebir al adelantado Belalcaçar, y enbiarsele las çedulas que S. M. para él manda dar, en que manda que acuda con la gente de aquella governaçion á mi persona, como lo haria á la de S. M.; é ansi, se despacha Miguel Muñoz é otras personas, con las probisiones y carta que le escribo.

Y con él se enbia, por aquella governaçion, el fator Christoval de la Tovilla, gran serbidor de S. M., para que por alli vaya con esta y las çedulas oreginales, que de S. M. para vuestra merçed y para los ofiçiales dese reyno ay. Suplico á vuestra merçed que, con toda brebedad, mande probeer cómo toda la más gente y más bien encavalgada é armada que fuere posyble, venga dese reyno á juntarse con Belalcaçar, para que por aquella governaçion entre y venga á Quito, porque, quando llegue, conforme á la nesçesidad que obiere, estará ya alli aviso de lo que desde alli ha de hazer, y adonde a de yr á juntarse con nosotros, y será posible que, quando llegare á Quito, estemos ya nosotros alli; y que en esto vuestra merçed haga conforme á quien es, é á lo que ynporta este negoçio en abtoridad é ynterese á S. M., y respondiendo á la eficaçia con que S. M. esta cosa por sus çedulas manda se ayude y acuda á ella, porques en la que más se hechará de ver lo que cada vno sirbiere y la remision que obiere. E porque sé que solo estar yo en ella, bastaria para que vuestra merçed desease favoresçerla, quanto más concurriendo tan en ello el serbiçio de S. M., á quien vuestra merçed tiene tan gran zelo, é ansimesmo lo que vuestra merçed deve por quien es, su zelo y el valor de su persona y la confianza que de vuestra merçed S. M. haze, y lo que en esto se hiziere, lo que a de ser de momento para encargar á S. M.; no me alargo á suplicar con más palabras, ni con tanta ynstançia, é avnque el negoçio de sy encomienda su gran ynportançia.

Y todavia, avnque entiendo que fuera mucha cosa venir vuestra merçed en persona con la gente, pero, temiendo el alteraçion que podria causar en Belalcaçar, me paresçe que vuestra merçed la debe de enbiar con persona o personas de mucha confianza, y representando por sus cartas á Belalcaçar la conformidad que a de aver en ayudar á este negoçio, y el cargo que á S. M. y á vuestra merçed para mirar sus cosas con justiçia hechará, con enplearse él en serbir en negoçio que tanto bá.

Y vuestra merçed deve encomendar mucho á la gente y á

la persona o personas que vengan y entren en Quito, cuanto fuere posyble, syn hazer daño en españoles ni naturales, porque, como todo sea de S. M., será muy servido questa cosa se haga con el menos daño que fuere posyble, y asi, todos los que en ella entendemos, hemos de procurar de hazer guerra solo contra aquellos que no se pudiere escusar, é quando con amor é buen tratamiento pudieremos reduzir la tierra é allanarla, lo hemos de hazer, sin usar de rigor; y esto somos obligados en ley de christianos é de vasallos é criados de S. M. y de proximos de los questán en el Peru.

Y para que los ofiçiales Reales dese reyno, de la hazienda de S. M., dén y probean todo lo nesçesario para la gente y todo lo demás que vuestra merçed para esta jornada proveyere, se les enbia la çedula que S. M. para ello mandó dar, y se les escribe çerca dello lo que en vn treslado que con esta vá se contiene. Nuestro Señor conserbe é avmente la muy magnifica persona de vuestra merçed á su santo serbiçio, como desea y deseo. De Panama, á 27 de hebrero, 1547.

Besa las manos de vuestra merçed (82)

El liçençiado
Gasca.

LXXXVIII.

Carta del licenciado Pedro de la Gasca *al Consejo de Indias, participando que enviaba á España, con personas de confianza, los hijos de Juan y Gonzalo Pizarro, para que cuidaran de su educacion los parientes que tenian en Castilla.*—Los Reyes, *15 de febrero de 1549.*

Muy illustre y muy magnificos señores:

Con vn Francisco d'Escobar, mercader rico y abonado que con su muger se va desta tierra, y con vn Balthasar Daça, natural de Toledo, hombre ansimismo rico, embio las dos hijas de Juan Piçarro y Gonçalo Piçarro, para que este Balthasar Daça las lleue á Trugillo, donde entre sus deudos serán mejor criadas y doctrinadas y se podrá disponer dellas, quando tuvieren edad para casarse o meterse monjas; con las quales lleua quatro mill pesos de lo que ha rentado el depósito de la coca de Avisca, que fué del Marques, de que ya he hecho relacion á vuestra señoria, (83) para que, ansi estas moças, como los dineros los pressente ante el corregidor o juez de ressidencia de Trugillo, y le pida, conforme á vna requissitoria que lleua, á ellas y á los dineros provea de tutor que las tenga y beneficie los dineros, comprando renta de que se alimenten, y con qué, quando fueren de edad, se disponga dellas. Atreuime á hazer esto, sin aguardar la respuesta de lo que en esto tengo hecha relacion, ansi por ser la obra tal, que see que vuestra señoria lo ha de tener por bien lo que hago, como porque ya estas mochachas se yuan haziendo mugercillas, y temí que, no hauiendo quien mirase por ellas, darian la mala quenta que suelen dar las moças que no tienen quien mire por su honestidad, specialmente las que son desta nacion de Yndias, y más si son mestizas, como estas, que suelen tener el ánimo que de spañolas heredan de sus padres, para hazer lo que se les antoja, y el poco cuydado de su honrra, que toman de sus madres.

Ansimismo embio á vn hijo que dexó Gonçalo Piçarro, que será, á lo que creo, de doze o XIII años, porque, avnque los de la opinion de su padre quedarán tan castigados y desementados desta tierra, es la gente suelta que en ella hay tan amiga de nouedades, bulliçios y desassosiegos, y acostumbrada á viuir de robos, ansi de la hazienda de S. M., como de la de los particulares, que me paresció conuenia quitar toda occasion de hallar en este el arrimo que hallaron en el otro mestizo, que dexó el adelantado Don Diego de Almagro; mayormente, que se tiene este muchacho por mal inclinado y amigo de toda travessura, y tal, que, despues de la justiçia que de su padre se hizo, me dezian que hablaua en dezir que se hauia de vengar de algunos que hauian faltado á su padre. Paresceme que se deue tener cuenta con él, para que no buelua á estas partes.

No se ha dado para él más de trezientos pesos, que para fletes y matalotage dél y de su hermana y prima se le dieron más, y aliende de los quatro mill pesos que he dicho, los quales tambien se dieron del dicho depósito; pero, con licencia de vuestra señoria, del mismo depósito, pienso embiar otros dos mill pesos para que le compren con qué viua; porque ya que de su padre se hizo justiçia, siquiera porque se entienda que se hizo por sus delitos y no por odio que á él y á sus cosas se tuviesse, me paresce que es justo se probea con qué tenga como pasar la vida, pues no es á costa de S. M. ni de nadie, y pues que, avnque su padre no lo merezca, meresciolo el Marques, su tio. Supplico á vuestra señoria se tenga esto por bueno, pues ha salido y sale de piedad que destas muchachas y muchacho tengo, y teniendo por cierto que dello será seruido S. M. y vuestra señoria; y porque la semana passada screuí largo, no hago en esta, relacion de más desto. Nuestro Señor conserue y augmente vida y estado de vuestra señoria á su santo seruicio, como los suyos deseamos. Desta ciudad de los Reyes, á xv de hebrero de 1549.

De vuestra señoria humil siervo, que sus manos beso

El licenciado
Gasca.

Sobre. — A los muy illustre y muy magnificos señores presidente é señores del Consejo Real de [*Yndias*].—Mis señores. Dupplicada.

LXXXIX.

Carta del licenciado Pedro de la Gasca *al Consejo de Indias, recomendando á Fray Pedro de Ulloa.*—Los Reyes, *22 de febrero de* 1549.

Muy illustre y muy magnificos señores:

Fray Pedro de Vlloa, compañero del arçobispo desta ciudad, lleuador desta, es vno de los religiosos que en las alteraciones passadas mucho zelo han mostrado al seruicio de S. M. y que más riesgo han corrido, el qual vino en la primera armada que se embió adelante con Fray Thomas de San Martin, prouincial desta prouincia, á hechar cartas y despachos; y saltando en tierra, á buscar comida para proveymiento de los nauios, le prendió Juan de Acosta y le embió á Gonçalo Piçarro, el qual le tuvo presso algunos dias y para matarle; y despues que salió desta ciudad Gonçalo Piçarro, él se metió en vn barco y fué á Tumbez á darme avisso del estado en que las cosas quedauan, y fué el primer hombre que de los desta armada primera vide, y despues vino seruiendo en la jornada en lo que se le encomendó, como buen religioso y seruidor de S. M. Suplico á vuestra señoria que á él y á los negocios que lleua, sean seruidos de mandar dar fauor en todo lo que lugar huviere, que le rescebiré yo por proprio, por los respectos que he dicho y por la mucha afficion que á su persona y bondad tengo. Nuestro Señor conserue y augmente vida y estado de vuestra señoria en su sancto seruicio con el augmento que los suyos deseamos. De Los Reyes XXII de hebrero de 1549.

De vuestra señoria humil siervo que sus manos besa

El licenciado
Gasca.

Sobre.—A los muy illustre y muy magnificos señores presidente y señores del Consejo Real de [*Yndias*].—Mis señores.

XC.

Carta del licenciado PEDRO DE LA GASCA *al Consejo de Indias, proponiendo doblar el salario á los oidores, para que en todo pudieran proceder con rectitud é independencia.—*LOS REYES, *20 de julio de 1549.*

Muy illustre y muy magnificos señores:

El otro dia screuí á vuestra señoria repressentando la razon y necessidad que hauia para que á los oydores se doblose el salario, porque, segun la carestia desta tierra, me paresçió que con el que se les señalaua no se podian sustentar la mictad del año; y entonces avn no eran llegados el doctor Sarauia y el licenciado Maldonado: y passa, en verdad, como lo digo, que el licenciado Cianca no me habló palabra sobre ello; y por lo que conuiene al seruicio de S. M., y buena administracion de la justicia, que los oydores tengan bastante salario, para tractar las cosas della con toda limpieza y autoridad, y que no viuan necessitados para ayudarse de sus vezinos á que les den o empresten á nunca pagar, porque para sustentarse, forçadamente lo han de hazer, no les dando el salario que digo, me paresció tornarlo por esta á significar á vuestra señoria, y ansi me paresce lo que antes que se les deue de doblar el salario, porque ávn cada dia cresce la carestia desta tierra, como va cresciendo la riqueza della, y por la quenta que á Dios deuo, que, á lo que alcanço, apenas se podrán sustentar la mictad del año con lo que se les dá. Ellos escriuen sobre ello, porque la necessidad les fuerça. Supplico á vuestra señoria que si no se ha hecho relacion á S. M. desto, la manden hazer, para que con breuedad se prouea, que cierto conviene.

Y para que vuestra señoria, en alguna manera entienda quan grande es la carestia desta tierra, estos dias se ha hecho aranzel de los derechos que en esta ciudad han de lleuar los escriuanos, que uisto allá paresceria extremadamente excessiuo, y sin embargo desto, los scriuanos han supplicado dél, diziendo que se les haze notorio agrauio, y que en ninguna manera se pueden sustentar, y pretenden probar que, para sustentar casa, vno dellos ha menester cada año quatro mill y seyscientos pesos, con ser scriuano. Nuestro Señor conserue y augmente vida y estado de vuestra señoria á su sancto seruicio como los suyos deseamos. De Los Reyes, xx de jullio de 1549.

De vuestra señoria humil siervo que sus manos besa

El licenciado
Gasca.

Sobre. — A los muy illustre y muy magnificos señores Presidente y señores del Consejo de Yndias.—Mis señores.

XCI.

Carta del licenciado PEDRO DE LA GASCA *al Consejo de Indias, avisando las disposiciones que se habian adoptado respecto al repartimiento de coca, que tuvo Francisco Pizarro.—* LOS REYES, 16 *de setiembre de* 1549.

(Facsímile Y.)

Muy illustre y muy magnificos señores:

COMO ya tengo hecha relaçion, considerando lo quel marques don Francisco Piçarro servió y que quedavan dél solamente una hija legitimada y un hijo, que será de VIIJ años o nueve, mestiço y sin legitimar, havia depositado el repartimiento de Ucay y coca de Avisca y Tuno, que fué lo que en el Cuzco tuvo el Marques, para que, si S. M. fuesse servido encomendarle á este muchacho, se hiziesse; y ansy ha tenido la administraçion y cargo de coger y benefiçiar los tributos deste repartimiento un Diego Gonçalez, que mató á Alonso de Toro, teniente de Gonçalo Piçarro y uno de los más crueles secaçes suyos, y que anduvo conmygo en la jornada passada, al qual tomó cuenta aora el contador Juan de Caceres, y descontado lo que por su trabajo huvo de haver y se le señaló, y lo que por libramientos myos dió para embiar á Spaña las hijas y hijo de Juan Piçarro y Gonçalo Piçarro, y para remedio de algunos que á su costa servieron contra Gonçalo Piçarro, y no les pudo caber indios ny parte de la derrama que en Guallarima (84) hize sobre las personas á que cupieron indios, se metió el alcançe que se le hizo en la caxa de S. M.

Y paresçiome remover aquel depósito y administraçion deste Diego Gonçalez, sin embargo que dió buena cuenta, y ponerlo en los que tienen las tres llaves en el Cuzco de la caxa de S. M., que son, uno que sirve el offiçio de thesorero y otro que sirve el de contador y el corregidor, porque, para que haya más recaudo y fidelidad en la hazienda Real, me ha paresçido conviene que los corregidores, que continuamente son personas honrradas y de qualidad, tengan una de las llaves en los pueblos, fuera desta çiudad de Lima; y que ansy por el trabajo que en cobrar y benefiçiar estos tributos havian de tener, como por lo que en el recaudo y cobrança de la otra hazienda de S. M. hazen, se dén á cada uno cccc pesos por año, destos tributos, en tanto que están vacos, o otra cosa no se ordena, y que lo que valieren, lo metan con la hazienda de S. M. y lo remitan con ella á los offiçiales Reales desta ciudad, como se contiene en el depósito que en ellos hize, que aqui enbio. (85)

He hecho esto, no solo por la menos costa con que se cogerán y benefiçiarán estos tributos y se proveerán de algun salario los que tienen en el Cuzco cargo de la hazienda de S. M., mas áun porque, si acaso á S. M. o á vuestra señoria paresçiesse que este repartimiento se quedasse para S. M., se podrá más fácilmente, y sin que se eche de ver, hazer, puesta ya la cobrança y administraçion destos tributos y indios en sus offiçiales; y pudose poner aora en ellos, mas sin que se echasse de veer, que no si se hiziera al tiempo que en Guallarima provey lo que havie vaco, por estar ya descuydados todos destos indios, con pensar que se quedan para este hijo del Marques.

Y çierto, me paresçe que es justo S. M. tengua repartimiento en todos los pueblos, no solo por el provecho y porque con esto se podrá dar salario al corregidor y offiçiales que en cada pueblo tienen cargo de la Real hazienda, pero áun porque con sus ganados podrán los indios destos repartimientos, en recompensa de parte de los tributos, traer á esta çiudad la hazienda de S. M. sin costa; y en speçial paresçe cosa no conviniente que, siendo el Cuzco tenido por el prinçipal pueblo y cabeça destos reynos, no tenga S. M. en él indios.

Es este repartimiento de la mejor coca de todo el Peru, y

ansy, Guaynacava y sus antecessores tenian esta para sus personas y los de su casa, y vale más que otra un terçio, y aunque no es mucha, valió el año passado xxiiij U pesos.

Y quedandose este repartimiento en cabeça de S. M., podrase mandar que se dé otra cosa á este muchacho, o mandarle llevar á Spaña y darle allá de comer, y creo serie esto lo que más convernie.

No he dado desto parte á persona alguna; antes los offiçiales del Cuzco entienden que hago traer con la hazienda de S. M. lo que destos tributos se ha, y que se remitta á los offiçiales Reales desta ciudad, en cuenta apartada de la otra de S. M., para alguna manera de socorro y de paga de personas que siervieron á su costa en la jornada contra Gonçalo Piçarro.

Y aunque para traer esto deste repartimiento en estado de poderle dexar en cabeça de S. M., parezca convenir usar destos rodeos y dissimulaçion, pero de aqui adelante, creo será más façil effectuarse lo que digo en cada pueblo, por estar ya, bendicto Dios, las cosas assentadas y sin la çoçobra que han tenido, y la gente domada y subjecta, y haverse ya empeçado á entender que las encomiendas no se han de hazer con la poca consideraçion y çeleridad mucha que hasta aqui solia haver, sino entendido primero lo que se dá y los meritos de la persona á quien se encomienda; y que en el entretanto, lo que la vacante rentare, lo han de coger los offiçiales Reales, porque, á título de ayudar á S. M. para en alguna recompensa de lo que ha gastado y le han robado en las alteraçiones passadas, he esto introduzido: y ansy al presente goza S. M. de las vacantes de Diego Çenteno y liçençiado Caravajal, y gozará de aqui á Navidad, o á lo menos de aqui á prinçipio o medio de diziembre, que, plaziendo á Dios, pienso será my salida desta tierra.

Y porque lo que aqui he dicho no entendiesse otro, no hize en la carta del pliego passado relaçion dello, dexandolo para escrevirlo á solas, y con la memoria de viejo cansado y occupado, se me olvidó hasta despues de despachado aquel; porque, çierto, para mejor y sin azedo effectuarlo, lo que digo, conviene usar de dissimulaçion y que no se derrame este intento acá, ny áun en Spaña, porque lo que allá se habla, muy presto viene á estas partes. Nuestro Señor conserve y augmente vidas y stados de vuestras señorias á su santo serviçio, como los de vuestra señoria deseamos. De Los Reyes, á xvj de setiembre de 1549.

De vuestra señoria humil siervo, que sus manos besa

El licenciado
Gasca.

XCII.

Carta del licenciado POLO DE ONDEGARDO *al licenciado Pedro de la Gasca, hablándole de asuntos propios, y de otros varios del asiento de Potosí, donde residia.—*POTOSI, 9 *de octubre* [1549]. (86)

Muy illustre Señor:

POR auer escripto á vuestra señoria muchas, de pocos dias á esta parte, la presente será muy brebe, porque, avnque creo quel que la presente lleva, será más brebe en esa çibdad que los otros, no será tanta la ventaja, que sea neçesario duplicar las cartas. Solo quiero dezir en esta lo que escreví á vuestra señoria en la postrera: que ay en la caxa de S. M., despues que salió la hazienda Real deste asiento, cantidad de ochenta mill castellanos; y tanto contentamiento reçibo agora como antes, porque me pareçe que me a de mandar vuestra señoria yr con esta partida á esa çibdad, que, avnque en esto se me ofreçe costa y trabajo, y ni estoy para lo vno ni para lo otro, por besar las manos de vuestra señoria y por tornar desocupado deste ofiçio, para entender en mi hazienda, reçibiré señalada merçed.

Los dias pasados escriví á vuestra señoria como avia tenido relaçion que estavan en el repartimiento de Rodrigo de Orellana dos o tres soldados de los culpados en la rebelion de Gonçalo Piçarro, é avn creo que enbié á vuestra señoria la ynformaçion dello. Rodrigo de Orellana lo a hecho como muy honrrado cavallero, y no es justo de ponelle culpa de lo pasado, porque, en reçibiendo la carta y mandamiento que le enbié, él mismo los prendió é los traxo en vna collera hasta este asyento, donde están en la cárçel pública á buen recaudo é se proçede contra ellos; y con estos, no me falta de prender ni tengo notiçia más de otro vellaco que se llama Pinylla, (87) y tanpoco se me puede yr, que yo ando en rastro dél; de manera, que con esto a cunplido Rodrigo de Orellana lo que hera obligado como hombre de bien, y agora a ydo á otro negoçio que ynporta, casi de la misma calidad del sobredicho.

El capitan Joan Nuñez de Prado se partió ayer, y creo que avian salido ochenta hombres, y en toda esta semana procuraré que salgan los que fuere posible, y el lunes me partiré yo á despachallos é á soltar los yndios, si alguno llebaren atado, que yo llevaré gente comigo con quien lo pueda hazer; que avnque la bondad de Joan Nuñez es grande, siempre soy amigo que se haga lo que conviene sin muchos ruegos, espeçialmente siendo en nombre del Rey. Bien quisiera que hobiera algun vezino con quien descuydar deste negoçio, porque a quynze dias que estoy bien malo é agora no estoy bueno; pero yo tengo de dar cuenta deste negoçio, y con ser cosa que tanto ynporta á estos naturales, no puedo dexar de holgarme que aya venido el negoçio á terminos que no lo pueda encomendar á otro; algunos dias será neçesario detenerme en el camino por fuerça, porque a de ser lexos; pero yo procuraré bolber lo más presto que pudiere é dexar el mejor recaudo que pudiere en este asiento.

En lo que toca á los bienes de los difuntos, con Pero Fernandez, el leal, escreví á vuestra señoria largo lo que me pareçia, y hasta que de aquella carta tenga respuesta de vuestra señoria, se hará lo que en ella digo. Suplico á vuestra señoria me avise, porque es cosa de mucha ynportançia y bien neçessaria.

Las visitaçiones se andan haziendo con toda diligençia, y con la misma se despacharán como sean acabadas. Tanbien quysiera yo hazer aquel negoçio todo por mi persona, si fuera posible, que me pareçe que le açetaran; pero yo tengo tanta relaçion de la provança, que me pareçe que basta para atinar en lo que conviene.

Mi madre me escrive quel señor marques de Mondejar le dixo las merçedes que vuestra señoria me avia hecho dende Xauxa, y luego á pro nuestro vna carta del Peru, en parte para vuestra señoria, cuyo traslado va con la presente; (88) no la envio porque me pareçe que es neçesaria para que vuestra señoria me haga merçedes, pues sin ella sienpre las he reçibido tan creçidas, sino para suplicar á vuestra señoria que en lo que dizen de ofiçios, vuestra señoria me la haga tan señalada, que no tenga yo más deste y se acabe con la mayor brebedad que vuestra señoria fuere seruido de me hazer merçed; pues acabada esta entrada, no ay en él en qué entender, y reçibo daño en tener ocupada la persona, para no poder entender en mi hazienda y buscar de comer.

Por la çedula de yanaconas de mi hermano beso á vuestra señoria çien mill vezes las manos, que avnque es moço, a servido bien á S. M. y con buena yntinçion; pero no huvo lugar executarse, porque aquellas que Grabiel de Rojas le dió, despues henchí yo vna çedula de Melgarejo con ellas, y no seria justiçia quitarselas, pues tiene la posesion; pero podrá vuestra señoria mandar enbiar otra que diga de catorze á quinze vacas, o que vacaren, y él las buscará en la villa, y si no le sirvieren, en las minas hazelle an alguna chacara.

Este asyento está bueno é ya reside en él poca gente y con gran brebedad avrá mucha menos, porque todos los mercaderes se an perdido y los tratos afloxan cada dia, y ay tanta ropa é bastimentos, y tan baratos, como los puede aver en Lima, eçepto trigo, que siempre vale á çinquenta castellanos (89); de manera, que en la quyetud é paçificaçion de lo de por acá arriba, puede vuestra señoria estar descuydado. Y Nuestro Señor la muy illustre persona, vida y estado de vuestra señoria guarde y prospere como vuestra señoria y todos sus servidores deseamos. De Potosy IX de otubre.

Muy illustre señor, besa pies y manos de vuestra señoria

.·. El liçençiado
Polo.

Sobre. —Al muy illustre señor liçençiado Gasca, del Consejo de S. M., presidente destos reynos, etc. —Mi señor.

XCIII.

Carta del licenciado Pedro de la Gasca *al Consejo de Indias, remitiendo, entre otros documentos, la ordenanza que hizo sobre la presentacion de apelaciones interpuestas ante aquella Chancillería, avisando lo acordado respecto de la tasa de tributos, y del envio de un cargamento de barras de plata y dando cuenta de otros asuntos de aquella gobernacion.—Puerto de la ciudad de* Los Reyes, 8 *de noviembre de* 1549.

Muy illustre y muy magnificos señores:

En la que screuí á xxj de septiembre proximo passado, hize relaçion de lo hasta entonçes succedido y embié algunas scripturas, de las quales torno á embiar la ordenança que se hizo sobre la presentaçion de las apelaçiones que para esta chançilleria se ynterponen: (90) y ansi mesmo embié vn mandamiento que para el Cuzco é otros pueblos dí sobre que sacavan de sus naturalezas, casas y pueblos á los yndios é los llevavan á poblar é á estar en las minas de Potosi, del qual, como entonçes screuí, los del Cuzco, con demasiada codiçia, apelaron é se presentaron en la Avdiençia á donde se ha estado en la obseruançia del mandamiento como conviene, é ansi se guarda é se haze en todo lo que se deue al seruiçio de Dios y de S. M. y descargo de su Real conçiençia y conseruaçion de los naturales, en la qual consiste la perpetuaçion desta tierra y bien y prouecho de los spañoles, sino que con la codiçia no lo quieren entender como es; pero en fin, vnas vezes por bien y otras vezes con rigor, se haze lo que conviene, y avnque con trabajo y contínua lucha, ha puesto Dios (de quien todo bien viene) esta tierra en tal estado, que spero será vna de las mejor conçertadas y paçíficas que ay en las Yndias, ansi como es la más rica dellas é ávn por ventura de todo lo descubierto.

Tanbien embio el traslado que sobre lo mesmo dí para el corregidor de los Charcas.

En xxv del dicho septiembre reçebí cartas del Cuzco sobre lo que alli se haze en la averiguaçion de las cuentas y cobrança de la hazienda Real, en lo qual estoi satisfecho, que el corregidor y Galindez lo tratan con entereza y se lleva de rayz, como pareze por la carta de Galindez, que con esta embio, en que pide se le embie la razon que acá se halla de las personas que los primeros años de la poblaçion del Cuzco tuuieron cargo de la hazienda Real, porque allá no se hallaua razon sino desde el año de 1539, é que tanpoco se hallaua razon del año de 1544.

E luego se entendió en buscarla y se halló hauerse poblado el Cuzco de christianos á xxiij de março de MDXXXIIIJ, y que desde aquel dia hauia residido alli el thesorero Riquelme y cobrado la hazienda de S. M. que alli huuo, hasta IX de abril de 1537, que fué quando de alli salió é se vino á exerçitar el offiçio de thesorero en Lima.

É que ansi, en las cuentas que aqui se tomaron al thesorero Riquelme, se le hizo cargo de todo lo que en el Cuzco pertenesçió á S. M. en el año de 34, 35, 36 y 37, y se halló que á Riquelme hauia succçedido en el Cuzco por thesorero Manuel de Spinar, y contador Juan de Guzman, y fator Diego de Mercado, y que Manuel de Spinar, quando yntentó alçar vandera en Arequipa por S. M. y salió huyendo de alli al Collao, donde los de Piçarro le tomaron y ahorcaron, tenia sus cuentas en Arequipa, y que ansi se pensava que alli se podrian hallar las cuentas de los años de 38 y 44 que faltavan.

Scriviose luego al corregidor y offiçiales de aquella çiudad para que las buscassen, y hallandolas, las embiassen al corregidor del Cuzco é á Galindez, al qual se dió aviso de todo lo que acá se hallava [91] y avia podido entender.

En postrero del dicho septiembre reçebí cartas de Pedro de

Hinojosa [92] y Pablo de Meneses y otras que desde Arequipa me scriuen de la llegada de la plata á aquella çiudad, las quales embio con esta porque pareçe que representan la diligençia y buen recaudo conque se ha traydo.

Scriuen en ellas que murió el fator Diego de Mercado, y cómo Simon Pinto, que es el spañol que está en los yndios de Chucuyto de S. M., embargó la hazienda que alli se halló de Mercado, para que della se hiziesse pago á S. M., el qual creo estará oy ya hecho y cobrado el alcançe, porque he tenido la carta del contador Juan de Caçeres, que con esta embio, en que scriue como estaua entendiendo en ello. Murió el fator yendo á Potosi, de vn bocado que le dió vn cauallo en el pescueço.

Tanbien me embió el contador Juan de Caçeres la cuenta, que con esta vá [93], que dán los yndios de S. M. del ganado que alli tenian en guarda de S. M., por la qual pareçe el estrago y y robo que en él se ha hecho, que segun el gran valor que el ganado en aquella tierra agora tiene, ha resçebido en este ganado de daño S. M. más de duzientos y cinquenta mill pessos.

En vij de octubre en la noche, llegó Pedro de Hinojosa al puerto desta çiudad con dos navios en que traxo la plata de S. M.: vinieron con él en acompañamiento y recavdo de la hazienda de S. M. los capitanes Pablo de Meneses y Juan Alonso Palomino que en traerla han mucho trabajado; y tanbien vino con ellos, con deseo de seruir en lo mesmo, don Pedro de Cabrera y otros tres vezinos de los Charcas.

En viij del dicho octubre, salido de Avdiençia, junté al arçobispo, oydores y offiçiales Reales, y les comuniqué sobre si se deuia desembarcar é traer á esta çiudad la plata, o si se deuia, despues de contada y pessada, embiar con persona de recavdo á Panama; y platicose sobrello, pareçiendo que en Panama podria estar á buen recavdo y á mano para passarla al Nombre de Dios, llegada alli armada que por esta hazienda viniesse, é que agora avia número de navios en este puerto en que se podia embiar.

Y que aliende del mucho embaraço que seria traer tanta plata á Lima y tornarla otra vez al puerto quando se oviesse de embiar, los navios que en el puerto hauia se avian de partir á

Panama, y que detenerlos era gran daño para los mercaderes que á las brissas avian de embiar de Tierra Firme sus mercaderias en ellos.

Y que ansimismo se hazia mucho daño á los dueños de los navios en detenerlos en tiempo que, detenidos, no podrian hazer viaje en las brissas, y que pagarles el ynteresse seria muy costoso á S. M., segun la caristia de los fletes que en esta mar agora se lleva.

Y que en dexar yr los navios, quedandose acá esta plata, se aventurava que viniendo mandado, como se sperava que avia de venir, para que se embiasse esta haziendo, é aviso de cómo venia armada al Nombre de Dios para llevarla, no se hallassen, al tiempo que llegasse este mandado y aviso, navios en este puerto, y que ansi fuesse forçado dilatarse el embiarla más tiempo del que se suffriesse detenerse la armada en el Nombre de Dios, para no se gastar los mantenimientos que la armada traxesse, y enfermar la gente della, y dañarse los navios, para no poder boluer á Spaña; resoluimonos en que yo con los officiales Reales fuessemos al puerto, y se tomasse cuenta de la plata, y se entregassen los offiçiales della, y se pusiesse en la casa del Rey que en aquel puerto yo he hecho hazer, sin costar á S. M. más de dar á quien la hizo que gozasse tres años della sin alquiler, y que en ella los offiçiales y vezinos, que para ello se deputassen, la guardassen; y que en tanto que se pessava y hazian las cuentas, y los navios se adreçavan para Panama, se podria tener notiçia si venia armada al Nombre de Dios por esta hazienda, pues segun la preuençion yo tenia en todos los puertos desta costa, para que á diligençia se me diesse notiçia de qualquier navio que á la costa llegasse, de la nueva que desto traxesse, en breue se speraua tener aviso si venia la dicha armada o no, porque los navios que de Panama partiessen en agosto, se persaua avrian ya llegado á esta costa; y que conforme á la nueva que çerca desto se tuviesse, se podria mejor acordar lo que se deuiesse hazer en este negoçio de embiar esta hazienda á Tierra Firme o traerla á Lima.

En IX del dicho octubre, conforme á lo acordado, fuimos el arçobispo y offiçiales Reales é yo al puerto á reçebir la plata y ponerla á recavdo.

Y porque en negoçio tan importante como es el de la tassa, de quien toda la orden y conseruaçion de los naturales depende, no se dexasse de entender, fueron con el arçobispo, el prouinçial y Fray Domingo, que son los que en este negoçio grandemente sirven á Dios y á S. M., por hazer cosa en que tanto va á su Real consçiençia; y dado que por ser el freno de la codiçia y de las estorsiones que los españoles á los naturales hasta aqui han acostumbrado á hazer, para sacalles lo que tenian y no tenian, dandoles sobrello tantos tormentos, que á muchos dellos han muerto y otros se han ahorcado de desesperados, ha sido este negoçio azedo á los encomenderos y han procurado de lo estoruar y dilatar. Va se ya muy adelante en las tassas y passan con ellas los spañoles, avnque ha sido con tanto trabajo y congoxa el que en ello se ha tenido, que, çierto, si la consçiençia no me remordiera de dissimular los robos é inhumanidades que hasta aqui ha avido, é no me pareçiera que dilatar de hazer la tassa era en gran prejuyzio de la conseruaçion de los naturales, considerando la neçessidad que de la graçia de los vezinos tenia para assentar y paçificar la tierra y hazer rostro á la gente que en ella ay perdida y suelta y quan poco sabrosa á los vezinos era la tassa, la diffiriera hasta que estuviera muy assentada la tierra y vaziada deste jaez de gente; pero considerando lo que deuia á Dios y á la consçiençia de S. M. y á la mia, y con la gran piedad que destos pobreçillos de naturales tengo, me determiné, encomendandome á Dios y poniendo su diuina bondad y justiçia delante, cuyo negoçio prinçipalmente era este, de entender en el negoçio desta tassa luego que en el Cuzco me ví despues del castigo de Gonçalo Piçarro; y ansi ha sido su Diuina Magestad seruido de lo guiar y traer á tal estado, que los spañoles ya passan por ello y los naturales tienen tan gran contento y alegria de saber que aquello que está en la tassa han de dar y que no se les ha de pedir más ni hazer las estorsiones que hasta aqui para que dén otra cosa, que es cosa de gran alegria y están ya tan puestos en guardar la tassa, que aquello pagan dia á diado, y si más se les pide no solo no lo dan, pero ossan venir á denunçiar de sus encomenderos porque se lo piden. Y ansi continuamente, el arçobispo y estos religiosos, ocho dias que en el puerto estuvimos continuaron el negoçio de la tassaçion, de la manera que en Lima han entendido, sin alçar della la mano de muchos dias á esta parte, con gran cuydado y mucho trabajo y demasiadas pessadumbres é importunaçiones que la demasiada codiçia de los encomenderos dá.

Desembarcose la plata y pessose y hallose tan buena cuenta en el número de las barras, que con hauer venido trezientas y treze leguas por mar y tierra y las más dellas por la tierra y entre tanta muchedumbre de spañoles é yndios, que huvo parte de camino que venian con la plata çerca de tres mill personas y muchedumbre de carneros de carga, no faltó sino sola vna barra que al desembarcar, segun lo que se averiguó, se cayó á la orilla de la mar á vn marinero que la traya y la cubrió la mar, de manera que no se pudo hauer, la qual se descontó, por via de hauerias, á los marineros, de sus fletes.

Y sin hazer costa á S. M. el traer de la plata hasta el puerto desta çiudad en más de los fletes que á los dos navios se dieron, que montaron dos mill y çiento y çinquenta pessos, que fué casi la meytad menos de lo que costaran los fletes desta plata, si fuera de particulares, y descontaronse destos fletes duzientos y çinquenta pessos por la barra que, como he dicho, huuo de averias, porque toda la otra costa la hizieron el general, y vezinos y naturales por seruir á S. M. y en speçial el general, que en ello es el que prinçipalmente ha seruido con persona y hazienda, y tanto, que dexado á parte lo que trabajó antes del allanamiento de Gonçalo Piçarro, despues dél ha caminado al pie de mill leguas continuamente, sirviendo, assi en la yda que hizo tras Valdivia y buelta que con él hizo á Lima y el camino que desde Lima á los Charcas hizo, quando le embié á poner recavdo en la hazienda Real, sabiendo que era muerto Grauiel de Rojas, como el que agora ha hecho en traerla; que con ser vn hombre robusto y en entera edad, no ha podido sino sentir el trabajo, y ansi despues que entregó la plata, cayó malo, y ha llegado á lo postrero, y avn no está del todo fuera de peligro. Siempre formé consçiençia de no representar lo que cada vno sirue, y para cumplir con este scrupulo, hago desto relaçion.

Fué la plata toda que al general se entregó en Potosi tres mill y seteçientas y setenta é vna barras y más, y aliende desto, se le entregaron en Arequipa quarenta y tres barras enteras y seys medias barras, todo, lo vno y lo otro, marcado de la marca que en el Cuzco para todas las fundiçiones destos reynos hize abrir, y con la contramarca de S. M. que para señalar su oro y plata se hizo alli de señal de vna corona.

Entregosele tanbien en Arequipa hasta quatro mill pessos de plata menuda y casi ochoçientos de oro, la qual plata menuda y oro se traxo á Lima y puso con la otra hazienda que en la caxa de tres llaves está, con yntento de boluer esta plata menuda en barras.

Lo qual todo entrego en este puerto al thesorero y offiçiales, sin faltar más de la barra que he dicho, que se perdió á los marineros.

Pusieronse en el puerto, en las casas ya dichas de S. M., en diez y siete caxas de tres llaves, todas las sobredichas tres mill ochoçientas y treze barras enteras y los dichos seys pedaços, y puestos vezinos que de noche y de dia en su guarda estuviessen, dexamos las dichas arcas con determinaçion de las embiar á Tierra Firme en quatro navios que en el puerto hauia, con Juan Gomez de Anaya, thesorero de aquella provinçia y con Bernaldino de Sant Pedro, regente de thesorero en esta, para que tuviessen esta plata en Panama juntamente con los otros offiçiales de alli y el gouernador, sin passarla al Nombre de Dios hasta que oviesse llegado armada por ella, porque ansi nos pareció que convenia.

Y en XVIJ boluí á Lima con el Arçobispo y offiçiales y Pedro de Hinojosa á dar orden en la averiguaçion de las quentas de Bernaldino de Sant Pedro, deste año de MDXLJX, porque las del passado, como ya tengo hecha relaçion, se le tomaron en prinçipio deste, y en el despacho suyo y de Juan Gomez de Anaya y en las otras cosas de la hazienda y administraçion de justiçia, la qual se haze en la Avdiençia con diligençia y rectitud, y á entender en la residençia y negoçios de los de la Avdiençia passada, y á hazer las cuentas del pesso y valor de lo que Pedro de Hinojosa traxo, que es lo que en las diez y siete arcas en el puerto se dexó, y la otra poca plata menuda y oro que, como he dicho, se traxo á poner en la arca de las tres llaves que en Lima está.

Hizieronse las cuentas del pesso y valor de todo lo que traxo Pedro de Hinojosa de Potosi y Arequipa, y hallose, cotejado el entrego y pesso que Pedro de Hinojosa hizo en el Callao con el que se le hizo en Potosi y Arequipa, que fué de más número de marcos el que él hizo, que no el pesso que contenian los auctos de entrego que en Potosi y Arequipa se le hizo; y por esto, se refinó y examinó vna pesa de arroba con que aqui se pessó y reçibió lo que traxo Pedro de Hinojosa, que es la con que en la fundiçion desta çiudad muchos dias ha se pessa, y hallose, por estar gastada, falta de vna onça y vna octaua de onza.

Y por esto, pareçió que la dicha pessa, marcada con la contramarca de S. M. y en vn cofre sellado y çerrado, se embiasse á la casa de la Contrataçion, para que por la dicha pessa se reçibiesse allá esta plata destas XVIJ arcas, dado que ávn despues de descontada esta falta desta pessa de lo que exçedia el pesso del entrego que aqui Pedro de Hinojosa hizo, todavia quedó de mayor número de marcos el entrego que él hizo, que no el que á él le hizieron, porque en Potosi péssase con menos duelo la plata y más otorgados los pessos. Pero en esto vá poco, pues las pieças que allá reçibió, señaladas con la contramarca de S. M., las entregó acá sin faltar ninguna más de la que he dicho que perdieron los marineros, ni sin dar otra alguna; y por eso, que pessen más o que pessen ménos, ni pierde ni gana S. M. ni tanpoco ha perdido S. M. por la falta que en la pessa de la fundiçion se halló, pues, si era menos el pesso del quinto que á S. M. se daua de lo que hauia de ser, tanbien eran menos en proporçion las quatro partes que, sacado el quinto, al que venia á quintar quedavan.

Enbio con esta los auctos de entrego que en Potosi se hizieron á Pedro de Hinojosa, y el que él aqui hizo, (94) para que si vuestras señorias fueren seruidos mandar ver lo que arriba he dicho, se pueda hazer.

Pessaron las tres mill y ochoçientas y treze barras y seys pedaços, todo marcado y contramarcado, que en las XVIJ cajas quedaron en el puerto, noueçientos y setenta y ocho quintales y nueve libras y tres onças, las quales eran de diuersas leyes; y reduzidas por sus leyes á pesos de oro, valieron noueçientos y siete mill y seteçientos y nouenta y quatro pessos y tres tomines, conforme á la cuenta que vá en el aucto del entrego que Pedro de Hinojosa hizo destas tres mill y ochoçientas y treze barras y seys pedaços.

En XXIIIJ llegaron tres vezinos del Cuzco, con veynte é vn mill y tantos pessos, los quatro mill y tantos en oro, y los otros en plata, que el corregidor y offiçiales de aquella çiudad y el contador Juan de Caçeres, antes que della saliesse, embiaron, que se avian allegado de los quintos y del repartimiento de Avisca y de la vacante del liçençiado Caravajal y de devdas que de bienes confiscados quedaron cargados á los offiçiales.

Traxeron assimismo número de visitaçiones de los repartimientos del Cuzco, en cuya tassaçion se dá toda prissa y pone toda diligençia.

En XXVJ nos juntamos los offiçiales Reales é yo, é hizimos el acuerdo que con esta vá (95), para que se embiasse á Panama en los quatro navios la plata que en las diez y siete arcas quedó en el Callao, y que la llevasse Juan Gomez de Anaya, porque Bernaldino de Sant Pedro no se podia tan presto despachar, á cavsa de çiertos pleytos que tenia, y no se suffria dilaçion, ansi por la fatiga que á los vezinos en la guarda de la plata se daua, como por la neçessidad que los navios tenian de yr á Tierra Firme, para tener tiempo de poderse adreçar allá y fletar y cargar y alcançar á boluer con las brissas.

En IIIJ de noviembre vine con los offiçiales Reales al puerto á embarcar toda la plata, que arriba he dicho que quedó en las XVIJ caxas, y á entregarla á Juan Gomez de Anaya y á los maestres de los quatro navios; vino con nosotros el arçobispo, porque era vno de los que tenian las llaves de las caxas, y por lo de las tassas, vinieron tanbien el prouinçial y Fray Domingo.

En VIJ se acabaron de entregar y embarcar las dichas tres mill y ochoçientas y treze barras y seys pedaços de plata, á Juan Gomez é á los maestres de los quatro navios, conforme á los actos de entrego que con esta ván.

Diose á Juan Gomez la ynstruçion que con esta embio (96): partirse han mañana plaziendo á Dios.

É luego que se hagan á la vela, bolueremos nosotros á Lima, é se pessará é porná á punto la plata é oro que allá queda, para que en viniendo navios á este puerto en que pueda yr, se lleve á Panama, é para entonçes spero en Dios avrá acá despacho para mi yda, é yré con ello, que pues ya de mí no ay neçessidad, justo es se me aya hecho merçed deste despacho, pues ni he pedido ni quiero otra merçed de mis trabajos: porque la tierra está, bendito Dios, en el mesmo sosiego é assiento que Valladolid, é vaziada de la sobra de gente que hasta aqui ha avido, que la de los alterados se ha desterrado, é la otra se ha repartido y occupado en diuersas partes, é solo queda el número de personas que están aqui amontonadas aguardando á lo que vaca, á las quales no bastaria yo á proveer, avnque estuviesse veynte años en el Peru. É dado que yo los procuro de desengañar, é hago que otros hagan lo mismo, no basta á persuadirles que vayan á buscar su vida, lo qual harán saliendo desta tierra yo é viniendo otro á governarla, de quien no tengan la sperança que tienen de mí, é de quien no entiendan que les desea tanto hazer bien como yo. É ansi, no solo yo no soy menester, pero daño para estos: é la Avdiençia está muy assentada é se haze en ella é administra justiçia con entereza y reputaçion.

La cavsa del liçençiado Çepeda, ansi la que se tracta con él por virtud de la comission de residençia, como por la otra en que se me cometió el castigo de los culpados en las alteraçiones, va bien adelante, é él está presso con prissiones, é avnque hasta agora no ha avido parte que le acuse ni pida cosa alguna, pero lo de offiçio es tanto, que terná harto que hazer en ello, porque se han examinado los testigos por çiento y tantas preguntas, y son los cargos de otro tanto número, que podrian passar por historia de todo lo que él é Gonçalo Piçarro en lo passado han hecho. Porque como se pretende que todo lo que Gonçalo Piçarro hazia, era por orden y consejo del liçençiado, tractando su cavsa, se tracta de todo lo de Gonçalo Piçarro, é de las cosas que por sí é los otros alterados hizo. Nuestro Señor las muy illustre y muy magnificas personas de vuestras señorias guarde y vidas y stado acreçiente en su santo seruiçio, como los suyos deseamos. Deste puerto de la çiudad de Los Reyes, á VIIJ de nouiembre de 1549.

De vuestras señorias humil siervo que sus manos besa

El licenciado
Gasca.

Sobre.—A los muy illustre y muy magnificos señores presidente é señores del Consejo Real de Yndias, etc.—Mis señores.

XCIV.

Carta del licenciado PEDRO DE LA GASCA *á los príncipes de Hungría y Bohemia, Maximiliano y María, gobernadores de España, dándoles cuenta del estado de los asuntos en el Perú. Puerto de la ciudad de* LOS REYES, 6 *de diciembre de* 1549.

Muy altos y muy poderosos señores:

LA carta de Vuestras Altezas de XXIJ de hebrero deste año, rescebí á XIIJ de nouiembre proximo passado y muy gran fauor en mostrarse Vuestras Altezas seruidos de lo que acá se ha hecho en la pacificacion desta tierra, en lo qual solo de my parte ha hauido la fee que de buen vasallo de S. M. en my hay, porque todo lo demas ha hecho Dios que con muy particular mano guia y fauoresce las cosas de S. M.; y para que todo se atribuyesse á su diuina bondad, de quien todo bien viene, quisso escoger instrumento tan invtil como yo, á quien nada se puede atribuyr.

Del estado que al presente las cosas acá tienen, hago relacion á los del Consejo de las Yndias, para que ellos, á tiempo y con menos pesadumbre é fastidio, la dén á Vuestras Altezas, y por esso no terné yo en esta más de qué hazerla sino que, loores á Dios, estas provincias están en mucha paz é sossiego, y en el estado que conviene para el seruicio de Dios y de S. M.; y á los que en ellas viuen, ansy españoles como naturales, los quales, con el buen tractamiento que se les haze y con ver que se les guarda justicia y que son defendidos de los robos y desventuras passadas, se ván cada dia reformando y afficionando á nuestra Santa Fee catholica, y ansy, muchos caciques, que son los principales señores dellos, se han tornado christianos. Plegue á Nuestro Señor de lo lleuar adelante, y que conserue y augmente las muy altas y muy poderosas personas y estado de Vuestras Altezas por muchos y muy bienauenturados años á su santo seruicio, como los vassallos de S. M. deseamos y hemos menester. Del puerto de la ciudad de Los Reyes, vj de diziembre de 1549.

De Vuestras Altezas humil siervo que sus reales manos besa

El licenciado
Gasca.

Sobre.—A los muy altos y muy poderosos señores [*Principe*] y Princesa, gouernadores de [*España*].

XCV.

Carta del licenciado Pedro de la Gasca *al presidente y señores del Consejo de Indias, sobre lo conveniente que seria aumentar los repartimientos de la Corona en el Perú.—Rio de Sevilla, 22 de setiembre de 1550.*

Muy illustre y muy magnificos señores:

Al tiempo que de Lima partí, deposité á Puna, que es el repartimiento que en las Charcas el marques Françisco Piçarro tuvo, diziendo que le depositava para que, si S. M. fuesse servido de lo encomendar al hijo mestizo de Diego Çenteno, se pudiesse hazer, y que en tanto que otra cosa no mandasse, los offiçiales Reales cogiessen los tributos y pusiessen lo que dellos se hiziesse en la caxa de las tres llaves con la hazienda Real, como de repartimiento vaco.

Hizelo, paresçiendo me que convenia que este repartimiento se quedasse en cabeça de S. M., no solo por lo que vale, pero áun porque la myna que S. M. tiene en Porco, labrandose con negros, me dizen se sacarán della por año çincuenta mil pesos y aún me lo ponen en harto más, y no teniendo indios que deen tributos de comida para la gente que en ella anduviere, no se podrie labrar.

Y çierto será de mucho interesse, haviendo buen recaudo y fidelidad, labrar ansy esta myna como la que yo he hecho señalar para S. M. y de cada dia se señalarán por las ordenanças de mynas que hize, porque antes solo el Marques tuvo acuerdo de señalar esta de Porco.

Usé desta disimulaçion o color, para dexar este repartimiento en cabeça de S. M., porque como está tan reziente el disturbio que de la ordenança de poner en ella los indios ha havido, paresçiome lo devia hazer por este modo.

Y ansy me paresçe, como digo y antes tengo escripto, que este repartimiento en las Charcas y el de la coca de Avisca y Lucay en el Cuzco, se deven dexar en cabeça de S. M., como lo están, en tanto que no se encomiendan por lo que se ha introduzido, de que se cojan para S. M. los tributos que cayeren en todo el tiempo que algun repartimiento estuviere vaco; porque aliende de otras consideraçiones, que para ello hay, tengo por cosa inconveniente que en dos pueblos tan prinçipales en aquellas provinçias no tengua S. M. repartimiento.

Y sy de buena maña el visorrey quisiere usar, tengo por çierto que, sin que se sienta, se podrá yr poniendo en cabeça de S. M. en pocos dias lo mejor del Peru; y pienso que lo que más para hazer esto es menester, es, que no fie el secreto de su intento de persona alguna. Nuestro Señor conserve y augmente la vida y estado de vuestra señoria á su sancto serviçio como los suyos deseamos. De Sevilla, dygo del Rio, á xxij de setiembre de 1550.

De vuestra señoria humil siervo que sus manos besa

El licenciado
Gasca.

Sobre.—A los muy illustre y muy magnificos señores presidente y señores del [*Consejo*] Real de Indias.—Mys señores.

Al dorso.—Al Consejo.—Del licenciado de la Gasca, del Rio de Sevilla xxij de Setiembre 1550.—Guardese mucho.

XCVI.

Carta del cabildo de la ciudad de Los Reyes al Emperador Don Cárlos, participando la situacion en que quedaba el Perú á la salida del licenciado Gasca, por causa del segundo repartimiento de encomiendas. — Los Reyes, 11 de agosto de 1550.

Sacra Cesarea Catholica Magestad:

El liçençiado de la Gasca salió desta çibdad á veynte é siete de henero deste año de mill é quinientos é çinquenta, y en su aconpañamiento los procuradores della que en nuestro nonbre van á besar los pies de V. M., á los quales hasta agora se les a escripto todo lo que a suçedido en este reyno despues que dél salió el liçençiado Gasca; y paresçiendonos es justo que V. M. lo sepa por carta desta çibdad, se dará en esta, relaçion entera de todo. A V. M. suplicamos se tome commo de vasallos que sienpre desean servir á V. M. y se les dé el credito que se les deve dar.

Ya V. M. terná relaçion del primero repartimiento que el liçençiado de la Gasca hizo en este reyno, despues destar paçífico y averse castigado los revelados contra vuestra Real Corona, el qual fué de tal calidad, que muchos quedaron descontentos á cabsa de la muncha gente que en este reyno avia que avian servido á V. M., y avnque fué con munchas desconformidades, plugo á Dios se paçificó todo, con que al presente bibimos en paz.

Durante la estada en esta çibdad del liçençiado Gasca, que fué casi año y medio, murieron en este reyno el capitan Diego Çenteno, y el capitan Graviel de Rojas, y el liçençiado Caravajal, y otras munchas personas de las preminentes en este reyno y que tenian en él muncha parte de lo mejor; y commo á las vacantes de los yndios destos avia munchos á quien el liçençiado Gasca avia dado nuebas esperanças y avian quedado desabridos del primero repartimiento, vinieron á esta çibdad muncha cantidad de soldados, pretendiendo cada vno que se le avia de dar lo que por ventura sus serviçios y meritos no mereşçian; é viendose el liçençiado Gasca tan apretado y confuso de los ofreçimientos que avia hecho, á cabsa de no aver podido contentar en el repartimiento á los que fuera justo, tuvo nesçesidad de entretener el segundo repartimiento hasta que le hizo tienpo oportuno para poder salir desta çibdad; y ansi, por el tienpo que á V. M. dezimos, salió della, dexando secretamente á los oydores desta Real Abdençia, çerrado y sellado, el segundo repartimiento, y dexando mandado que no se publicase hasta diez o doze dias despues que él oviese salido del puerto; y con esta determinaçion y acuerdo prosupuso su viaje y lo efetuó.

Sabido por este cabildo la gran determinaçion que el liçençiado Gasca tenia de poner en efeto su viaje, y viendo en ella la falta que su persona hazia, y que en la tierra avia munchos soldados descontentos y deseosos de nuevas alteraçiones, el cabildo desta çibdad, prosupuesto toda pasion que el liçençiado Gasca en ello podia reçibir, le fuimos á hablar, dandole á entender las cabsas justas por donde no devia de dejar este reyno hasta tanto que V. M. lo mandase, y otras cosas muy nesçesarias y convinientes á vuestro Real serviçio y á la quietud y sosiego deste reyno. El liçençiado Gasca respondió, no podia dexar de hazer su viaje; commo todo constará á V. M. por el testimonio que dello se tomó, que vá con esta (97) y se enbia á los procuradores para que lo dén á V. M., siendo servido vello.

Visto el segundo repartimiento que el liçençiado dexó hecho al tienpo de su partida y en esta çibdad publicado, obo tantos descontentos y más que del primero; porque como deste segundo resultó acabarse la esperança de sus pretençiones, pudiera redundar algunas alteraçiones, si los oydores desta Real Abdençia, con la prudençia quel caso requeria, no lo remediaran; y ansi fué Dios servido se fué mitigando las querellas que á la sazon avian, y este reyno quedó en quietud, bendito Dios. Del qual repartimiento segundo resultaron dos capitanes que el liçençiado Gasca dexó nonbrados, para que los que se tenian por agraviados tuviesen algun recurso á tener de commer en tierra nueva y fuesen á poblar, y para deshazer juntas de gentes viçiosas, que es la prençipal cabsa que en este reyno suelen dar desasosiegos; los quales fueron el capitan Françisco Hernandes y Rodrigo Nuñez de Bonilla, vezino de la çibdad de Quito.

Dende á ocho dias que el liçençiado Gasca salió desta çibdad, susçedió çierta pasion entre el arçobispo desta çibdad y el liçençiado Rodrigo Niño, vezino y regidor della, de la qual resultó, que de casa del arçobispo salieron Pablo de Meneses y Alonso de Caçeres, capitanes que an sido en este reyno, y con gente armada fueron á las casas del liçençiado Rodrigo Niño á le buscar para le matar, y le quebrantaron las puertas de su morada; lo qual sabido por vuestros oydores, se puso en ello el remedio que convenia con toda diligençia. Con lo qual plugo á Nuestro Señor que no resultó daño ninguno, avnque á la sazon que pasó fué al prinçipio destar descontenta la gente del repartimiento segundo que se hizo, y se puso todo en paz, bendito Dios.

Dende á çiertos dias que esto pasó, los capitanes que se nonbraron para estos nuevos descubrimientos, pregonaron en esta çibdad sus provisiones, y començaron á recoger y hazer junta de gente para yr en siguimiento de sus jornadas; que la vna dellas hera á la entrada y descubrimiento que en tienpo del liçençiado Vaca de Castro se hizo por los capitanes Diego de Rojas y Felipe Gutierrez, que es al Rio de la Plata, que su entrada y prinçipio es por las Charcas y asiento de Potosi, de donde concurre á este reyno toda la riqueza; y la otra es por la parte de la çibdad de Quito, á la entrada que Gonçalo Piçarro fué en tienpo del Marques su hermano.

Y paresçiendo al capitan Françisco Hernandes, ques el que yva á la entrada que emos dicho, que en la çibdad de Cuzco y Charcas y Arequipa y asiento de Potusi avia concurrido todo el mayor golpe de gente y soldados de los que avian ayudado á paçificar este reyno, y que viendose nesçesitados seria parte á conpelelles á yr esta jornada, se fué á la çibdad del Cuzco, á donde començó á entender en la junta de gente, y enbiando sus capitanes á las otras çibdades para que hiziesen lo mismo y se juntasen en las Charcas, para que desde alli, segun dezian, començasen su viaje.

Y tiniendo el capitan Françisco Hernandes en la çibdad del Cuzco recogidos hasta çiento y çinquenta onbres, poco más o menos, suçedió que vno de sus soldados ovo çierta pasion con el alguazil menor de la çibdad, sobre llevallo preso por vna debda que devia, y queriendose defender el soldado, ocurrieron otros de los que el dicho Françisco Hernandes tenia hechos para su jornada, en tal manera, que al alguazil se le quitó el soldado y y ávn quieren dezir fué maltratado; y sabido por Juan de Sayavedra, corregidor que á la sazon hera, para castigar á los culpados, mandó hazer junta de gente para los prender, y lo mismo hizieron los soldados para se defender, en tal manera, que fué nesçesario aver gente armada de vna parte á otra, y religiosos que entendian de vna parte á otra en la quietud é sosiego deste negoçio. Y en esta ynquietud estuvo la çibdad del Cuzco dos dias, pidiendo el corregidor los delinquentes para hazer justiçia, y ellos defendiendose de no los dar; y viendo el capitan Françisco Hernandez que hera parte á los dar sin mayor daño, fué nesçesario que se fué á entregar y poner en poder del corregidor, para que, viendo los soldados que estavan sin cabeça, cada vno procuraria de se escapar del delito, y se desharia la junta que los soldados tenian hecha; y ansi fué, que viendo se desanparados de su capitan, se deshizo la junta de los soldados y cada vno se fué por donde pudo huyr, y algunos quel corregidor tomó repentinamente, ahorcó y cortó manos y hizo otros castigos, nesçesarios, á nuestro paresçer, para lo que convenia á la quietud; y al capitan Françisco Hernandez enbió á esta çibdad con guarda, y se entregó á los oydores de V. M., á donde al presente está preso, y se entiende en ver si tuvo culpa o no en el suçeso y desacato; el qual, á lo que hasta agora se tiene entendido, antes paresçe que procuró la quietud, pues se vino á presentar ante el corregidor: y desta manera paresçe, bendito Nuesto Señor, que hasta agora tiene este reyno quietud y la terná, plaziendo á su Divina Magestad.

En esta çibdad fué reçibido, por vna provision de V. M., por alguazil mayor della Juan de Astudillo Montenegro, en lugar de Ortega de Virbiesca, vuestro moço de camara, á quien V. M. hizo la merçed, y despues acá emos entendido y visto, que por poder de Ortega de Birbiesca, pretendiendo aver liçençia de V. M., se a tratado de la traspasaçion en el dicho Astudillo, y por la provision de V. M. vimos ser su Real voluntad, que estando Ortega de Virviesca en los reynos d'España, la viniese á servir, y pues paresçe quél no tiene yntençion á esto, á V. M. vmillmente suplicamos que, con las condiçiones que el dicho Juan de Astudillo la quiere aver del dicho Ortega de Virbiesca, V. M. haga la merçed á esta çibdad della, porque vuestra yntinçion es remediar con ella cada vn año á vn conquistador o á hijos de conquistadores, que en este reyno an meresçido muncho en vuestro Real seruiçio y al presente están nesçesitados, y destos ay copia. Porque en esto que suplicamos se descarga la Real conçiençia de V. M., y esta çibdad y vezinos della reçibirán señalada merçed, y porque ansi en esto commo en todo lo demas que por nuestra parte fuere suplicado, tenemos entendido que commo prinçipe y señor tan christianisimo se nos an de hazer muy creçidas merçedes, y á los procuradores en nuestro nonbre, no nos alargaremos, porque sienpre se terná este cuydado de avisar á V. M. de todo lo que en este reyno suçediere. A quien Dios Nuestro Señor guarde munchos años, con abmento de mayores reynos é señorios en su santo serviçio. De los Reyes XI de agosto, 1550 años.

Sacra Cesarea Catholica Magestad, vmilldes vasallos sudictos de V. M. que sus Reales pies y manos besan

Don Antonio de Rybera. Françisco Talavera.

Sebastian de Merlo. El licenciado Rodrigo Niño.

Françisco de Anpuero. Juan Cortes.

Antonio del Solar. Alonso de Almaraz.

Martin Yañez.

Por merçed de V. M.:

Diego Gutierrez,

Escriuano de cabildo.

Sobre.—A la Sacra Cesarea Catholica Magestad, el Enperador Rey Nuestro Señor.

RIO DE LA PLATA.

GOBERNACION

DE

DOMINGO MARTINEZ DE IRALA.

DOMINGO MARTINEZ DE IRALA.

XCVII.

Carta de DOMINGO MARTINEZ DE IRALA al Consejo de Indias, refiriendo sus entradas y descubrimientos por el rio Paraguay hasta el Perú y lo ocurrido en aquellas expediciones y en los asientos del Rio de la Plata.—Ciudad de la ASUNCION, 24 de julio de 1555.

(Facsímile Z.)

Muy poderosos señores:

POR abril de 45, con Aluar Nuñez Caueça de Baca, hize relaçion á V. A. de las cosas suçedidas hasta aquel dia, despues del qual siempre he viuido con cuydado y mucha pena, por no auer thenido çerteza del viaje ni menos de la prouision de V. A.: nunca me faltaron trauajos, desasosiegos, molestias y otros casos, que por euitar prolixidad no daré cuenta, hasta tanto que por via del Peru tuue auiso que mis despachos llegaron en saluamento: con esperança y breue espediçion de V. M., me he mantenido por los mejores medios que para buena admynistraçion, paz y gobierno he podido. De tienpo tan largo, para que V. A. mejor prouea y entienda las cosas de su seruiçio, y yo haga lo que á él deuo particularmente, tocaré en cosas pasadas y daré cuenta de las que espero hazer en seruiçio de V. A.

Por junio de 45, conforme á lo que á V. A. escreuí, previniendome de las cosas neçesarias y en todo haziendo lo que, por las ynstruçiones que de V. A. thengo, me es mandado, quise poner en efeto entrada y descubrimiento, seguiendo el rio del Paraguay por los Xarayes que están en altura de diez é seis grados la via del norte. Permitió Nuestro Señor que los yndios Caries, amigos y comarcanos, treynta legoas en derredor, en esta coyuntura se leuantasen: tuue neçesidad de la paçificaçion suya y atraymiento al gremio de V. A., á lo qual no bastó amonestaçion sin que tuuiese neçesidad de apremiarlos por de fuerça, y asi se gastó algun tienpo, por aver muchos dellos desamparado la tierra y leuantado otras. Nuestro Señor, que en todo prouee, se siruió de que mi trauajo no fuese en bano, y asi, sin perder christiano alguno, se paçificó y se reduxo al seruiçio de V. A., perdonando á vnos y castigando á otros, por causa de lo qual, çesó la entrada por entonçes.

Por hebrero de 46, aviendo el crédito neçesario de la tierra, propuse de seguir mi boluntad primera en seruicio de V. A., estando en el orden neçesario: pareçió á los ofiçiales de V. A. contradezirme la entrada, en la verdad, sin razon legítima; por la mejor via que pude les exorté y de parte de V. A. requerí su seruiçio y protesté el desseruiçio que á V. A. se hazia, y el daño de los particulares. Entendiendo su pertinaçia y el mal orden que para estorbar la entrada se thenia, theniendo por mejor, me dí hazer me desentendido en ella, por evitar muertes, castigos, que de otra manera me convenia hazer en seruicio de V. A.: mandé que en el ynterin questas cosas se determinauan, para mejor alunbramiento del viaje y conquesta, el capitan Nuflo de Chaues, natural de la ciudad de Trugillo, fuese en descubrimiento del camino de la generaçion que se dizen Mayas, porque se thenia notiçia ser este mejor camino; y asy, por otubre de 46, entró con çinquenta españoles y tres mill yndios por el puerto de San Fernando: encaminó lo Nuestro Señor bien, porque avnque los Mayas no se confiaron, tomó se lengoa de la tierra é allose abastada de comida, que es lo que más deseauamos; para nuestro paso boluió por dizienbre del mismo año, sin perder christiano. Despues de lo qual, en julio de 47, con mi boluntad y todos conformes, se acordó de entrar por este camino de los Mayas con dozientos y çinquenta españoles y entre ellos veynte é siete de cauallo, que al presente avia, y dos mill yndios amigos; é procuré dexar con acuerdo de todos esta tierra en paz, buena guardia y administraçion, nonbrando, por el orden que mejor me pareçió, capitan y justiçia, como más largamente V. A. verá por el testimonio que de todo enbio (98) para que á V. A. conste la manera por donde me guio en su Real seruiçio; y asy, en fin de novienbre del dicho año, salí desta çiudad en prosecuçion desta entrada. Llegando al puerto de San Fernando, dexando allí puerto seguro, seguimos nuestro viaje por tierras de diferentes generaçiones, hasta llegar á la prouinçia de los Tamacoças con muy larga notiçia de prosperidad y muchas minas de plata en las sierras de los Carcaxas, que es la notiçia antigua que sienpre tuuimos; y porque en esta provinçia se nos declaró muy particularmente ser las Charcas y estar ganado y ocupado por los conquistadores del Peru, determiné avisar por aquella via á V. A. de todo lo suçedido; y así, con acuerdo de todos, enbié al capitan Nuflo de Chaues, con mis cartas y auisos, á las justiçias del Peru, para que V. A. fuese auisado y yo socorrido de algunas cosas que heran menester para el seruiçio de Dios Nuestro Señor y de V. A., y tanbien por sauer si por aquella via hallaria alguna prouision o despachos de V. A. para el gouierno y mejor administraçion de la tierra. Partido en buen ora, y determinando de le agoardar en la prouinçia de los Corocotoquis, çinquenta y dos legoas distantes destos Tamacoças, asi por mi palabra como por la de los ofiçiales de V. A., contra mi boluntad, y de hecho, trataron los ofiçiales de V. A. de dar la buelta á esta çiudad de la Asunçion, animando, persuadiendo y exortando á ello á todo el comun y yndios, diziendo que no les queria aprouechar, pues no hazia guerra á los Corocotoquis para que les diesen lo que thenian: caso por çierto feo, porque la notiçia que adelante theniamos la via del norte, hera muy grande, y muy pública entre los naturales de la tierra y yndios *carios* de la sierra conforme, diziendo aver grandes riquezas de oro, gran señor y poblaçiones: esta notiçia es la que se platica y aprende en el Peru, Santa Marta, Cartagena y Veneçuela, el fin de la qual no se ha allado por no aver dado en el camino verdadero, que tengo por çierto ser este. Y puesto que los ofiçiales, en el seruiçio de V. A., no tuuieran esta cuenta, fuera justo la tuvieran en el buen exemplo para los particulares, que se deuen á los que en nombre de V. A. gouiernan y administran; casos, escandalos son poco amor y poco themor: podrá ser que los fauores que pretenden en sus ynstruçiones fuesen causa de sus largas: Nuestro Señor lo prouea y plega de encaminar á V. A. en las cosas de nuestro gouierno, como mejor Dios y V. A. se siruan. Sienpre he trauajado de sobrelevarlos por el mejor medio que he podido, y conoçiendo yr tan derota estas cosas, por asegurar otras mayores, acordé de hecho dexar la administraçion y gouierno desta tierra por mi boluntad, protestando el seruiçio de V. A., exortando yr requeriendo lo que çerca dél convenia que ellos y todos hiziesen; y así, en diez de nouienbre de 48, me desistí del cargo, y los ofiçiales, por sola su autoridad, nombraron á Gonçalo de Mendoça, commo constará más largamente por los testimonios que dello enbio. Pusieron en efeto la buelta, haziendo guerra á los que no la mereçian, y yo avia procurar conseruar sin aver dellos otros ynterese más que el seruiçio de sus personas; que me dolió en el ánima. Asi dimos la buelta hasta el puerto de San Fernando, á do llegamos prinçipio de março de 49. Tuuose alli notiçia de muchos desasosiegos, alborotos comunidades y desseruiçios de V. A., por razon que vn Diego de Abrigo, vezino de Sevilla, propuso en esta çiudad casos yndevidos y contra don Françisco de Mendoça, á quien yo dexé la administraçion de la justiçia; alló aparejo en algunas personas, de tal manera, que con poco themor del seruiçio de Dios Nuestro Señor y de V. A., cortó la caueça al dicho don Françisco. Entendiendo el dicho Diego de Abrigo nuestra buelta, procuró tiranizar la tierra y con mano armada defender nuestra entrada, alçandose con la tierra y su juridiçion. Sauido por todas las personas que en el puerto de San Fernando estáuamos lo suçedido y el caso presente, ofiçiales de V. A., caualleros y regidores y gente de guerra acordaron de nombrar persona que los administrase y tuuiese en justiçia, y fué asi que yo fuy requerido, por todos generalmente, que me encargase del dicho cargo de gouernaçion y administraçion de justiçia, poniendome delante al seruiçio de Dios Nuestro Señor y de V. A.; atento lo qual, y vista la neçesidad grande que avia, yo açeté el dicho cargo, commo más largamente constará por el testimonio que dello enbio, y asi partí del dicho puerto con toda la gente y llegué á esta çiudad de la Asunçion, y entré en ella sin contradiçion de persona alguna, donde fué aprobada la eleçion susodicha en mí y de nuevo por los del pueblo elegido. Proçedí contra el dicho Diego de Abrigo, commo más largamente verá V. A. por la ynformaçion que contra él se hizo; el huyó, y avnque he hecho diligençias, no le he podido aver: neçesidad tube de castigar algunos para buen exemplo y escarmiento, y asi lo hize. Despues acá se a servido Nuestro Señor que toda la tierra se a mantenido en justiçia y razon, paz y concordia, y asy está este pueblo, muy en seruiçio de V. A. y bien poblado de gente española y naturales de la tierra, y muy fertyl de mantenimientos, esperando sienpre el socorro que por V. A. se nos avia de enbiar, para mejor salir de la tierra y descubrirla. En esta esperança, despues de aver enbiado á Buenos Ayres algunas vezes en descubrimento y socorro de la prouision de V. A., vino á esta çiudad Christoual de Sayauedra, natural de Seuilla, con çinco compañeros, el qual entró por tierra desde la ysla de Santa Catalina, por el camino de Aluar Nuñez Caueça de Baca, y llegó á esta çiudad, dia de Nuestra Señora de agosto de çinquenta y vn años, y me hizo reelaçion cómmo por V. A. era proueido por gouernador desta tierra Diego de Sanabria, hijo de Joan de Sanabria, y que en la ysla de Santa Catalina quedauan dos nauios con alguna gente, madre y hermanas del dicho Diego de Sanabria. Olgué de la prouision de V. A., por con más descanso poder yr á seruir á V. A. Deseando su venida, theniendo por çierto que ya avria llegado Diego de Sanabria, dexando la entrada que en aquella coyuntura estaua adreçando y casy á punto, enbié vergantines y socorro de muchos bastimentos y gente plática en la tierra con el capitan Nuflo de Chaues, para el mejor saluamento traerlos. Partió este socorro desta çiudad en setiembre del dicho año: no fué Nuestro Señor seruido de allaren nueva alguna dellos;

dexose en la ysla de San Gabriel, en çiertos pañoles, é prouey que hiziesen mucho mantenimiento de carne y grano y auiso neçesario. Bueltos á esta çiudad, reçeuí pena en ver la poca priesa que al viaje de la mar se dauan: pareçiome despues tornar á enbiar segundo socorro, y se puso en efeto por el mes de hebrero de çinquenta y dos, y menos se halló auer llegado la dicha gente de la mar; no enbargante lo qual, se les dexó en la dicha ysla todo buen proueymiento. Estando con pena de su dethenimiento, bispera de Santiago del dicho año de çinquenta y dos, llegó á esta çiudad Hernando de Salazar, hijo del dotor Iohan de Salazar, vezino de Granada, con treynta compañeros por tierra. Entró por el rio de Ytabuca hasta el Hubay, y por él abaxó hasta llegar al Parana, y desde ay por tierra hasta aqui: el qual me hizo relaçion de cómmo los nauios que entraron en el puerto de Santa Catalina se perdieron, el vno por auerse avierto y el otro á la entrada de la barra dél: enbiaua con él socorro que á esta tierra trayan: todo era muy poco segun nuestras neçesidades. Visto el poco remedio y socorro que yo les podia dar, por la falta de nauio que pudiese salir á la mar, acordé de enbiar le por tierra el auiso sufiçiente para que, hasta que Nuestro Señor proueyese, alli se sustentasen. Perdida esperança de breue socorro, procuré de salir con el mejor orden y gente que pude en descubrimiento de la tierra, y en diez é ocho de henero de çinquenta é tres salí deste puerto con çiento é treynta onbres de á cauallo y dos mill yndios, dexando esta tierra en paz y concordia, y en su administraçion, con mi poder, á Felipe de Caçeres; y estando treynta leguas el rio arriua, tuue auiso de çierto desasosiego que Diego de Abrigo daua en esta tierra, de tal manera, que estaua en punto de perderse; entendido lo qual, abaxé con veynte onbres á esta çiudad y reformé el estado de la tierra, castigando á algunos de los que con él se alçaron, y lleuando otros comigo, de los que pude aver, y dexando á otros presos; de tal manera, que sin çoçobra ninguna pude conseguir mi viage, y llegué por la derrota pasada hasta el pueblo de los Mayas, el qual allé sin gente alguna, todo despoblado, sin esperança de manthenimiento, y las aguadas desechas, y los caminos çiegos; acordé de enbiar al capitan Nuflo de Chaues descubriendo, con veynte de á cauallo, quatro jornadas adelante, hasta vn pueblo que solia ser de gente labradora llamado Layenos, donde se tomaron algunas lengoas por los bosques, porquel pueblo estaua despoblado, de los quales tuue auiso estar adelante toda la tierra destruyda de otros yndios caçadores que se llaman Naparus. Visto esto y nuestras comidas acauarse, auido el consejo que mejor pareçió ser, determiné de no auenturar gente ni perder ninguno; y asi dí la buelta al rio, y de alli, encaminando la gente por el orden que mejor me pareçió, á esta çiudad, me aparté con treynta de á cauallo en descubrimiento de vna prouinçia de que thenia antes notiçia que se llama Ytatin, gente que nunca avia venido al seruiçio de V. A., á la qual prouinçia llegué en saluamiento, exortando y animando á los de la prouinçia al seruiçio de V. A., y sin muerte ni escandalo de ninguno della, la reduxe y tomé la posesion de la tierra en nombre de V. A.; y fué Dios seruido que descubrí camino más çierto y seguro para nuestro viaje, segun la relaçion conforme que de los yndios más viejos de la tierra tomé; y con esto, dexando la tierra paçifica, en fin de setienbre del mismo año llegué á esta çiudad, en donde fuy bien reçiuido y allé que avian muerto al Diego de Abrigo por mandado del contador, que paresçe que como vido que hera yo fuera de la tierra, no se pudo valer con él de otra manera. Y el año siguiente de çinquenta y quatro, procuré poner en punto mi jornada por esta prouinçia de Ytatin, y theniendo las cosas neçesarias para el viaje embié, á diez é siete de otubre, al capitan Nuflo de Chaues con treynta de á cauallo adelante para salir luego yo. Estando en este punto, llegaron çiertas cartas y auisos de San Viçente, en que fuí auisado commo V. A. avia despachado y enbiaua á esta tierra la prouision de la gouernaçion della; entendido lo qual, porque sin mí, con la presteza que yo deseo al seruiçio de V. A., no pudieran ser socorridos, acordé de alargar la jornada por mejor enterarme en la çerteza del despacho de V. A.; y asi, á dos de junio de çinquenta é çinco reçeuí de Bartolomé Justiniano, por via de San Viçente, auiso de commo llegó alli con la prouision que V. A. me hizo original, y me enbió vn treslado sinple della. Beso pies y manos de V. A. por la merçed que se me a hecho, porque avnque despues que estó en esta tierra mi deseo y boluntad tiene mereçido á V. A. el fruto desta tierra, hasta agora a sido trauajos é ynportunaciones á V. A. Dios me dé tienpo que mis obras puedan representar mi deseo. Bartolome Justiniano no la a traido por razon quel gouernador de San Viçente le a detenido: cosa es que pudiera escusar, porque demas de ser su paso sin perjuizio de la tierra, en contenplaçion de sus neçesidades, desta han reçeuido buenas obras. Yo enbio al capitan Nuflo de Chaues por estas prouisiones, y á rogarles que dexen pasar á Justiniano y á otras cosas neçesarias para el seruiçio de V. A. Llegadas aqui en todo se cumplirán commo V. A. manda y leales basallos deuen cunplir.

Permite el gouernador de San Viçente que los yndios Carios, que de aqui salen con algunos christianos foragidos, se vendan y contraten y ponen los de su hierro y señal, cosa çierto en que Dios Nuestro Señor y V. A. grandemente se desiruen; y avnque hasta aqui por cartas les he rogado, exortado y requerido no lo hagan, no a auido hemienda, antes lleuan su costunbre adelante. Thengo por çierto, que la misma cuenta tendrán con los despachos y requerimientos que sobre esto enbio; por tanto, V. A., por el orden que más sea seruido, lo remedie.

En las cosas particulares desta tierra no thengo que dezir más, sino que los naturales della biuen en paz y concordia, muy sosegados, sin pensamiento, á lo que pareçe, de otras alteraçiones, y cada dia se van más ynstruyendo en la fee catholica, y los pobladores desta tierra muy paçificos y entienden en sustentarse lo más sin perjuizio que pueden, sin cosa alguna de los escandalos pasados. A Nuestro Señor sean dadas graçias por todo, y él se syrua con todos. Nuestro Señor vida y muy poderoso estado de V. A. acreçiente con mayores reynos é señorios. Fecha en la çiudad de la Asunpçion á 24 de jullio de 1555.

Muy poderosos señores, vesa pies y manos de V. A.

Domingo de Yrala.

Sobre.—A los muy altos é muy poderosos señores los señores del Comsejo de las Yndias de la Sacra Cesarea Catholica Magestad del Emperador é Rey nuestro señor, etc.

XCVIII.

Carta de JUAN DE SALAZAR *al Consejo Real de Indias, dando cuenta de su expedicion al Paraguay, y pidiendo, como primer poblador, que se le concediese á perpetuidad cierto número de indios.—*ASUMPCION*, 20 de marzo de* 1556.

Muy poderosos señores:

De Santos y San Biçeynte scriví postreramente con Françisco Gambarrota, genoues, que venia del Paraguay para yr á ese Consejo Real de Yndias, y con él enbié çierto metal que me enbiaron del Parana para muestra. Visto que de Portogal no venia el despacho para nos dexar yr al Paraguay, y tan malas esperanças de nuestro remedio, y la nesçesidad de cada dia mayor y muchas molestias que no se podian sufrir, traté con Çiprian de Goes, hijo de Luis de Goes, que avia poco era venido de Portogal á estar en vn yngenio del padre, que nos viniesemos al Paraguay, porque dél entendí tener voluntad de lo hazer. Y asi lo hezimos, con vna dozena de soldados que comigo estauan y y otros seis portogueses que salieron con Çiprian de Goes; y asi, truxo la muger y yo á Doña Ysabel de Contreras, con quien me casé, y dos hijas suyas, y otras tres mugeres casadas. Salimos sin hazer daño á la tierra ni á cosa della; ellos mandaron á los Tupis que nos prendiesen, y si nos defendiesemos, nos matasen. Doze leguas adelante de San Biçeinte y Santos, estando en arma los yndios esperandonos, lo supo Manuel de Nobrega, hermano de la horden de Jesus, general de aquella costa: tenia vn monesterio fuera de las sierras, á tres leguas de los yndios y los ynstruyan en la fee, y como bueno y catolico, los mobió de su mal proposito, diziendoles que Dios se enojaria y asi el Rey de Portogal; que los que se lo avian mandado eran malos christianos, y lo hazian porque nos querian mal y porque nosotros matasemos muchos dellos; y con esta buena obra y ayuda, pasamos sin ronper con ellos.

Llegamos á Guayra, ques la primera tierra desta generaçion del Paraguay, á cabo de çinco meses: alli hallamos al capitan Garçia Rodrigo de Vergara, hermano de Frey Pedro de Soto, confesor de S. M., á quien se hizo merçed del ofiçio de contador de esta tierra, y se quedaron las provisiones en España, y por esto, sirve todavia el oficio Felipe de Caçeres; estaua con çiertos españoles poblado, por mandado del governador Domingo Martinez de Yrala, esperando quel Parana baxase, para sacar metal en cantidad; de lo que lleuó Gambarrota, no e sabido más lo que a hecho. Alli paré á descansar las mugeres y reformarnos, para llegar al Paraguay, que ay de alli allá çient leguas y en ellas algunos despoblados.

De alli despaché luego al governador Domingo de Yrala á Bartolome Justiniano, con las provisiones que traya para él; dieronselas en septiembre deste año pasado de 1555. Quando yo llegué, que fué en otubre del dicho año, ya era reçibido, y asi, lo fuy yo, como llegué, al ofiçio de thesorero y al de regidor. Entendidos quel governador embia á ese Consejo vna persona por este camino de San Biçeinte, dél sabrá Vuestra Alteza lo más que fuere seruido, y el gouernador lo escriuirá. Yo a poco que llegué; no estoy bien enterado en las cosas de la tierra; el obispo ni el armada, que tanto ymportaua á los christianos y yndios, no a venido, ni nueva della: [99] prouealo el que tiene el poder, sin mirar á nuestros pecados.

El governador a encomendado los yndios que en la tierra ay, que, por ser pocos y contentar á muchos, an cabido á muy pocos. Seria mi pareçer, que se le deue mandar que los que vacaren se resuman en çient repartimientos, por el bien y descanso de los yndios, y porque, de otra manera, segun la pobreça de la tierra, los christianos no podrán sustentarse en ella; y tengo entendido, en Dios y en mi conçiençia, que en encomendallos, sirve á Dios y á Vuestra Alteza y restaura la vida á los yndios que ay. Yo truxe vna çedula de Vuestra Alteza para que el gouernador, que era o fuese, tomase quenta á los ofiçiales que avian sido; él la tomó, como dará quenta, y no vuo, sigun a pareçido, de qué se me hazer cargo, como Vuestra Alteza por ella mandaua se me hiziese; y asi, hasta agora no tengo de qué dar quenta de lo que toca á mi ofiçio de thesorero.

Pareçerme ya se deuia mandar al gouernador se descubriese vn rio que entra en este Paraguay, donde estamos, que se tiene nueva entra la tierra adentro hasta las sierras del Peru, que se llama el Ypeti, para tener alguna entrada o salida esta tierra, pues está tan remota de todas las governaçiones, pues aqui pareçe claro que, muertos los padres, los hijos quedarian como yndios en sus costumbres, no aviendo contrataçion de christianos.

Por ser el primer poblador y fundador desta çiudad y tierra y por muchos trabajos, gastos y serviçios que en ella e hecho más a de 20 años, como en ese Real Consejo se a visto por ynformaçiones, los millares de yndios que se me an encomendado, son avn no dozientos: yo estoy viejo y muy cansado y pobre. Vmillmente suplico á Vuestra Alteça se me haga merçed dellos perpetuos, porque, muriendo yo, mi muger y sus hijas y los hijos que Vuestra Alteza me hizo merçed de legitimar, quedarian todos perdidos; y porque yo no tengo posibilidad para enbiarlo á soliçitar, á Vuestra Alteza suplico mande á Juan de Oribe, que tiene mi poder, lo haga, o á vno de los soliçitadores de ese Consejo Real de Yndias, en lo que reziviré gran merçed y limosna.

El governador vá al Parana á acabar de poblar á Guayra, porque conviene mucho para el bien destos yndios que los Tupis no los acaben de destruyr, y para amasar los pensamientos de los portogueses, y á ver aquellas minas lo que podrán ser, avnque no ay personas que lo sepan benefiziar, como otras vezes se a scrito. Tanbien desea mucho poblar á San Françisco; la posibilidad es poca. Yo e escrito á V. A. el cómo se podria hazer á poca costa; hará V. A. lo que fuere servido, quel governador no lo podrá hazer sin que de allá le venga algun resuello. De San Viçente fueron en vn navio fletado á San Françisco, Hernando de Trexo y Doña Mençia Calderon y sus hijas y algunas mugeres casadas y otros soldados, que por todos serian hasta treinta ombres, con proposito de esperar alli el armada de que se tenia nueua que venia, para yr en ella o poblar, aviendo buen aparejo. Estuvieron alli diez meses, y visto quel armada no venia ni ellos tenian hierro ni resgate con que lo sustentar, ni tampoco muniçiones de poluora y plomo y otros menesteres, lo desampararon; de que al gouernador y á todos a pesado mucho, porque él pensaua socorrellos con todo lo que pudiera, despues de llegado yo aqui. Agora a venido nueua como todos an llegado á Guayra, con hartos trabajos, y tanbien dizen que casó Doña Mençia Calderon, la hija que le quedaua, con Christoual de Saabedra; bien creo scriuirán á V. A. lo más, porque el que va a de pasar forçoso por alli y verse con ellos.

Sabrá V. A. que los vezinos desta çiudad y tierra, retienen en sí los diezmos, y no los pagan, de yeguas, ni cauallos, ni cabras, ni otro ganado, ni del grano, ni rayz, como deuen. La ocasion que an tomado es, que en la ynstruyçion del contador Felipe de Caçeres, ay vn capítulo en que manda V. A. que paguen diezmo conforme á las yslas de Santo Domingo, Cuba y Jamayca, y toman por achaque que ay algunas libertades que V. A. les haze y que vuestros ofiçiales se las encubren y esconden; y no aprovecha satisfazerles con toda la verdad, ni no quererles absolver los capellanes que por V. A. están en las yglesias, como no ay perlado que los pueda descomulgar. Deueseles mandar espresamente paguen de diez vno de todas las cosas que deuen pagallo, no enbargante el capítulo que habla á Cuba y Jamayca, pues la yntinçion de V. A. es que asi lo paguen, y desta manera, lo pagarán y descargarán las conçiençias, y nosotros podremos proueer las yglesias mejor, y pagar los capellanes; y no se haziendo asi, siempre yrá de mal empeor. Desta çiudad del Asunpçion, á 20 de marҫo 1556 años.

Criado de V. A., que sus muy Reales pies y manos besa

Juan de Salazar.

Sobre.—A los muy poderosos señores presidente y oydores del Consejo Real de Yndias, etc.

XCIX.

Carta del clérigo presbítero ANTONIO D'ESCALERA *al Emperador Don* CÁRLOS, *refiriendo los atropellos cometidos con el gobernador Alvar Núñez Cabeza de Vaca, y los abusos ejecutados en los naturales del Rio de la Plata.* — ASUNCION, 25 *de abril de* 1556.

Sacra Cesarea Catholica Real Magestad:

Muy poderosos señores:

POR conplir la obligaçion que de mis padres heredé, y con el ofiçio saçerdotal que tengo, me a dado atreuimiento, viendo los grandes agravios que á sus suditos y naturales, que con buen zelo y linpio ánimo procuran servir á V. M., les an hecho, á que por esta mi letra V. M. fuese avisado de todo lo que en esta tierra a suçedido despues que en ella entré, que fué con Alvar Nuñez Cabeça de Vaca, governador que fué desta provinçia, para que provea y mande lo que más fuere á serviçio de Dios Nuestro Señor y de V. M. y bien y pro y descanso de los que en ella le an servido y sirven.

Ya es notorio á V. M. como Alvar Nuñez Cabeça de Vaca partió de los reinos d'España, con provisiones de V. M. para esta provinçia, y llegado que llegó á ella, fué reçibido conforme á las provisiones que traya; y de á pocos dias hizo sus ynformaçiones açerca de la muerte de Juan de Ayolas, governador que hera de V. M., y hallando ser muerto, juntó toda la gente con los ofiçiales y capitanes de V. M. y mandó se tornasen á notificar las Reales provisiones que traya, y asi, fueron notificadas y él reçibido por governador, y al vso y exerçiçio del dicho ofiçio y juridiçion cibil y criminal, como V. M. lo mandava: y luego, con gran diligençia y soliçitud, mandó hazer bastimentos y vergantines para poder descubrir esta provinçia, y estando ocupado en esto, los conquistadores y suditos de V. M. se querellaron de los grandes agravios que avian recibida, antes que á la tierra él viniese, por los ofiçiales de V. M., en les llevar los quintos de aquellas cosas que de los yndios del rio abaxo trayan para su vestido y provision; lo qual hera, que de çinco queros de venado que vn conquistador traya, para hazer armas para defensa de su persona, les llevavan vno, y de çinco panillas de manteca que para los adobar y benefiçiar trayan, vna les llevauan; y asimismo de todas las otras cosas que trayan, asi como de pellejos de nutras y pescado, y que les apretavan y molestavan por algunas debdas que algunos á V. M. devian. Pues visto por el governador lo por los conquistadores dicho, y la gran proveza que tenian (que çertifico á V. M. questavan tan proves, que muchos o todos los más no tenian camisas para se vestir), mandó que en quanto á los quintos, de aquellas cosas que los conquistadores y pobladores dezian, no se les llevase quinto alguno, por la gran neçesidad y trabajos que tenian y pasavan en yr á lo traer, porque él avisaria á V. M., para que sobre ello proveyese y mandase lo que más á su Real serbiçio conviniese, y dado caso que V. M. fuese servido de mandar otra cosa en contrario, quél, por la neçesidad que veya en los conquistadores y gran proveza suya, lo tomaria en su salario y en quenta de lo que V. M. le mandava dar; y en quanto á las debdas, les pidió y rogó sobreseyesen la cobrança dellas hasta tanto que la jente toviese alguna cosa más para les pagar; sobre todo lo qual, los ofiçiales de V. M. les hizieron muchos requerimientos apasionados, á los quales el governador respondió que V. M. le mandava dar salario, y que dado caso no fuese servido de lo quél mandava, quél lo pagaria y tomaria en quenta. Fué tanto el odio que sobre esto le tomaron, que luego yntentaron á querer poner en la provinçia varas de justiçia, como las tienen los ofiçiales de la Contrataçion de Sevilla, para poder por su justiçia hazer todo aquello quel governador podria hazer; á lo qual les respondió que no avia lugar, porque á él tan solamente V. M. cometia la juridiçion de la justiçia çivil y criminal. Sobre esto determinaron, estando el governador á pique para partir y hazer entrada, de avisar á V. M. con dos frayles de la orden de San Françisco, por la via del Brasil, sin acordar con él cosa alguna; y sabido por el governador, mandó bolver á los frayles y proçedió contra los ofiçiales de V. M., hasta remitir las cabsas á V. M. y á su muy Real Consejo, y en este estado, partió desta çibdad, por el mes de setienbre del año de quinientos y quarenta y tres, en demanda de la notiçia y puerto de los Reyes que ya tenia descubierto.

Pues, partido de esta çibdad, yendo el rio arriba, acatando los trabajos que avia pasado el capitan Domingo Martinez de Yrala y por querer en algo gratificalle alguna cosa dellos y por el contento de alguna gente, lo elegió y hizo su maese de canpo; y asi, llegó al puerto de los Reyes, dó llegado que llegó, determinó de entrar y descubrir toda la tierra por muchas partes, como fué por los Xaries y por la vanda del poniente. Y estante esto, determinó dél en presona acometer su entrada, y asi lo hizo, dexando el puerto en todo recabdo. Y á pocos dias que caminava, los ofiçiales de V. M. que con él llevaba, que fingidamente se avian fecho sus amigos, que heran Felipe de Caçeres, contador, y Pedro de Orantes, fator, le hizieron vn requirimiento, que se tornase al puerto do avia salido, diziendo que la jente padeçia neçesidad de comida; y visto el requirimiento, con paresçer de los capitanes y maese de campo, se ovo de bolver y retraer, y llegado que llegó al puerto, fué Nuestro Señor servido que, ansi él, como la mayor parte de la jente le adolesçiese, y estando doliente, llegó la jente, que de los Xaries venia, con mucha comida y gran notiçia, ansi de la tierra como de las poblaçiones della: y sabido y visto por el governador, determinó de yr allá, avnque malo y doliente; pero los ofiçiales de V. M., que sano proposito no tenian, segun despues a paresçido, le requirieron se tornase á este puerto y çibdad de la Asunçion, diziendo que la jente estava enferma y de cada dia enfermava más, y que venido á esta, se restavraria; para lo qual convocaron mucha gente, y truxeron ansi, no tan solamente al maese de canpo, diziendo quel governador le queria mandar matar, pero ávn otros capitanes que con él estavan en el puerto de los Reyes. Pues, visto por el governador este requerimiento hecho por los ofiçiales de V. M., y la dolençia de la jente, determinó de deçenderse á esta çibdad, y asi, vino por Quaresma del año de quinientos y quarenta y quatro, y estando malo, de pocos dias despues que llegó, los ofiçiales de V. M., con mucha jente que para ello de noche juntaron, le prendieron y pusieron en casa de Garçia Venegas, tesorero que hera de V. M., y luego nonbraron y eligieron por teniente de governador al capitan Domingo de Yrala, maese de canpo del governador, y ante él, antes que lo eligiesen, leyeron vn libelo ynfamatorio contra el governador de V. M.

Despues de elegido, puso por su alcalde mayor á vn Pedro Diaz del Valle, el qual, no tan solamente secrestó la hazienda del governador, pero hizo ynformaçiones contra él, con testigos que para ello buscavan que dixesen lo que ellos querian, y á los que la verdad pensavan dezir, no tan solamente no tomavan sus dichos, pero los tenian por enemigos; y luego mandó prender y desarmar á todos aquellos que en favor del governador y en serviçio de V. M. se mostraron, y otros, de verse tan perseguydos, se absentavan desta tierra y se yvan á los yndios, de cuya cabsa los yndios los matavan; y desta manera anduvieron y los tratavan, á los que servian á V. M., todo el tienpo que tuvieron preso al governador. Pues, salido de la tierra, á pocos dias quél salió y lo echaron de la tierra, el capitan Juan de Salazar d'Espinosa enseñó çierta provision, quel governador le avia dexado, de teniente de governador y capitan general en su lugar y en nonbre de V. M., y fué por algunos obedeçido; al qual, ansimismo, prendieron, y los que le obedeçieron, vnos fueron huyendo, y otros fueron presos, con muy gran alboroto y escandalo, no temyendo á Dios ni á V. M., porque ávn á las ylesias tratavan tan mal, que, si fueran enemigos, avn tuvieran más acatamiento á ellas: pues en esto verá V. M. lo que podian padeçer los que le an servido, pues, asy preso, lo llevaron en vn navio á echar en la caravela, que fué á esos reynos con el governador. Pues, salido de la tierra el governador y su teniente, que fué por el año de quinientos y quarenta y çinco, Domingo de Yrala, que mandava, para poder hazer y sustentar lo que tenia hecho, dava y avia dado tantas largas á sus amigos y valedores, que por la tierra anduviesen, los quales avian fecho tantos y tan grandes agravios á los naturales desta tierra, que visto ellos que tan perseguidos heran, determinaron de matar algunos cristianos, y asi lo hizieron, y mataron quatro o çinco, y muertos, se lebantaron contra los cristianos, en tal manera, que fué neçesario yr á ellos, y mataron y prendieron muchos. Fué la mortandad y destruçion tan grande, que visto por los naturales el gran daño que se les hazia, y que avian metido otros yndios comarcanos, que ellos tienen por esclavos, contra ellos, por no perderse del todo, pidieron pazes y se les conçedió, y asi an estado y están paçificos, avnque esquilmados y ávn desollados. Paçífica la tierra, el capitan Domingo de Irala determinó de hazer entrada para descubrir la tierra, que fué por el año de quinientos y quarenta y siete, sacando desta çibdad dozientos onbres y çinquenta cavallos. Fué por el puerto de San Fernando, dexando en esta çibdad á Don Françisco de Mendoça, con su poder para que por él mandase; el qual, desde a pocos dias que mandó, le presentaron, asi á él como á toda la jente que en esta çibdad quedava, vna rebocaçion quel governador avia dexado, por la qual revocava todos y qualesquier poderes que oviese dado á qualesquier personas, para que de alli adelante no valiesen, salvo el del capitan Juan de Salazar d'Espinosa, so çiertas penas que en ella estavan; la qual, vista por el Don Françisco de Mendoça, se desystió del cargo y poder que tenia, y fué ellegido por justiçia mayor, como V. M. lo manda, el capitan Diego de Abrego, natural de la çibdad de Sevilla, el qual, estando mandando, fué avisado que le queria matar el Don Françisco de Mendoça, para lo qual tenia convocado y aperçibido mucha gente, y dadas listas y hecho capitanes, para que, dado señal de toque de canpana, saliesen de las partes questavan diputadas, para do la jente estuviese, para le matar á él é á todos los que con él estuviesen, é poner la tierra debajo de la mano y juridiçion del capitan Vergara. Reçibidas y hechas las ynformaçiones de lo susodicho, mandó prender y prendió á Don Françisco de Mendoça y á otros, de los quales fué ynformado de lo que queria hazer, lo qual se halló que, hasta los ynoçentes, avian de pagar y matar. Pues, visto esto y el alboroto y escandalo que en la tierra estava y de cada dia podia más suçeder, mandó hazer justiçia de Don Françisco y asi se hizo publicamente con pregon de justiçia. Muerto Don Françisco de Mendoça, porque convenia á la paçificaçion, quietud y sosiego dexar de proçeder contra algunos, y porque andavan levantados y por los reduzir á la tierra, y que della no se absentasen, ovo de hazer y hizo perdon general á todos, y desta manera tornó á sosegar y apaziguar esta tierra, teniendola en toda quietud y justiçia; y luego mandó despachar vna caravela para avisar á V. M. de lo suçedido en la tierra. Yendo el rio abaxo, se perdió en el Parana, baxo de la ysla de San Graviel, y ansi estuvo hasta que dió buelta de los confines del Peru el capitan Domingo de Yrala, el qual traya consigo, de los naturales de la tierra do venia, más de mill ánimas, entre chicos y grandes dellos, por esclavos.

Pues, llegado que llegó, el capitan Diego de Abrego, que en la tierra elegido estava, le requirió á él y á los ofiçiales de V. M., ante Gaspar de Ortigosa, su escrivano, le obedeçiesen y diesen favor y ayuda para poder tener la tierra en justiçia, en nonbre de V. M.; al qual respondieron y mandaron no usase del ofiçio, so çiertas penas que le pusieron, ansi el capitan Domingo de Yrala, como los ofiçiales de V. M., lo qual tomó por testimonio; por lo qual, le mandaron prender, y desarmar á todos los que se avian mostrado en su fabor y en serviçio de V. M., que son los que arriba dicho tengo, que contra él se pusieron por la prision de Alvar Nuñez Cabeça de Vaca, governador de V. M. Pues, preso el capitan Diego de Abrego, perseguidos, afrentados y desarmados los leales vasallos de V. M., el capitan Diego de Abrego, determinó de salir de la prision que tenia, y ansi lo hizo. Salido, juntaronse con él çiertos honbres de su jente, y determinaron de ir la buelta del Brasil, para pasar en esos reynos á avisar á V. M. de lo suçedido en esta tierra. Sabido por el capitan Domingo de Yrala la via que llevaua el capitan Diego de Abrego, juntó gente de pie y de á cavallo, y fué en pos dél, y estando veynte leguas poco más o menos desta çibdad, de noche trayendolo espiado, dió sobre él, y antes que llegase, mandó, que, si alguno se defendiese, le matasen; y alli fué preso y algunos heridos y fueron traydos á esta çibdad; que çertifico á V. M., que turcos no podian ser más maltratados, ni aún tanto: y no tan solamente el mal tratamiento que se les hizo, pero ávn les quitaron pieças de su serviçio, para dar á los que avian ydo á los prender. Pues, puesto otra vez el capitan Diego de Abrego en la prision, y visto que le fatigavan con prysiones, determinó segunda vez de salirse, y ansi lo hizo, llevando consigo vn caballero de Sevilla, debdo suyo, que sienpre á V. M. lealmente a servido, que se dize Ruy Diaz Mergarejo. Pues, salido de la prision el capitan Diego de Abrego, sus amigos fueron tan mal tratados y desarmados, y algunos clerigos en prision puestos, y otros corridos por las calles, porque dezian que venia gente mandada por V. M. á esta provinçia; y desta cabsa, temiendo los daños que de cada dia reçibian, determinaron de estar en el pueblo, avnque no todos, que algunos andavan por los bosques con el capitan Diego de Abrego; y ansi anduvieron hasta el año de çinquenta y tres, quel capitan Domingo de Yrala determinó de hazer entrada, en la qual pensó de dexar mandando vn yerno suyo y debdo del capitan Diego de Abrego, hermano de Ruy Diaz Mergarejo, que arriba he dicho. Pues, sabido por los ofiçiales de V. M., cómo le queria dejar mandando, porque en esta tierra nadie mandase, que zelo tuviese al serviçio de V. M., le escrivieron al capitan Diego de Abrego, dizendo quel tan solamente podia mandar en la tierra y no otro, por ser elegido y su eleçion ser buena, y que ydo el capitan Vergara, derrocase al que dexase mandando, y que ellos le ayudarian; lo qual fué yntentado por Felipe de Caçeres, contador de V. M., que queria le dexasen mandando, y fué ordido de tal manera, que vino á mandar. Pues, mandando Felipe de Caçeres, y el capitan Vergara partido, los amigos del capitan Diego de Abrego, temiendose no los molestasen más y truxesen desarmados, determinaron de salirse desta çibdad, y irse con su capitan, y ansi lo hizieron algunos dellos. Pues, juntos con el capitan Diego de Abrego, que serian hasta quarenta onbres, estando en un bosque, sin hazer mal ni daño á alguna persona, Felipe de Caçeres, que mandava, que avn no tenia sana la voluntad, ni avn la codiçia perdida de hazer mal á los suditos de V. M., y por desarraygar, como ellos dizen, esta seta, escrivió al capitan Vergara, que veynte leguas desta çibdad estava, diziendole que la tierra estava alborotada y el capitan Diego de Abrego levantado con gente, y en terminos de la destruir; y para dar credito á lo que él dezia por sus cartas, enbió á amigos suyos para que dello diesen fée, avnque falsa. Vistas por el capitan Vergara las cartas, vino á esta çibdad, y juntó, de cristianos y yndios naturales y de esclavos comarcanos, más de ochoçientas ánimas, y dió sobre el capitan Diego de Abrego, que seguro estava debaxo de promesas que le avian fecho, que no mandaria el contador Felipe de Caçeres, sino otro quél quisiese; y desbaratolo y prendió ocho cristianos de los del capitan Diego de Abrego, de los quales mandó que luego ahorcasen los tres, que fueron los primeros que pudo aver, y á los otros çinco tuvo á punto de los ahorcar al pie de la horca, y por presonas religiosas que le rogaron, los dexó: los demas se escaparon por los bosques. Y visto que más no podia aver, ni al capitan Diego de Abrego, porque á él solo cudiçiavan, y que, si más en la tierra estuviese, no podia de dexar de hazer gran daño, determinó de proseguir su entrada, y mandó al contador executase en los demas sus vandos, que echado tenia, de pena de muerte y perdimiento de la mitad de los bienes; el qual, como cobdiçioso de las haziendas ajenas, no ostante que las avian destruydo quando el capitan Vergara andava en la tierra en pos dellos, y porque nadie se fuese sin paga, tomó toda la tierra y caminos con los yndios, en tal manera, que algunos que salian, yvan tan proves, que avn no llevavan dos camisas para se mudar, y otros, viendo que no podian salir, se presentavan á la carçel; á los quales, por hazelles gran benefiçio, les davan las vidas, y les quitavan todo lo poco que tenian, porque en costas y prinçipal se yva todo; de manera, que ansi quedaron los que á V. M. an servido y sirven, tan proves, que apenas an podido tornar en algo de lo que tenian. No ostante esto, el contador, que, avn no contento de los daños que hecho avia, mandó dar su mandato para prender al capitan Diego de Abrego, el qual fué de tal manera, que me paresçe que V. M., por el descargo de su Real conçiençia, no lo diera; el qual dezia, que, si se defendiese, le matasen, y al que lo dió, que hera vn su alguazil, llamado Antonio Martin Escaso, fué tal, y tan piadoso, que, hallandolo vna noche malo de los ojos, en vn bosque, le dió vna saetada por el coraçon, de que *ynstanter* murió sin confision, ni sin llamar á Dios, ni sin poder hablar.

Muerto el capitan Diego de Abrego, y los que á V. M. sirven sin cabdillo, bolbió á esta tierra el capitan Vergara, el qual, avn no contento de lo que antes avia fecho, tratava como á enemigos capitales á los que á V. M. avian servido, y si en algo le herravan o quebrantavan sus vandos, por el punto crudo y filo los llevavan, lo qual no hazia á sus amigos y valedores, porque estos tenian liçençia de hazer en la tierra todo lo que quisiesen, sin que nadie á ello les fuese á la mano. Pues, pasando estos trabajos los vasallos de V. M., llegó á esta tierra Bartolomé Justiniano, con provisiones de V. M. para Domingo de Yrala, por las quales le hazia governador desta provinçia; lo qual sintieron más los que á V. M. an servido y sirven, que todos los daños y trabajos que an pasado; pero, visto que V. M. es servido dello, le an obedeçido como V. M. lo manda. Luego el governador Domingo de Yrala mandó enpadronar la tierra para la repartir, y enpadronada, la repartió entre él y los ofiçiales de V. M. y sus amigos y valedores, entre los quales entraban estrangeros, y della no dió casi á nadie de los que a tenido y tiene por enemigos, y á los que dió fué tal, que á sus amigos ni á él no hizo daño, y á los que lo dió, provecho, por ser en partes que apenas pueden yr allá. Pues, todo esto pasado, por Quaresma deste año de quinientos y çinquenta y seys, llegó á esta çibdad el obispo y Martin de Vte, con otras nuevas provisiones, las quales muchas dellas no se publicaron, segun dizen algunos de los que de allá vienen, y otras pensamos no se conplirán. Estos trabajos, ynvitisimo señor, son los que an pasado los vasallos que con linpio coraçon an servido y sirven á V. M., y todavia esperan que V. M. será servido de los restavrar y no permitirá que basten sus onrras, porque hasta aora las tienen despojadas de sus personas, con lo que V. M. tiene mandado, en dalles por cabdillo y governador al que sienpre los a tenido y tiene por capitales enemigos, por lo qual no pueden pensar, si mucho se tarda el retorno de V. M., o Dios, como vniversal

Señor, no los anpara y favoreçe, serán todos perdidos; por lo qual y como su capellan y de V. M., en mis sacrifiçios sienpre ruego á Nuestro Señor guarde la ynvitisima persona de V. M., porque sienpre nos tenga en justiçia á todos y acreçiente y abmente nuestra Santa Fee catolica, y á nos nos dé algun descanso, con el qual podamos servir á Dios Nuestro Señor y á V. M. Desta çibdad de la Asunçion, á veynte y çinco de abril de mill y quinientos y çinquenta y seys años.

Sacra Cesarea Catholica Real Magestad, muy poderosos señores, el vmilde capellan de V. M., que sus Reales pies y manos besa

Antonio Descalera,
clerigo presbitero.

C.

Carta de JUAN PAVON *al licenciado Agreda, fiscal del Consejo de Indias, dándole cuenta de haber sido preso con Alvar Nuñez Cabeza de Vaca, gobernador del Rio de la Plata, de la muerte de Diego de Abrego, y excesos cometidos por Domingo de Irala, y solicitando el oficio de fiel ejecutor.*—ASUNCION, 15 *de junio de* 1556.

Muy magnifico señor:

PUESTO caso que vuestra merçed no tiene de mi notiçia ni me conoçe, no por eso dexaré de abisar á vuestra merçed de las cosas mias y de otros suçedidas en esta conquista despues de la prision de Alvar Nuñez Cabeça de Vaca y de mí, su alcalde mayor en esta provinçia. La noche que se prendió el governador Alvar Nuñez Cabeça de Vaca, me prendieron á mí juntamente, y me quitaron la vara del Rey de las manos y me dieron muchos palos y me pelaron las barbas y me llevaron arrastrando á casa de Alonso Cabrera, á do tenian preso al dicho governador, y en llegando çerca de su casa me salió á reçebir con treynta o quarenta onbres armados; hera el cavdillo Felipe de Caçeres, contador de S. M., y en llegando que llegaron conmigo, le dixeron: «helo, aqui traemos, ¿que mandays que se haga dél?» Respondió el Cabrera: «llevaldo á la carçel y hechalde de cabeça en el çepo y guardaldo esta noche.» Sacaron dos ladrones que yo tenia presos y hecharonme á mí. Mire vuestra merçed cómo trataban la justiçia de S. M. Tanbien soltaron vn onbre questava sentençiado á muerte porque avia muerto á otro. Otro dia por la mañana, me llevaron de la carçel á casa de Domingo d'Irala, que hera maestre de canpo, y me metieron en vna camara çerrada con tres onbres que me guardaban, donde no vi sol ni luna en onçe meses y diez y ocho dias que alli me tubieron preso, hasta que llevaron á esos reynos al governador Cabeça de Vaca y me sacaron de la prision. De todo esto me quexo creminalmente á S. M. y á vuestra merçed, en su Real nonbre, y de todo lo demás que pareçiere, pido justiçia, justiçia, justiçia, señor.

Daré agora quenta de algunas cosas suçedidas, á vuestra merçed, en esta tierra. Llevado el governador á España, publicaron entrada. Fueron á ella, despoblaron toda la tierra desde aqui al Peru, matando los yndios y tomandolos por esclavos. Dexó por su tiniente en esta çibdad á Don Francisco de Mendoça: no se la cavsa porque se hesimió el don Françisco del poder de Vergara. A canpana tañida, en la yglesia se juntaron la mayor parte del pueblo y helixeron, para que mandase en nonbre de S. M., vn cavallero de Sevilla que se llamava Diego d'Abrego; y estando mandando este cavallero, vino Domingo d'Irala de la entrada y requiriole que le obedeçiese. Respondió Vergara quél responderia: ynbiole á llamar otro dia, para darle la respuesta, y prendiolo, y estando preso, se soltó y se fué á los montes, donde le tornó á prender á él y otros cavalleros que con él estavan, y los traxeron atadas las manos y los aprisionaron á todos; y se tornó á soltar otra bez. Y en este medio tornó á fetuar su entrada y dexó en su lugar á Felipe de Caçeres, contador de S. M. Vbo mucha dibision en el pueblo, si vn elexido podia helexer otro, no teniendo poder de S. M. para mandar ni elexir: quiso ahorcar algunas personas de hecho, porque hablavan en ello; çesó y hiço su entrada. Alguna gente se fué para Diego d'Abrego, que handava huydo por miedo del dicho Bergara; otros tenian su opinion que pues que estava elexido, que avia de mandar; sobre esto hubo escandalo en el pueblo. Hubo de bolber el dicho Bergara, con la jente de que andubo tras Diego de Abrego; hahorcó tres onbres que tomó, y á los que no pudo aver, tomoles sus açiendas y repartiolas por sus amigos y valedores: para hazer esta guerra metió é baliose de vna naçion de yndios henemigos de los naturales. Torna á haçer su entrada como tenia començada, y el dicho Felipe de Caçeres, que dexó mandando, dió vn mandamiento, firmado de su nonbre y refrendado de Bartolome Gonçalez, escrivano de cavildo y público, á vn su aguaçil que se llama Anton Martin Escaso, que matase al dicho Diego d'Abrego donde quiera que lo pudiese tomar; y ansi lo publica el dicho aguaçil. Y traendolo espiado, tomó çiertos onbres amigos suyos, y estando hechado en su cama malo y çiego de los ojos, al quarto del alba llegó çerca donde estava y le tiró con vna ballesta y le pasó el coraçon y los bofes y todo el cuerpo de parte á parte, que no tuvo lugar de deçir «Dios me valga.» Los que allá van ynformarán á vuestra merçed más xeneralmente de todo lo suçedido.

Vuestra merçed mire cómo se despachan las cosas de allá para esta tierra, y avise al señor presidente que vn año y año y medio antes que se despachen del escritorio, se sabe acá todo lo que se provee allá. Bolbiose de la entrada que avia començado, Domingo d'Irala, por çiertas dibisiones que entrellos hubo: murieron de los yndios amigos muy gran numero. Llegó aquí Bartolome Justiniano con probisiones de S. M. para Domingo Martinez d'Irala que sea governador hasta que S. M. probea otra cosa. Vn año y más, antes que llegase el Bartolome, estavan acá los traslados de las probisiones sinplemente y cartas, avisandole que repartiese la tierra y hiçiese su descubrimiento y entrada: llegado Bartolome Justiniano, presentó sus probisiones y él las reçibió y obedeció, como en ellas se contiene: avia dos o tres meses que estava repartiendo la tierra, quando llegaron: repartiola como le pareçió, quitando á los conquistadores viejos viejos y dandolo á los que vinieron huyendo del Peru por la muerte del Virrey y dar la batalla al estandarte Real de S. M., y entre otros, françeses y bretones, que en esta tierra están; allá ynformarán á vuestra merçed y sabrá la verdad cómo se repartió; y acabada de repartir, se partió desta çibdad con çinquenta amigos suyos para San Biçente, tierra del rey de Portugal. Desde á veynte o treynta dias que se partió, llegó el obispo miercoles de Tinieblas; fué menester ynbiarle á llamar dos o tres bezes; no diré más en este caso: allá van quien ynformará á vuestra merçed larga y cupiosamente y con verdad. Señor, yo soy vn onbre viejo y en España onbre que he tenido mucha onrra; fué aguaçil mayor de Blasco Nuñez Vela en la çibdad d'Eçixa, Malaga: serbí á S. M. con armas y caballo; halleme en dos batallas, vna en Villalá contra la Comunidad y otra con los gobernadores, en Panplona, contra françeses; gasté mi haçienda en venir con Don Pedro de Mendoça á esta conquista; fué teniente de Juan de Ayolas, despues alcalde mayor por Cabeça de Vaca. Todo esto me a quitado por no tener su opinion. Pido al señor presidente, Su Alteza me haga merçed de me dar y haçer merçed del ofiçio de fiel y secutor, con boto en cabildo, pues no lo ay ni está proveydo. Suplico á vuestra merçed me sea terçero para descanso de mi vexez, que soy biejo y estoy cansado de las molestias que me han hecho y haçen, y he servido á S. M. veynte y dos años. Nuestro Señor la muy magnifica persona de vuestra merçed acreçiente y guarde, como vuestra merçed desea, con gran estado y denidad. Desta çibdad de la Asunçion, á quinçe de junio de quinientos y çincuenta y seys. Señor, esto suplico á vuestra merçed por serviçio de Dios; vuestra merçed me lo negoçie, avnque yo no le aya servido ni vuestra merçed me conosca: haré quenta que vuestra merçed me haçe la merçed y por tal la reçebiré yo.

De vuestra merçed muy çierto servidor que sus manos beso

Juan Pavon.

Sobre.—Al muy magnífico señor el señor liçençiado Agreda, fiscal del Conçejo de Yndias de S. M.—Va del rio de la plata. (100)

CI.

Carta de JUAN MUÑOZ DE CARVAJAL *al Emperador Don* CÁRLOS, *enumerando los agravios inferidos á los naturales y conquistadores del Rio de la Plata por Domingo Martinez de Irala despues de la prision del gobernador Alvar Nuñez Cabeza de Vaca.—*ASUNCION, *15 de junio de 1556.*

Sacra y Çesarea y Catholica Magestad:

CON el debido acatamiento que debo, como á mi Rey y señor natural, Juan Muñoz subditto y basallo de V. M., natural de la çibdad de Plazenzia, conquistador en esta pobinçia del Rio de la Plata, estante en esta çibdad de l'Asunçion, deseando sienpre açertar en el serbiçio de V. M., por esta haré relaçion verdadera á V. M. de las cosas suçedidas en esta probinçia despues de la prision del gouernador Cabeça de Vaca, con el qual yo vine desos reynos de España; y como sienpre me pareşció mal esto de su prision, por le conosçer por gouernador y justiçia en esta tierra por probisiones de V. M., y tanbien por ver que no le prendieron los ofiçiales de V. M. y el capitan Domingo de Yrala, por lo que tocaba al serbiçio de V. M., sino por sus pasiones é yntereses, como luego paresçió por la obra, en los malos tratamientos que luego hizieron en los naturales de la tierra, echando sus *axcas* y corredores por la tierra, robando y destruyendo los yndios, tomandoles sus mugeres paridas y preñadas, y quitando á las paridas las criaturas de los pechos, y tomandoles sus hijos que tenian para su serbiçio, y quitandoles sus hamacas en que duermen y todas las otras cosas neçesarias que los míseros tenian para pasar su bida. Y de aqui susçedió que, viendo los conquistadores que ellos destruyan la tierra y la gozaban, les dieron avilanteza á que se encomençaron á derramar por la tierra robando y destruyendo, como los ofiçiales de V. M. y el capitan Domingo d'Irala hazian; con tanta crueldad, que el dia que partian del pueblo donde allegaban, avia tantos llantos, los maridos por sus mugeres y las mugeres por sus maridos y por las criaturas que dexavan, que paresçia ronper el çielo, pidiendo á Dios misericordia y á V. M. justiçia, como á quien les encomendó el ofiçio pastoral destas míseras ovejas. Y esto a durado desde el dia de la prision del gouernador Cabeça de Vaca hasta el dia de la fecha desta, que ansi traen manadas destas mugeres para sus serviçios, como quien va á vna feria y trae vna manada de ovejas, lo qual a sido cabsa de poblar los çimenterios de las yglesias desta çibdad y aver peresçido en la tierra más de veynte mill ánimas y averse despoblado gran parte de la tierra. Pues agora que le vinieron las provisiones de gobernador al dicho Domingo de Yrala, lo qual puso muy gran confusion, ansi en los naturales españoles que el serviçio de V. M. deseavamos, como en los propios naturales de la tierra, ver que de nuevo se le encomendava el cargo y governaçion de la tierra al que tanto la a destruydo y desipado; pues agora como se vió gouernador, luego repartió la tierra y serviçio de los naturales della, tomando para sí y para quatro yernos que tiene, y dando á los quatro ofiçiales de V. M. todo lo más y mejor de la tierra; y lo demas repartió entre sus amigos y apaniaguados y entre los que enbiava á robar la tierra, como dicho tengo, y entre estrangeros, ansi françeses como ytalianos, como veneçianos y ginoveses y de otras naçiones fuera de los reynos de V. M., porque le an ayudado y fauoresçido á hazer estas cosas que dicho tengo, y áun á otros que del Peru vinieron, que allá ni acá no an hecho ningun serviçio á V. M.; dexando á muchos conquistadores viejos que an conquistado y descubierto la tierra de V. M. Por lo qual, de mi parte, suplico á V. M., como su leal servidor, no consienta quedar asi esto: avnque no sea por nosotros, los que emos deseado el serviçio de V. M., sea por no dessanimar los que de aqui adelante, asi en esta tierra como en otras, desearen el serviçio de V. M. Esta relaçion e hecho á V. M., por me paresçer hazer lo que debo al serviçio de Dios y de V. M., dexando muchas cosas, por la prolixidad; y esta es la verdad de todo, y quando otra cosa V. M. hallase, mandeme V. M. cortar la cabeça, como á honbre que á su Rey y señor no dize verdad. Nuestro Señor Jesuchristo á la Çesarea y Catolica Magestad de su persona dé vida, con mayor acreçentamiento de reynos y señorios en su serviçio, guarde y prospere por muy largos tienpos. Desta çibdad de l'Asunçion, provinçia del Rio de la Plata, á XV de junio de MDLVI años.

Omil vasallo de Vuestra Sacra Magestad

Juan Muñoz de Carvajal.

Sobre.—A la Sacra y Çesaria y Catolica Magestad, etc.

CII.

Carta de BARTOLOMÉ GARCIA *al Real Consejo de Yndias, en la que se queja de lo mal que el gobernador Domingo de Irala habia recompensado sus servicios, de los cuales acompaña una Memoria.—*ASUNCION, *24 de junio de* 1556.

Muy poderosos señores:

COMO onber agraviado, no podré dexar de me quexar á V. A., como á my Rey. Señor, V. A. sabrá que yo soy natural de la villa de Moron, nueve leguas de Sevilla; vine á esta provincia del Rio de la Plata en el armada de Don Pedro de Mendoça, venteyvn años a, en la qual e padezido los trabajos que V. A. ya sabe que todos los que en aquel tienpo vinyeron padeçido tienen, y e trabajado por me aventajar en el serviçio de V. A. en todo lo que e podido, de lo qual enbiara provança, si me atreviera. El governador desta provincia, cumplidos los vente años, dió en encomyenda los naturales della á los que agora de nuevo an venydo, y á los que despues de nosotros vinyeron, de lo qual, los que conquistaron la tierra y perdieron, vnos hijos, y otros hermanos, y los que quedaron, de myll y setecientos onbres que se hallaron en la reseña que don Pedro de Mendoça hizo como saltó en tierra, son hasta cien onbres, á los quales dió lo peor y más lexos, donde nunca dellos terná servicios; y asi, ay muchos que no lo an querido acetar, el qual soy vno dellos, que me dió diez y seys yndios, ochenta leguas de donde biuimos; á otros les dió á quinze, á vente, á trenta, sino fue á sus yernos y otros yernos de sus yernos y á los oficiales de V. A., que destos y para sí tomó toda la tierra y lo mejor de toda ella. Y yendole yo á hablar al tienpo que la quirie repartir, le dí vna memoria de los trabajos en que me avia puesto, que es esa que ay va, y me respondió ¿qué hijos tenya?, y que mejor está la peticion por dar. Viendo cómo lo avie hecho conmygo, le pedí licencia para me yr á los reynos d'España, y tanpoco me la quiso dar. E dicho esto, para que V. A. sepa lo que se a hecho con los de Don Pedro, y pues esta no es para más de para dar cuenta de lo que acá pasa, y de lo que se haze con los que trabajan. De la ciudad de la Asuncion, dia de San Juan de 1556.

Beso sus Reales pies, su vasallo

Bartolome Garcia.

ESTA ES VNA PETIÇION Y MEMORIA QUE DI AL GOVERNADOR DOMINGO D'IRALA DE ALGUNOS DE MIS TRABAJOS.

Muy manifico señor:

Esta es para traer á la memoria lo que en esta tierra e trabagado y serbido, porque, segun que veo y e bisto que vuestra merced lo a hecho y haze hastaqui comigo, no creo que lo deve saber, v dello no se quiere acordar, segun que e bisto por las obras; pues, de todo lo que diré, vuestra merçed es buen testigo, y de otras cosas que degaré de traer á la memoria á vuestra merced, por no ser proligo, y de todas vuestra merced es testigo: byen sabe vuestra merced que, desque llegamos á Buenos Ayres, de desiseys honbres que fueron con Gonçalo de Acosta á descubrir los Tenbues, yo fué vno dellos, y en el camino nos flecharon los Guaranies de las yslas, y de alli salí herido, que sinco años tube vn palo metido en el braso y á cabo de çinco años me salió, y pasé dél lo que vuestra merced bien supo y bido por bistas de ojos; y en estos sinco años, nunca degé de hazer lo que me fué mandado, que el señor Don Pedro, que sea en groria, á mí y á otros seys conpañeros, los quales ay bibos los que vuestra merced sabe, nos mandó que le caçasemos, y asi lo hezimos, que sienpre todos los dias teniamos de trebulto dosena y media de perdizes y codornises, como vuestra merced es testigo, que comia el señor Don Pedro y los que él más queria. Y esto duró hasta que se fué á los Tenbues y Francisco Ruys nos demandó al señor Don Pedro á mí y á Baytos, para que quedasemos con él en guarda de las naos; y el señor Don Pedro, por lo que á Francisco Ruys le abia prometido, nos degó, y de alli se fué el señor Don Pedro á los Tenbues y se tornó otra ves á Buenos Ayres: yo le dí y le daba de comer, como otra ves se lo avia dado, de perdises y codornises, porque el dia que se enbarcó metió en la nao más de siento y sinquenta perdizes y codornises; y á esto vuestra merced no estava presente, mas ay está el alferes Bergara, que por su mano las metió en la nao. Vuestra merced bien sabe que en Buenos Ayres quedamos despues que el señor Don Pedro se partió para España, que quedamos con mucha hanbre: yo ballesteaba, con mucho peligro de yndios y de tigres, y dava de comer á setenta onbres que alli estavan, porque todos los dias, domingos y fiestas, les matava dos y tres benados, con que les davan rasion con que se sostenian; y deste travago, aun de la sintenela no fué reserbado; y desto, vuestra merced bien sabe que ay munchos testigos, y que traya las rodillas y manos corriendo sangre, de andar á gatas por poder tirar á los venados, como vuestra merced be que se haze oy en dia quien los quiere matar. Vuestra merced bien bido y supo que los tigres que entravan en la paliçada y matavan la gente, yo aguardé vno que hazia muncho daño, dende vn arbol, fuera de la palisada, contra la boluntad de Fransisco Ruis, abiendoselo suplicado y pedido por merçed que me degase aguardallo, yo lo maté. Pues, vuestra merçed bien bido, quándo ybamos á Buenos Ayres por el rio de los Tenbues, que salieron los Quirandis á flecharnos en los navios, y que por vn tiro que yo hize, que vuestra merçed vido, no nos hirieron muy mal, porque muy bien pudieran á su salvo hazello. Quando vuestra merçed a ydo á descobrir v á las gerras, quando se lebantó la tierra, en todas me e hallado delante y á su lado; y desto vuestra merçed es testigo. Nunca me e hallado sin armas dobladas y de respeto, para mí y para otros que las abian menester, porque las abian quebrado, desbaratado, para contratar con los yndios, yndias para su servisio; pues yo nunca las quebré, ni desbaraté, ni contraté, ni con el contrato de los yndios merqué yeguas ny caballos, como otros han hecho, como vuestra merçed bien sabe; porque yo no e resgatado ni chinchoreado, ni bando de vuestra merçed ni de otro que aya mandado quebrantado, ni menos por montes hoydo ni aventado, ny en carçeles estado, ni de vuestra merçed por cosas mal hechas perdonado, ni por estos servisios ni trabagos que tengo dicho y otros munchos que dego de dezir, que vuestra merçed es testigo, nunca de vuestra merçed ninguna buena obra hasta agora e resebido: débelo de cavsar mi desgraçia que sienpre e tenido con vuestra merçed, por no ser enportuno, como otros an sido y son. Y agora que esperava el galardon de mis travagos, á cavo de beynte y vn año, en el repartir y encomendar de los yndios, vuestra merçed me a degado sin suerte. Pues, vuestra merçed no me olbida quando a menester hombres, razon fuera y se acordara para hazerme algun bien, como a hecho y haze á otros, áun hasta los que an benido con Martin d'Urrea, que avn no son bien llegados, ya tienen yndios repartidos y encomendados.

Bartolome Garcia.

Sobre de la carta en que va inclusa esta Memoria.—A los muy poderosos señores presidente y oydores del Consejo de su Majestad de su Real Consejo de las Yndias.

CIII.

Carta de MARTIN GONZALEZ, *clérigo, al Emperador Don* CÁRLOS, *dando noticia de las expediciones hechas y de los atropellos cometidos despues de la prision del gobernador Alvar Nuñez Cabeza de Vaca.*—ASUNCION, *25 de junio de 1556.*

Sacra Cesarea Catolica Real Magestad:

COMO los capellanes que en esta tierra estamos seamos obligados á avisar á V. M. espeçialmente, y con más obligaçion yo, por aver dotrinado y babtizado estas ovejas de V. M., y viendo los daños y continos trabajos que an pasado y doliendome dellos, acordé, no tan solamente avisar á V. M. por esta mi epistola de lo sucedido en esta tierra despues acá de la prision de Alvar Nuñez Cabeça de Vaca, governador que fué desta provincia por V. M.; pero, ávn por estos mal limados versos publicar y dezir los ynormes daños y continos trabajos questa prove jente, suditos de V. M. y naturales de la tierra, an pasado y pasan; y suplico á V. M. reçiba de mí, su capellan, este pequeño serviçio, juntamente con la voluntad y zelo que tengo del serviçio de Nuestro Señor y de V. M., y de que nuestra Santa Fee catolica sea ampliada y ensanchada.

Ya tiene notiçia y será ynformado de la prision de Cabeça de Vaca, el qual, no tan solamente los ofiçiales de V. M. prendieron, pero ávn tanbien fué en su prision el capitan Vergara, que aora por poderes de V. M. en esta tierra por governador manda; porque, çertifico á V. M. que, si él no diera calor, favor y ayuda para ello, no heran ellos bastantes á le aerrojar, porque, avnque malo que á la sazon estava, por el largo tienpo que avia mandado, toda la jente que en la tierra estaba o la mayor parte tenia de su mano, por lo qual ovo ocasion de hazer y perpetar lo que hizo en deserviçio de V. M. y en destruymiento y perdimiento desta tierra y de los naturales della.

Y para mejor obrar y efetuar y conseguir lo que començado tenian, y para poder salir con ello, echaron y mandaron echar vn vando, por el qual pregonavan libertad y daban antender que el governador de V. M. pretendia cabtivallos á todos, y que ellos por la libertad avian fecho lo que avian hecho; lo qual, çertifico á V. M. que fué despues acá, no digo cabtividad, como ellos dezian, pero total destruiçion de todos, sino heran sus amigos y valedores, porque estos estavan contentos y heran señores.

Preso el governador, y sus justiçias presas y peladas las barbas con grande vituperio, lo qual V. M. será más y mejor ynformado, queriendo dellos ser servido de los que allá van, lo qual fué, segun a paresçido, para poder ellos mandar, bolviendo el dicho capitan Vergara al mando que tenia y esquilmar y destruir esta tierra como lo an todos hecho.

Y para efetuar y conseguir lo que querian, advocaron y truxeron á sí con engaño á mucha gente, lo qual fué de cabsa destar, como estavan, vnos malos, otros en conpañia de otros questavan dañados y puestos en la voluntad del capitan Vergara y ofiçiales de V. M., y en fin, todos proves, que hera lo peor y más dañoso, que, como la jente hera nueva en la tierra y no se pudiese valer en ella sin el favor de los que acá estaban, de fuerça, o por grado, o de neçesidad avian de conseguir cada vno á la parte do estava afirmado.

Y no tan solamente la neçesidad que la junta tenia, pero dezian y publicavan contra el gobernador de V. M. que queria vsurpar esta tierra á V. M., para lo qual dava color que avia quitado la bandera Real de vn navio y avia mandado poner otra suya, y otras cosas que, por ser prolixidad y en sí tener poco fundamento, no las diré, porque me paresçe, á lo que siento y alcanço, por lo que he visto por vista de ojos, su falsedad y cabtela y averselo levantado para poder traher á sí la prove jente que engañaron para hazer y efetuar y vengar sus pasiones.

Preso el governador, determinaron de destruyr la tierra por contentar á sus amigos y valedores, y para tenellos obligados para todas las neçesidades que les viniesen sobre este caso, daban tantas liçençias para que por la tierra anduviesen estos que los favoresçian, y ellos heran tales, que certifico á V. M. que, como fuego, quemavan y abrasaban toda la tierra por do yvan, en quitalles sus mugeres, hijas, hermanas y parientas, dado caso que estuviesen paridas y las criaturas á los pechos, las dexaban y echavan en los suelos, y se llevavan y trayan las madres; y dado que algunos no las querian dar, por fuerça y contra su boluntad, amenazados y algunos puestos al punto de la muerte, por no pasalla, las davan, avnque padezian grandes trabajos y soladas sin ellas, porque, del miedo que tenian, por los bosques las trayan escondidas, y de ally las trayan y sacavan; y si algunos perezosos o tardios heran á conplir lo que les mandavan, executavan en ellos su enojo, dandolos cuchilladas y palos y haciendoles otros malos tratamientos, quitandoles sus casas y todo quanto en ellas tenian. Pues, siendo estos naturales tan maltratados, ansi de los que mandavan como de los amigos y valedores dellos, determinaron de matar algunos cristianos, y ansi, mataron dos o tres cristianos de los que entrellos andavan rancheando, lo qual hizieron, por verse tan lastimados como estaban, porque de noche ni de dia estaban sosegados, sino puestos en gran custodia y cuydado, lo vno, por guardar sus hijas y mugeres que, de cabsa de andar por la tierra cristianos, ellas nunca entraban en poblado ni en casa ni hazian lo que heran obligadas á hazer en el reparo de sus comidas y de sus hijos. Levantada la tierra por la muerte de los cristianos, queriendo hir á ellos, por mejor efetuar su proposito, pasaron convocaçion y llamaron los cristianos dos generaçiones de yndios enemigos destos carives, los quales es jente muy ligera y se dizen Guatatas y Apiraes. Juntos estos yndios con los cristianos, viendo los naturales que convocavan y llamaban enemigos suyos contra ellos, determinaron de levantarse toda la tierra. en tal manera. que pocos o no ninguno quedó que de hecho o de secreto no se levantase.

Levantada la tierra, salieron á ellos dozientos cristianos con dos mill yndios destos que arriba e dicho, y en muchos requentros que con los naturales ovieron, mataron muy gran cantidad de los naturales, y en señal de vengança, les quitavan las cabeças, las quales los yndios que los cristianos llebaban, se llevaban á su tierra, lo qual no hizieran ni osaran acometerles, sino fuera con el fabor que de los cristianos tenian.

Con estas gerras, visto los yndios naturales los grandes daños que los cristianos y gente que con ellos yba les hazian, en les quemar sus casas, talalles y destruylles sus comidas, y que, si más la gerra por la tierra andubiese, no podian escapar, muchos dellos la perdieron yendose, y otros vinieron á pedir pazes, las quales se les dieron; y desta manera todo, siempre esta probe jente a estado y está pacífica, avnque desollados de cabsa de los grandes daños y perdidas, ansi de hijos y hijas, mugeres que les an faltado, ansi de hanbre por abelles talado los bastimientos, como por aberselas quitado, como dicho tengo.

Bueltos á sus casas, començaron á edificarlas, porque estaban todas quemadas, y antender en sus haziendas y comidas, que de cabsa de la gerra y del temor de los yndios que los cristianos con ellos llevaban, avia dias que de los bosques no osavan salir, do pasavan neçesidades y trabajos ellos y sus hijos, con la poca comida que tenian, que tan solamente hera cardos y algunas salbajinas que por los bosques tomavan: y desta manera estubieron hartos dias, por la qual neçesidad faltaron muchas criaturas pequeñas y grandes.

No contentos con estos daños questos naturales avian pasado, aún no bien estavan en sus casas y asientos, quando los amigos y valedores, ansi del capitan Vergara como de los oficiales y capitanes, otra vez por la tierra andaban y algunas lenguas entrellos enbiadas por el capitan, á las quales mandava truxesen yndias, no tan solamente para sí, pero ávn tanbien para los quél queria; y desta manera, tornaron otra vez peor que de primero á los perseguir y destruyr, en tal manera, que muchos yndios quedavan cargados de hijos; y vistose tan trabajados, de puro pesar, se morian, no tan solamente él, pero los hijos que, de muy niños, cayan en los fuegos, y como no tuviesen madres, alli se tostavan y quemaban, por no aver quien los sacase; á otros, por no tener quien les dé comer, davanse á comer tierra, y asi acababan; otros, de muy niños y estar á los pechos de las madres al tienpo que se las llevavan y ellos quedaban en aquellos suelos, algunas viejas tomaban algunos dellos y trisnavanse las tetas hasta tanto que sacaban leche, y ansi los criavan encanigados y mal abenturados, y de cabsa que no se hartaban, desta manera acababan sus dias.

Destas yndias questas lenguas trayan, sabrá V. M. que se partian con el capitan Vergara, porque sino le davan la mitad o heran sus amigos y baledores, no quedaban con ninguna, porque esta orden se tenia para los que herañ de contraria opinion. Y dado caso que las quitaba, ninguna dellas daban á los yndios, avnque por ellas venian, porque siempre no faltaba alguna manera conqué se quedaba en su poder o en el de sus amigos y valedores.

Visto los yndios que no se las tornaban, daban buelta á sus tierras llorando, y de que allegaban a sus casas, las madres, tias y parientas, de que sabian que en poder de los cristianos quedaban, hera tanto el llanto de dia y de noche, que de pura pasion y de no comer, se acababan de morir, ansi los onbres como las mujeres.

Y á las yndias puestas en los cristianos heran tan apremiadas muchas dellas, que, de verse ansi, vnas huian á sus tierras, y traydas, las açotaban y maltrataban; otras, de verse fatigadas y con el deseo de sus hijos y maridos, y visto que no podian yr á ellos, se ahorcaban; ya que esto no hazian, hartabanse de tierra, porque antes querian matarse, que no sufrir la bida que muchos les daban; no ostante esto, pero otras tenianlas tan encerradas, que ávn el sol apenas las podia ver, y alguna cosa veyan los cristianos con quien ellas estaban que les paresçiese no bien, dado caso que ansi como les pareçia no hera, de puros çelos, las mataban o quemaban; y desta manera, andaba la disuluçion en esta tierra.

Querer dezir y anunciar por esta las yndias que se an traydo á esta çibdad, despues de la prision del gobernador Cabeça de Vaca, seria nuncha acabar; pero paresçeme que serán casi çinquenta mill yndias, antes más que menos; y aora al presente estarán entre los cristianos quinze mill, y todas las demas son muertas, las quales mueren de malos tratamientos y de mal onradas, y puestos que ya quellos son cabsa de sus muertes, las traen á sepultar á las yglesias o çimenterios, esto no hazen, antes las entierran y mandan enterrar por los canpos á la vsança de los yndios.

Querer dezir por esta los malos tratamientos que se les hazen, paresçeme que nunca acabaria, pero diré que ay algunos que á la prove gente haze todo el dia cabar en sus haziendas y labores, andando sobre ellas para senbrar mucho para poder vender; y esto seria bueno, si las proves comiesen y de noche descansasen, pero es al contrario, que no comen, sino es alguna mala ventura que traen de las haziendas, y de noche toda la más della les pasa en hilar para vestir al señor que las tiene y tener para vender.

No contentos con estos trabajos y continuas fatigas como tenian, ansi en sus haziendas como en hazer casas de tapias para vender é otros trabajos, al presente tienen otro mayor que les a sobrevenido, en moler cañas duçes para hazer miel, la qual, no tan solamente veben y comen, pero avn venden, é esta an tomado al presente por grangeria.

Querer contar é anumerar las yndias que al presente cada vno tiene, es ynposible, pero paresçeme que ay cristianos que tienen á ochenta é á çien yndias, entre las quales no puede ser sin que aya madres y hijas, hermanas é primas; lo qual, al paresçer, es visto que a de ser de gran conçiençia el que no tuviere entrada o salida con alguna dellas, porque la ocasion y aparejo que ay al presente es tan grande, que, como digo, sera beato el que no tronpeçare en esto; y desto çertifico á V. M. que los yndios an tomado tan mal enxenplo, qual más no puede ser, porque todo lo que se haze en secreto con ellas, es publico entre ellos, y luego vienen á me lo dezir.

No ostante esto, lo que más pavor, S. M., me a puesto, es ver, como he visto, lo libre vendello por cabtibo; y es ansi, que a suçedido vender yndias libres naturales desta tierra por caballos, perros y otras cosas, y ansy se vsa dellas, como en esos reynos la moneda; y no tan solamente esto, se a visto jugar vna yndia, digo vna avnque muchas son, pero esta, en pena de su malefiçio, tuvo el candil y lunbre mientras la jugaban, é despues de jugada, la desnudaron, é sin vestido, la enviaron con el que la ganó, porque dezia no aver jugado el vestido que traya. Esto se hazia algunas vezes en presençia del que mandava, é por él conçertar, le aconteçio á él hazer el tal conçierto, porque no se desconçertasen; y no por esto las dexavan de dar y daban en dote y casamiento quando casavan sus hijas, y ansimesmo pagavan debdas que debian á algunas personas con las dichas yndias al tienpo de su muerte, y ansimesmo se dexan á sus hijos, de que se mueren.

Estas y otras cosas an pasado en esta tierra hasta aora; y aliende desto, diré á V. M. que, como el governador fué preso, algunos fueron de opinion contraria de los ofiçiales de V. M., por lo qual, los an traydo perseguidos y abilitados y afiançados hasta los llamar leales por via de vituperio.

Despues de salido el governador Cabeça de Vaca, se obo çierta nueva cómo por los Tinbues venian cristianos, los quales hera la jente que con Francisco de Mendoça salió del Perú; sabido por el capitan Vergara y ofiçiales, quisieron salir de la tierra, sobre la qual salida se ovo entre el capitan Vergara y algunos de los ofiçiales çierta revuelta y enbaraço, de cuya cabsa los leales se llegaron al contador, el qual defendia que no saliesen de la tierra hasta tanto que se supiese qué jente hera; é desta suerte se vino á poner en tales terminos la cosa, que se pensó todo se acabara. Puesto en estos terminos, vista la perdiçion que se podia resvltar, obieron de dar corte en los negoçios en tal manera, quel contador ovo de deçender á saber de la dicha jente, é con él fueron aquellos que dizen leales.

Vueltos y visto que los cristianos heran los que con Mendoça avian venido, fue determinado de yr con gente, y ansi fueron hasta dozientos é çinquenta onbres; en este viaje me hallé, por poder mejor avisar á V. M. de lo que en la tierra se pasase.

Yendo por nuestro camino el rio arriba, á las nuoventa leguas, dexamos los navios y un pueblo en el qual quedaron çinquenta onbres, y despues desto, entramos la tierra adentro, y quarenta leguas del dicho pueblo que dexamos, hallamos vna jeneraçion de yndios, que se dizen mayas. Aqui estos huyeron á los principios, por el gran temor que, de otras vezes que cristianos avian visto, tenian; é despues enbiaron çiertos mensajeros, con los quales no se hizo lo que razon hera de se hazer, y visto que los cristianos no querian venir é lo que pedian, ovieron de quemar sus casas é alçarse todos, y asi se desviaron, no haziendo mal á ningun cristiano.

Levantados y desviados de sus asientos y casas estos yndios mayaes, como arriba he contado, visto que se avian retirado, les mandó el capitan Vergara se les hiziese gerra, y asi se les hizo, llevando consigo yndios carioes, naturales desta tierra, que con nosotros avyan ydo, que podrian ser hasta dos o tres mill onbres de guerra.

Estos yndios carios que fueron á la gerra, dieron en muchos pueblos de mayas é de otras generaçiones questaban juntos con ellos, y dado, mataron é prendieron tantos, que no lo sé dezir por carta; pero diré que fué gran lástima ver las criaturas muertas y los viejos é viejas, sino fueron los mançebos é moças que trayan para dar á sus amos en presente; y no tan solamente fué la persecuçion en los pueblos y casas, pero áun por los montes los andaban buscando é persiguiendo.

Fecha esta guerra, pasó adelante, llevando destos yndios mayas muchos prisioneros é guias, é fué á dar á vn rio pequeño. Llegados al rio, las guias que llevava perdieron el camino, la cabsa fué de aver muchos dias que por alli no avian pasado. Perdido el camino, y visto que los yndios no lo açertavan, mandó quemar vna de las guias, é otras dos mataron; é de aqui dimos buelta á otro camino, por el qual dimos en vnos pueblos de chanes, por los quales yvan haziendo muy grandes destruyçiones é muertes.

No contento con esto, mandó á vn capitan, el qual se dize Nuflo de Chaves, que con gente fuese sobre vn pueblo que adelante estava, el qual fué é dió sobre el pueblo por la mañana é mató, de niños é viejos é viejas y onbres, mucha cantidad de jente, sin otros que prendyeron.

Fecha esta guerra, fuymos adelante destruyendo y matando todos los que topavan, lo qual, dado caso que los cristianos no lo hazian, los yndios, que para su serviçio llevavan, lo hazian, y ellos lo consentian y tenian por bueno; de cabsa, de los yndios por do yvan, les trayan presos, é para prendellos, hazian muy grandes daños, ansi en quitalles todo lo que tenian, commo en quemalles sus casas é arrancalles sus bastimentos.

Y desta manera fuimos hasta los Moyganos, sin que ninguna gente nos aguardase en sus pueblos, porque los que querian aguardar é venian á trahernos de comer, los tomavan é prendian y llevauan atados, á los quales mandaban y hazian que los guiase á los pueblos por do querian yr; y porque vno herró el camino, de aver muchos dias que por alli avia pasado, lo mandó el capitan Vergara atenazear, é asi acabó el probe yndio sus dias.

Llegados á los Moyganos, como dicho tengo, los yndios naturales nos recibieron bien; de cabsa questaban seguros é les avian hablado por parte del capitan Garçi Rodriguez, que en la vanguardia yba y llevaba; llegados, los yndios dieron munchas cosas, ansi para comer como otras cosas que trayan é avian dado, y visto quel que mandaba, lo repartia con sus amigos y allegados, toda la más de la gente agraviados, fué pedido se hiziese y nonbrase procurador, é asi fué nonbrado é elegido el capitan Camarago, ansi para en esta tierra como para ante V. M.

Fecho esto, determinó el que á la sazon mandaba, de hazer gerra á los yndios miaracanos, los quales estavan junto á estos yndios do estavamos aposentados, los quales no hazian mal ni daño al gremio dellos: en la qual gerra mataron y prendieron mucha cantidad de gente, é los que daban yndios enemigos suyos, los acabaron: destos yndios, los cristianos no avian ni tomavan más dellos, si no heran las moças y mançebos, porque los demas, todos los mataban los yndios. De aqui caminamos adelante, y fuimos muchos pueblos é casas haziendo gerra, commo atrás he dicho, hasta que llegamos á los Mogranoes, los quales, con saber lo que atras se abia pasado, temiendo no suçediese á ellos como á los demas, nos esperaron de guerra, é entrando que entramos en el pueblo, començaron á disparar sus armas contra nosotros, do fenesçieron algunos cristianos, é alli arremetieron los cristianos y caballos en tal manera, que á poco espaçio, dexaron el pueblo é prendieron muchas mugeres. E en este pueblo estuvimos quinze dias.

Puestos en este pueblo de Mogranos é desvaratados, á pocos dias despues dellos, yendo en busqueda de comida, hirieron vn yndio de los carios, por lo qual fueron pregonados por esclavos, y se les hizo gerra, en la qual mataron mucha gente, ansi de niños, mugeres viejas y otros yndios de gerra en más cantidad de quatro mill ánimas, de todos, y prendieron más de dos mill, los quales truxeron por esclabos, los quales los oficiales de V. M. é capitan los quintaron, y no los quisieron herrar pareçiendoles no aber cabsa para ello.

De aqui partimos y fuymos á los Çimeonos, por relaçion que teniamos de aver alli cristianos de los de Juan de Ayolas, y llegados, preguntaron por ellos, y dixeron que enemigos suyos los avian muerto yendo á la gerra con ellos; por esto fueron presos el prinçipal destos yndios que dicho tengo y vn hijo suyo, los quales salieron de paz á los cristianos, haziendoles buenos tratamientos é trayendo de comer.

De aqui partimos á los Corocotoques, llevando presos este prençipal y hijo que dicho tengo, por lo qual toda la tierra se alborotó, viendo y sabiendo cómo saliendo de paz y á traer de comer, los prendian y llevaban.

De alli partimos, con relaçion de los yndios que dicho tengo, la buelta de los Tamacoçies, porque alli dezian aver metal blanco y á la mano derecha de como yvamos, avia el metal amarillo, é fué acordado que fuesemos á los Tamacoçies, do como llegamos, salieron de paz, por ser como heran yndios que avian servido é tratado con cristianos: do fuimos ynformados del Peru, y sabido que tan çerca estamos de los reynos del Peru, fué acordado por el capitan y oficiales de S. M. enbiar al capitan Nuflo de Chaves y á otros allá, y la demas jente dió buelta por los Corocotoques do salimos. Aqui ovo diferencia entre los oficiales de S. M. y el capitan, sobre la yda, quel capitan queria hir al Peru en el seguimiento del capitan Nuflo de Chaves; é fué tal, que toda la jente se llegó á la vanda de los oficiales é le contradixeron la yda del Peru, de cuya cabsa é de los requirimientos que le hizieron, se ovo de dysistir del mando que tenia, é fué elegido el capitan Gonçalo de Mendoça, hasta llegar al Paraguay y á esta çibdad de la Asunçion. En estos Corocotoques, se hizieron muy grandes gerras, do mataron ynfinitas criaturas é otra mucha gente é prendieron muchos.

De aqui partimos, trayendo ansi estos commo todos los demás que prendian por el camino do venian haziendo gerra, presos y por esclavos, hasta que llegaron al puerto de San Fernando, do, commo llegó al pueblo que quedó poblado al tiempo de la partida, supo commo estaba mandando por elleçion el capitan Diego de Abrego; é sabido, é visto que nunca avia sido de su opinion, trabajó el capitan Vergara con personas que alli estavan cómo dixesen á la gente quel capitan Diego de Abrego les avia quitado todas sus haziendas y serviçio, é las avia dado é repartido á los que él avia querido; de cuya cabsa se alborotó toda la jente en tal manera, que lo ovieron de eligir; é asi vino á esta çibdad con mano armada, y entrando, que entró de noche, echando vandos sopena de la vida é la hazienda perdida, e ser dados por traydores á qualesquier personas que saliesen fuera de su casa hasta otro dia.

Otro dia el capitan Diego de Abrego, con su escrivano, fué á le requerir de parte de V. M. le diese favor y ayuda, ansi el capitan Vergara como los oficiales de V. M., para tener la tierra en paz, quietud é sosiego: lo qual está todo ante el escrivano del capitan Diego de Abrego, al qual respondieron çiertas cosas questán ante el dicho escrivano.

Despues desto, á cabo de tres o quatro dias, prendieron al dicho capitan Diego de Abrego, é le tuvieron preso, molestandolo con prisiones, hasta tanto quél se soltó é se fué de la carçel.

Salido, algunos amigos suyos se juntaron con él, é determinaron de yr á esos reynos d'España, avisar á V. M. de lo que avia pasado en esta tierra, por la via de San Viçente. Sabido por el capitan Vergara, fué tras ellos con jente de pie é de á caballo, y los prendieron y truxeron presos y maniatados, con muy vituperio y algunos heridos.

Puestos otra vez en la carçel y fatigado de prisiones, determinó de se salir, é ansi lo hizo, y se salió, llevando consigo á vn pariente suyo que con él estava preso en la carçel; y salido, se fué á los bosques, por do anduvo al pie de quatro años.

Despues desto, é buelto de prender al capitan Diego de Abrego, tornó á enbiar por la tierra personas, las quales la desipaban y destruian, tomandoles sus mugeres y hijas é todo lo que tenian, é quemandoles las casas y arrancandoles los bastimentos y haziendoles otros daños muy grandes, porque no les querian dar sus mugeres é hijas. Por lo qual, el procurador general desta provinçia é conquistadores della, viendo los daños que reçibian los naturales y conquistadores, en que vnos la gozavan y otros la sustentaban y nunca se aprovechavan della, determinó de le requerir sobre ello, é sabido por el capitan, le enbió á dezir que no lo hiziese, porque le avia de ahorcar por ello, por lo qual el procurador determinó de callar, é sabido por los conquistadores, espeçialmente por Miguel de Rutre, le dixo que por qué no hazia lo que hera obligado á procurar por la tierra é conquistadores della, como lo avia prometido é jurado. Visto esto, é que no queria el procurador hazerlo, temyendose del capitan, el Miguel de Rutre le dixo: «yo se lo requiriré o le haré que lo haga o se desista»; lo qual, todo vino á notiçia del capitan Vergara, que veynte leguas de aqui estaba, y luego vino e venido, yendole á ver, como amigo que hera, el procurador, le mandó prender, é preso le tubo á buen recabdo. Sabido por Miguel de Rutre, fué á hablar con el capitan sobre el procurador é que no tenia culpa, é legando que llegó, lo prendió, é preso, aquella noche, les mandó dar garrote, sin confision, dado caso que la pidieron muy muchas vezes, é tenia clerigos dentro de su casa, diziendo que no avian menester confesarse.

Muertos Migel de Rutre y Camargo, vinieron de empadronar la tierra que, antes que los matasen, avian ydo á la enpadronar para la repartir, lo qual con poca ocasion que ovo, la dexó de repartir, pero por eso no dexó todavia de enbiar sus faravtes á traher todo lo que por ella hallavan, yndios y mugeres como antes lo avian hecho.

Todo esto pasado, determinó de hazer entrada, la qual hizo dexando mandando al contador Felipe de Caçeres contra la voluntad de los más del pueblo, por lo qual, el capitan Diego de Abrego, que, sienpre en el serviçio de V. M. se avia mostrado, que en los montes estava, viendo que muchos de su jente se salian, de cabsa de no ser perseguidos y desarmados, como todos sienpre lo an sido, despues que se prendió el governador Cabeça de Vaca, salió á los recojer, y teniendolos consigo en vn bosque, dió buelta el capitan Vergara, que aora manda por governador, del camino que llevaua, y dió sobre él llevando ochoçientas ánimas, antes más, de yndios naturales y de otros comarcanos y cristianos, que muchos llevaba por fuerça, so grabes penas que les ponia, y lo desbarató y prendieron tres cristianos, los quales luego mandó ahorcar y asi fueron ahorcados. Otros, que despues desto tamaron, los puso al pie de la horca, y por ruegos, los dexó; pero quebró la furya en les llevar todo lo que tenian, porque en costas y prinçipal, se yva todo; y asi mesmo ahorcó vn prinçipal desta tierra, por dezir que avia dado de comer al capitan Diego de Abrego é gente.

Hecho esto, determinó de proseguir su viaje, y ansi lo hizo, dexando mandando al contador, como antes dexava, al qual hizo jurar, so çierta pena que para ello puso, y mandó al contador esecutase sus vandos que avia echado, que los que con Diego de Abrego se avian hallado, á los quales o á los más destruyó, y no contento con esto, mandó dar su merced para matar al capitan Diego de Abrego, y hallandolo vna noche en vn bosque, malo de los ojos y solo, le dieron vna saetada por el coraçon, de la qual luego murió sin hablar palabra ni llamar á Dios.

Muerto el capitan Diego de Abrego, dió buelta del viaje que llevaba, por hallar la tierra despoblada, de cabsa que tomó otro camino del que avia de llevar, por yvitar que Garçi Rodriguez no pasase á los reynos del Peru, do pensaba yr á avisar á V. M. de lo suçedido en la tierra.

En esta buelta, de hanbre, frio y malos tratamientos, murieron dos mill yndios naturales desta tierra.

Buelto aqui, no olvidó su mala costunbre de chinchorrear y quitar las yndias de los yndios, ansi para él, como para dar á otros que con él avian ydo, no enbargante que, antes que partiese para la entrada, les avia dado muy grandes largas para que por la tierra anduviesen á robar, con titulo que hera servicio de V. M., lo que queria hazer en descubrir la tierra.

Despues de lo qual, queriendo otra vez hazer y efetuar su entrada, no ostante que antes avia muerto en la provincia del Parana mucha jente y ahorcado muchas viejas, de cabsa que heran escasas de dar sus hijas, y por esto los yndios alçaban todo quanto tenian y estaban en las casas solos, y por vellos estar sin mugeres les levantaban questaban alçados y de gerra é ansi los matavan é buscaban las yndias por los bosques, y otros, de miedo, las daban; y desta manera truxeron mucha cantidad dellas, con las quales daba algunos, para los prendar para, cada y quando fuese á la entrada, fuesen con él.

Pasado todo esto, vino nuebas cómo S. A. hazia governador desta provinçia al capitan Vergara, y sabido, dexó otra vez de efetuar la hentrada, y luego enbió al capitan Nuflo de Chaves con çierta gente en busca y demanda de Bartolome Justiniano, que hera el que traya las provisiones; el qual, yendo en la demanda que llevaba, la dexó é fué á dar en vnos yndios, porque tubo notiçia que nadie avia llegado á ellos, y tuvo bregas con ellos, é mató é prendió muchas mugeres é muchachos, las quales repartió entre todos los que con él llevava.

Estando el capitan Nuflo de Chaves ocupado en esto, vino el Bartolome Justiniano, y él legó á esta çibdad y dió las provisiones que traya, las quales presentó, é presentadas, le obedeçieron como S. A. lo mandaba por sus provisiones.

Despues de venidas las provisiones é obedeçido, mandó se enpadronase la tierra, é ydos anpadronar y traydos los padrones, la repartió entre sus amigos é baledores estranjeros é personas que nuevamente del Peru avian venido é de otras partes.

Puesta la tierra en este estado, determinó de yr otra vez al Parana, y en saliendo, llegó á esta çibdad el obispo y Martin de Vte, con çiertas provisiones de V. M., las quales se leyeron algunas dellas; y antes que el obispo llegase y la tierra se repartiese, no dexava de desollar los naturales de la tierra y quitalles sus hijas y mugeres, y no contento con esto, daba liçençias á los vezinos de San Viçente para que pudiesen sacar yndias desta tierra y llevallas á San Viçente, y asi llevaron muchas. Estas y otras cosas, ynvitisimo principe y señor, son las que en esta tierra an suçedido, mientras en esta tierra a faltado la justiçia de V. M., la qual ruego en mis sacrifiçios á Nuestro Señor ponga en coraçon de V. M. que sienpre nos la provea, para que, mediante ella, sirvamos á Dios Nuestro Señor y á V. M. Nuestro Señor la ynvitisima persona de V. M. guarde y en muy largos años acreçiente, como sus leales vasallos deseamos, para que sienpre nos tenga en paz é justiçia. Desta çibdad de la

Asunçion, á veynte é çinco de junio de mill y quinientos y çinquenta y seys años. (101)

Sacra Cesarea Catolica Real Magestad, el vmilde capellan de Vuestra Magestad que sus pies y manos Reales besa

Martin Gonzalez.

Sobre.—A la Sacra Cesarea Catolica Real Magestad del Enperador y Rey nuestro señor, o á los señores de su muy alto y poderoso Consejo de Yndias.—Va del Rio de la Plata.

CIV.

Carta de doña ISABEL DE GUEVARA á la princesa gobernadora doña JUANA, exponiendo los trabajos hechos en el descubrimiento y conquista del Rio de la Plata por las mugeres para ayudar á los hombres, y pidiendo repartimiento para su marido. ASUNCION, 2 de julio de 1556.

Muy alta y muy poderosa señora:

A esta probinçia del Rio de la Plata, con el primer gouernador della, don Pedro de Mendoça, avemos venido çiertas mugeres, entre las quales a querido mi ventura que fuese yo la vna; y como la armada llegase al puerto de Buenos Ayres, con mill é quinientos hombres, y les faltase el bastimento, fué tamaña la hambre, que, á cabo de tres meses, murieran los mill; esta hambre fué tamaña, que ni la de Xerusalen se le puede ygualar, ni con otra nenguna se puede conparar. Vinieron los hombres en tanta flaqueza, que todos los travajos cargavan de las pobres mugeres, ansi en lavarles las ropas, como en curarles, hazerles de comer lo poco que tenian, alimpiarlos, hazer sentinela, rondar los fuegos, armar las vallestas, quando algunas vezes los yndios les venien á dar guerra, hasta cometer á poner fuego en los versos, y á levantar los soldados, los questavan para hello, dar arma por el canpo á bozes, sargenteando y poniendo en orden los soldados; porque en este tienpo, como las mugeres nos sustentamos con poca comida, no aviamos caydo en tanta flaqueza como los hombres. Bien creerá V. A. que fué tanta la soliçitud que tuvieron, que, si no fuera por ellas, todos fueran acabados; y si no fuera por la honrra de los hombres, muchas más cosas escriviera con verdad y los diera á hellos por testigos. Esta relaçion bien creo que la escrivirán á V. A. más largamente, y por eso sesaré.

Pasada esta tan peligrosa turbunada, determinaron subir el rio arriba, asi, flacos como estavan y en entrada de ynvierno, en dos vergantines, los pocos que quedaron viuos, y las fatigadas mugeres los curavan y los miravan y les guisauan la comida, trayendo la leña á cuestas de fuera del navio, y animandolos con palabras varoniles, que no se dexasen morir, que presto darian en tierra de comida, metiendolos á cuestas en los vergantines, con tanto amor como si fueran sus propios hijos. Y como llegamos á vna generaçion de yndios que se llaman tinbues, señores de mucho pescado, de nuevo los serviamos en buscarles diversos modos de guisados, porque no les diese en rostro el pescado, á cabsa que lo comian sin pan y estavan muy flacos.

Despues, determinaron subir el Parana arriba, en demanda de bastimento, en el qual viaje, pasaron tanto trabajo las desdichadas mugeres, que milagrosamente quiso Dios que biviesen por ver que hen ellas estava la vida dellos; porque todos los serviçios del navio los tomavan hellas tan á pechos, que se tenia por afrentada la que menos hazia que otra, serviendo de marear la vela y gouernar el navio y sondar de proa y tomar el remo al soldado que no podia bogar y esgotar el navio, y poniendo por delante á los soldados que no desanimasen, que para los hombres heran los trabajos: verdad es, que á estas cosas hellas no heran apremiadas, ni las hazian de obligaçion ni las obligaua, si solamente la caridad. Ansi llegaron á esta çiudad de la Asunçion, que avnque agora está muy fertil de bastimentos, entonçes estaua dellos muy neçesitada, que fué nesesario que las mugeres boluiesen de nuevo á sus trabajos, haziendo rosas con sus propias manos, rosando y carpiendo y senbrando y recogendo el bastimento, sin ayuda de nadie, hasta tanto que los soldados guareçieron de sus flaquezas y començaron á señorear la tierra y alquerir yndios y yndias de su serviçio, hasta ponerse en el estado en que agora está la tierra.

E querido escrevir esto y traer á la memoria de V. A., para hazerle saber la yngratitud que comigo se a vsado en esta tierra, porque al presente se repartió por la mayor parte de los que ay en ella, ansi de los antiguos como de los modernos, sin que de mí y de mis trabajos se tuviese nenguna memoria, y me dexaron de fuera, sin me dar yndio ni nengun genero de serviçio. Mucho me quisiera hallar libre, para me yr á presentar delante de V. A., con los serviçios que á S. M. e hecho y los agravios que agora se me hazen; mas no está en mi mano, por questoy casada con vn cauallero de Sevilla, que se llama Pedro d'Esquiuel, que, por servir á S. M., a sido cabsa que mis trabajos quedasen tan oluidados y se me renovasen de nuevo, porque tres vezes le saqué el cuchillo de la garganta, como allá V. A. sabrá. A que suplico mande me sea dado mi repartimiento perpétuo, y en gratificaçion de mis serviçios mande que sea proveydo mi marido de algun cargo, conforme á la calidad de su persona; pues él, de su parte, por sus serviçios lo merese. Nuestro Señor acreçiente su Real vida y estado por mui largos años. Desta çibdad de la Asunçion y de jullio 2, 1556 años.

Serbidora de V. A. que sus Reales manos besa

Doña Ysabel de Guevara.

Sobre.—A la muy alta y muy poderosa señora la Princesa doña Joana, Gouernadora de los reynos d'España, etc. — En su Consejo de Yndias.

CV.

Carta de DOMINGO MARTINEZ *al Emperador Don* CÁRLOS, *suplicando le hiciera merced de poder traspasar á los hijos naturales que tenia, los yndios que por sus servicios se le habian repartido, sin que fuera privado de ellos al pretender hacerse clérigo.*—ASUNCION, *2 de julio de 1556.*

Sacra Cesarea Catholica Magestad:

CONSIDERANDO cómmo el padre se diga respecto de tener hijos y el señor respecto de tener criados y el Rey y prinçipe respecto de sus vasallos y servidores, porque ansi tiene el padre cuydado speçial de los hijos, el señor de sus criados, el prinçipe y Rey de sus vasallos, en proveer y remediar las cosas neçesarias y remunerar y gratificar á los que hazen en su serviçio lo que es justo y devido, conforme á sus serviçios y obediençia los gratifica é señala, asi en hazerles merçedes, commo en desfauoreçellos conforme á lo que bien o mal an sido obedientes y leales á su padre o señor o Rey; conforme á esto y teniendolo delante, tuue atrevimiento de representar á Vuestra Sacra Magestad en lo que en esta provinçia de mi parte e servido á Vuestra Catholica Magestad commo tan servidor y en tienpo de tan grandes neçesidades commo en esta provinçia se an ofreçido, commo á Vuestra Sacra Magestad será y es notorio. Lo primero, en la primera abitaçion de Buenos Ayres, siendo commo era venido d'España con Don Pedro de Mendoça, governador por Vuestra Catholica Magestad, y syendo vn pobre studiante que no sabia de ofiçio ninguno cosa alguna, vista la neçesidad que en aquel tienpo avia, hize anzuelos, de los primeros dos que lo hizieron: de lo qual hasta el dia de oy a redundado y redunda mucho provecho, porque sin ellos no se podria pasar por la contrataçion de los yndios y las pesquerias, quanto más en aquel tienpo, que no viviamos de otra cosa. Despues, venidos á esta çibdad de Nuestra Señora de la Asumption, los hize, y dexando esto, hize asimesmo peynes, en tienpo que para peynarse la barba no alcançauan los hombres vn peyne, de lo qual asimesmo ay agora muchos que los hazen, y son necesarios para la tierra. Despues desto, hize cuchillos de rescate, amolados y encabados al modo de los que traen de Flandes, para el contrato de los indios, en que no se a perdido nada, antes aprovechado muncho. Allende desto, aviendo gran necesidad de anzuelos pequeños, del grueso de alfileres gordos, y menores, y siendo muy grande el travajo de los tirar al martillo, por ser menester gran cantidad dellos, nunca aviendo visto hileras ni commo se tirava, hize vn aparejo, con el ayuda de Dios, que para todo da fauor á los que se quieren disponer á alguna cosa de virtud; lo qual, asimesmo, a sido muy provechoso y es, y ay muchos ya que lo haz y todo es menester, porque de aqui se saca lo que es neçesario para otras partes. Asimesmo e hecho fuelles como de platero, que an sido menester; ansimesmo cuchillos de cortar, y tijeras para las mugeres y mestizas; que, vendito Dios, ay en cantidad; agujas de coser y de labrar, asi para los ofiçiales commo para las mujeres y mestizas, en cantidad; e fecho almaradas para alpargates y agujas, y lo ques más, dagas, que an sido necesarias y son, porque a avido muchos que se an visto con los yndios en travajo, y á no tener vna daga, hazen dellos los yndios lo que quieren y afrontan: estas an sido, al dicho de todos, tan buenas y ávn mejores que las que de los reynos d'España vienen algunas; y otras cosas, que se hazen de menudençias, que contallas seria muy largo. Allende desto y el remate hasta agora, plantandose cañas dulçes para açucar y no aviendo con qué esprimir que aprovechase, porque esprimian con vnas alçaprimas, y por lo menos, se perdia la cuarta parte, segun despues se sprimentó, que hize vn husillo, el primero que se hizo, y despues hize otros mejores, de que asimesmo a sido muncho provecho en la tierra y es; y quiriendo hazer vna rueda, commo la tengo hecha, de madera, grande y muy pesada, para moler la caña, de lo qual ay muy gran neçesidad, porque se muele á braços, al modo y manera de commo se muele en Motril y como se muele el azeytuna y el çumaque, y porque no sé lo que aprovechará hasta que la prueve, no digo más. Y porque en esto me pareçe que specialmente e hecho serviçio á Vuestra Sacra Catholica Magestad, allende de los travajos comunes y generales serviçios que yo e servido en esta conquista commo vno de los demas, con mi persona y armas, á mi costa y mision, sin aver sido reservado de ningun travajo que se aya ofreçido, teniendo respecto á que yo aya hecho alguna cosa de lo que arriva tengo dicho, por lo qual doy muchas y infinitas graçias á Nuestro Señor Jesuchristo, que a sido servido de me dar graçia y habilidad para que con ello se sirviese, haziendo provecho al proximo y á Vuestra Catholica Magestad serviçio. Y pareçiendo á Vuestra Sacra Magestad que lo que arriva tengo dicho, que en alguna manera se puedan dezir serviçios meritorios de algun galardon, y speçialmente por aver sido en tienpo de gran neçesidad, á Vuestra Catholica Magestad suplico, commo humillde vasallo y servidor que me tengo y soy, que Vuestra Sacra Magestad tenga por bien de me hazer merçed y graçia de vnos yndios quel governador Domingo de Yrala, en nombre de Vuestra Catholica Magestad, me a dado y encomendado, para que me sirvan commo á los demas, que Vuestra Sacra Magestad tenga por bien que sean para mis hijos naturales, y si no obiere lugar, por no ser ligitimos, y porque no venga la tierra en poder de mestizos y naturales, por las razones que á Vuestra Sacra Magestad le constan, sea para que se puedan traspasar y encabeçonar en vn christiano que quiera casar coñ alguna de las hijas que en esta tierra tengo; porque desta manera, me pareçe que avrá lugar á quitar muchos ynconvinientes, porque este terná cargo de su muger y de todos los demas hermanos o hermanas, y ansi no avrá lugar á lo que aqui nos quentan los que saben de la Nueva España y los reynos del Peru, que andan las mestizas en poder de los yndios, sin ser conoçidas ni poderse recoger, lo qual es muy gran daño, porque, no solamente es daño de andar perdidas en lo que toca al cuerpo, que poco haze al caso, syno se perdiesen en el ánima, por contratar, commo contratan, con bestias y fuera de toda razon y buen exenplo, y desordenados en sus viçios, sin correçion alguna; de manera, que an de hazer commo ellos, y no biben commo christianos, ny mueren conoçiendo á Dios. Lo qual es para muy gran dolor de quien a sido servidor de Vuestra Catholica Magestad tanto tienpo, sin aver avido cosa ninguna de que se pudiese aprovechar y remediar sus necesidades y proveer á sus hijos commo queden entre catolicos, y sean dotrinados, avnque sea por fuerça, porque en estas partes no se duelen del que nada no tiene; pues, duelase Vuestra Sacra Catholica Cesarea Magestad de vna cosa que tanto va en ello, y que tanto costó al Criador del mundo, pues reçibió muerte por nos salvar; no parezca ingratitud, pues dexó su exenplo en la tierra. Mire Vuestra Sacra Magestad, que es cosa de gran conpasion y dolor que el padre aya servido veinte y tantos años, sin aver sido remunerado en ninguna cosa, ni en la tierra lo aya avido, y que agora, muriendo, sus hijos sepa que an de yr en poder de indios y de tan poca razon commo estos, porque ellos, ávn de comer no hazen para sí, si no fuese con el ayuda de los christianos, que les dan sus herramientas, con que hazen de comer, no lo tienen sino muy tasadamente, y ansi, mueren como bestias los que están apartados de la conversaçion de los christianos que no los pueden socorrer. Ellos, avnque vean el padre al hijo y el hijo al padre para morir, con ponerle vn poco de agua en vn calabaço y vn poco de harina en otro, y haziendole vn poco de fuego, que es lo que más hazen por él, cunplen á mucho querer. Pues, en los viçios y maldades, son tan continos y tan comunes entre ellos, que casi no se puede dezir, porque en qualquier correçion que se les haze, la voluntad solamente muestran, pero la obra viene tarde o nunca, porque son tan credulos entrellos que, con aver tanto tienpo que algunos dellos son bautizados y vienen aqui á misa cada dia de fiesta, sy vna vieja o yndio, el más malaventurado entre ellos, se levanta y dize que es Dios, o que no son bautizados si él no los batiza, luego la tierra se despuebla toda por yr á él á se tornar á batizar, o á oyr su palabra commo Dios. Y ansi a aconteçido, pocos dias a, que fué menester hazer justiçia de algunos dellos, y luego çesa la cosa, pues las indias que están entre nosotros diez y ocho años a, son de mucha razon y cuenta para que el christiano se confie en algo o descuyde con ellas, commo Vuestra Catholica Magestad sabrá, que avn vna honça de algodon no se les puede fiar, sino por peso, para que lo hilen, porque lo an de quemar, o esconder, o dar; que su gloria no es syno echar á perder á los christianos, y destruyr cuanto ay, syn más cuenta ni razon, de que, si les preguntan por ello, y dizen ellas *erua*, que es como quien dize no sé, y sacarlas de alli, avnque lo sepan, despues que dizen no, avnque las desuellen, es por demas; de manera, que, si an de yr á escardar, es menester que vayan con ellas, y si algo a de aver, que sea con llave, y si an de hilar, que sea por peso al dar y al reçebir; y el provecho al cabo del año es tal, que no ay, del governador hasta el menor, ninguno que pueda mantener ni salariar vn criado que ande en su hazienda, syno que él a de andar sy se a de sustentar: la misma razon es dellos, si lo dexan á su arbitrio. Los bastimentos, avnque lo ay todo el año en el canpo, es menester tener vigilançia de senbrar sienpre, porque el mayz se come de gorgojo en tres meses y á mucho, á medio año, y si alguna vez llega á vn año, es mucho, y ansy aconteçe que, sy falta vna vez lo que se sienbra, luego ay neçesidad. Destas cosas ay tanto que dezir, que es nunca acabar; y sino, por las veneras, se sacarán las romerias de la riqueza que se a sacado, y si de aqui no se a ydo á buscar, no ponga Vuestra Sacra Magestad la culpa á la obediençia y muy humilde sujeçion de los pobres conpañeros que no la tienen, que, á lo que quieren los que mandan, luego los hallan sus cabeças baxas, humilldes para todo aquello que les es mandado en nonbre de Vuestra Catholica Magestad. Sepa Vuestra Catholica Magestad que yo soy honbre de çinquenta años, antes menos que no más, y tengo voluntad y querria recojerme esto poco de vida que tengo en serviçio de Dios, y tengo neçesidad del socorro de Vuestra Catholica Magestad en lo que dicho tengo, porque yo me quiero hazer clerigo; pues Dios por su clemençia a sido servido que viniese á esta tierra, por mano de Vuestra Sacra Magestad, obispo para hordenar, en esto será Dios servido que pueda servir á Vuestra Catholica Magestad mejor que syendo lego. En todo tengo neçesidad de favor y ayuda, pues la tierra es tan miserable, que no puede más ser, y siendo encomendado por Vuestra Sacra Magestad, seré fauoreçido para mis neçesidades con alguna limosna de la yglesya, abiendo en mí sufiçiençia. Pareçiome no pasar por alto vn escandalo que a avido en esta tierra y salió de vna provision de Vuestra Catholica Magestad, en que manda que los ofiçiales cobren los diezmos conforme segun y de la manera que se cobran en la India spañola, Cuba, Jamayca y Santo Domingo; en que pareçió á todos y á los clerigos que Vuestra Catholica Magestad haze diferençia en el pagar á cómmo se paga en los reynos d'Epaña, de que, venido el obispo é perlado, no aviendose pagado commo en los reynos d'Epaña, a descomulgado y muerto candelas y echado todas çensuras, de que a abido muy gran scandalo, en que se a tenido por no muy bien hecho, pues no se trae declaraçion, commo Vuestra Catholica Magestad lo manda en alguna de las provisiones, que se tome la declaraçion en la Casa de la Contrataçion. Vuestra Catholica Magestad lo provea commo el hierro que se a hecho hasta aqui se enmiende, de manera que se cunpla la voluntad de Vuestra Catholica Magestad, ansi de nuestra parte, commo de parte de quien los a de aver; que de los indios no avemos nada, syno loque en nuestras casas hazemos y roças, que no contribuyen con nada, ni tienen con qué los indios, por faltarles la razon de bibir commo les falta. En todo provea vuestra Sacra Magestad lo que fuere seruido.

Y porque agora, quiriendome hordenar, commo tengo voluntad, me quieren quitar los indios que se me an encomendado, si soy clerigo, vea Vuestra Sacra Magestad quanta razon será que, á cabo de veinte años que se me dan hasta sesenta yndios, pocos más o menos, que vn dia ni más, despues que tomé la posesion, no me an servido, se me quiten. Y dizen que Vuestra Sacra Magestad no quiere que los clerigos los ayan ni tengan; á mí no me los an dado ni encomendado commo avidos en tienpo de ser clerigo, syno commo á conquistador, commo arriba á Vuestra Catholica Magestad e traydo á la memoria, á Vuestra Catholica Magestad suplico, no haya lugar en mis dias este agravio, que seria no pagarme parte de mis travajos, syno que se me haga esta merçed por Vuestra Sacra Magestad, commo arriba e suplicado á

Vuestra Magestad ya. En todo Vuestra Sacra Magestad provea commo sus vasallos leales y servidores sean remunerados en algo; avnque no sea commo Vuestra Catholica Magestad querrá y desea, sea á lo menos conforme al tienpo, tierra y sazon, con que Nuestro Señor se syrva y Vuestra Sacra Magestad. No tengo más qué á Vuestra Catholica Magestad suplicar, saluo que no ay desta tierra cosa alguna que se pueda dar ni enbiar á quien lo aya de soliçitar, sino que, viendo ser justo y razonable lo por mi suplicaçion pedido á Vuestra Catholica Magestad, commo en cosa de pobres, se haga la merçed y graçia, y con tal confiança, aya lugar mi atrevida y justa petiçion. Ansi quedo suplicando á Dios Nuestro Señor guarde y prorrogue los dias á Vuestra Sacra Catholica Cesarea Magestad, commo por mí y sus leales vasallos y servidores es deseado. De Nuestra Señora de la Asumption, á dos dias del mes de julio, año de 1556 años.

Esto digo, por ser verdad commo es, y á los que allá van me remito, porque no sean testigos muertos. No soy mas retorico ni elegante en mi screvir de lo que Vuestra Sacra Magestad vee y oye.

Humillde y leal vasallo y seruidor de Vuestra Catholica Cesarea Magestad

Domingo Martinez.

Sin sobre.

CVI.

Carta de Ruy Diaz Melgarejo al Emperador Don Carlos, informándole de los agravios hechos despues de la prision del gobernador Alvar Nuñez Cabeza de Vaca, y pidiendo que á él y á sus compañeros se les dé con qué sustentarse en la Guayra, donde han sido enviados á poblar.—Asuncion, 4 de julio de 1556.

Sacra Çesarea Catholica Real Magestad:

Mucho tienpo a que e deseado ante V. M. presentarme, para que me conosçiese y particularmente de mí se sirbiese: el vnico y solo señor quen esta vida e seruido es V. M., á quien, en mi mosçedad, en Ytalia en la guerra serui seys años, en todo sienpre procurando de ymitar á mis pasados. Vine á esta prouinçia del Rio de la Plata con el governador Cabeça de Baca, abrá diez y seys años, y vn mi hermano, donde anbos á dos emos á V. M. seruido en todo lo que se a ofreçido. Preso Cabeça de Baca, yo fuy preso tanbien, porque la noche que le prendieron luego acudí con mis armas á la posada del capitan de su guarda, que nunca me oyó: en continente, conmençando á dar muestras de mi voluntad, que hera de librarlo, por lo qual tanbien me redearguyeron de amotinador, y ávn yzieron pesquisa entre algunos soldados que avian estado en Ytalia, que me conosçian, de sy bieron o oyeron que yo en algun motin en la guerra me obiese allado, do fué á todos notorio su mala yntençion; mas de esto yo estaba satisfecho y muy seguro que por aquella via azer mal no me podian, porque yo nunca supe, ni sé, ni espero que sabré, sino ser asta la muerte fiel y leal seruidor á V. M. Escreuir lo que entonçes pasé y despues e padesçido, con otros algunos quel seruiçio de V. M. sienpre an procurado, seria vn proçeso muy largo. A me guardado Dios por muchas bezes, en dibersos tienpos y por barias cosas, sin salir todo de vn mesmo negoçio: vnas bezes, guareçiendome en casas secretas, en escondido otras; en los bosques espesos metido, siete años andube en conpañia de vn caballero de Seuilla, de mi natural devdo, vezino y amigo, capitan de Cabeça de Baca, durante el qual tienpo sienpre nos buscaban y muchos rebatos daban y ávn muchos bandos echaban, que nadie de comer, ropa, ni armas nos diese, ni en su casa recojiese. Paró este destierro y peregrinaje, despues de muchos trabajos, peligro, anbre y desnudez, y muchas bezes avernos preso y á mí sacado de la yglesia, en que á mí me desterraron, puesto en vnos grillos, el rio arriba, y al probe capitan en vn bosque, durmiendo, con vn arpon mataron; apartandonos desta manera al vno, quitandole la vida, y á mí de toda la conquista. Y asi, me puse en camino la buelta de San Biçente, puerto de portugueses, con otros probes perseguidos que conmigo se juntaron, y quando esperé pasar entre los yndios, como estaban lastimados de quien los avia robado, vna noche dieron sobre nosotros en su mesma casa, y la casa quemaron y á todos flecharon y á vno luego mataron, y encontinente pedaços le yzieron, y asado y cozydo, le comieron. Llegué á Sant Viçente, con voluntad de pasar en España á dar cuenta á V. M. de los ynsultos, robos, omeçidios, alteraçiones y desensiones desta prouinçia, que luego suçedieron despues que echaron la justiçia de ella, tan á costa de los probes yndios, que es muy çierto que faltan desde entonçes más de çinquenta mill, y esos que ay, la mayor parte biben uidos, por lo menos muertos de anbre, sin mugeres ni hijas, que todas se las an saqueado; y por esta cavsa, los tristes, muchos an sus casas y la tierra desanparado y en los bosques sean abezindado. No fué mi dicha de que yo fuese con la relaçion desta persecuçion, sino quien en esto no abló, o la verdad calló. Visto que los portugueses no me dexaron enbarcar, vbeme á esta çibdad de tornar, donde allé, ya ligitimo governador, al que de todo fué cavsador, y ansi luego le obedeçí y como á echura de V. M. le seruí, y me le ofreçí al despachar del nabio, que partió desta conquista, á bueltas de la entrada que luego se publicó. El governador me mandó que, con çiertos mis amigos, á poblar fuese á vn asiento que llaman Guayra, junto al rio que llaman el Parana, la buelta del Piquiri: yo lo açeté, por pareçerme que siruia muy mucho á V. M., y que á mis amigos, que son los probes que sienpre á V. M. lealmente an seruido, les sacaba de catiberio y de debaxo de la lança de quien a tantos años que nos la tiene puesta á los pechos; porque, asta en el repartimiento que yzo desta tierra, á ninguno dellos yndio dió. En cuyo nonbre, y en el mio, vmillmente á V. M. suplico y pido quen este asiento de Guayra, donde emos de estar, o en otra parte desta conquista, sea seruido de mandar que nos dén con qué podamos de nuestros trabajos algun tanto descansar, sin que nadie nos lo pueda quitar. Del obispo desta tierra, lo que escrivo á V. M., es que su benida más fué para atizar la fragua, que para echarle agua: todo lo bueno a reprobado, y con todos los malos que algo tienen se a abrasçado; no sé dónde piensa subir, que él luego predicó en el altar la entrada, y que asta las Amazonas a de yr y descubrir. A se con todos tan mal regido, que todo el pueblo, por ver sus codiçias, le tiene aborreçido. Plega á Dios que Dios lo remedie y V. M. lo probea, que gran nesçesidad tenemos de ser socorridos y de otros cavdillos probeydos: en cuya esperança, todos los probes quedamos suplicando á Dios Nuestro Señor que á V. M. alargue la vida y al Príncipe, nuestro señor, y aga vnico enperador de todo el vniverso. Desta çibdad de la Asunçion, quatro de julio de mill y quinientos y çinquenta y seys.

De vuestra Sacra Çesarea Catholica Real Magestad, vmillde sudito y muy vmillde basallo

Ruy Dias Melgarejo.

Sobre.—A la Sacra Çesarea Catholica Real Magestad del ynbitisimo Enperador y Rey nuestro señor.—Dése en Sevilla, en la Contrataçion.—Va del Rio de la Plata.

CVII.

Carta de MARTIN GONZALEZ, clérigo, al consejo de Indias, dando cuenta del levantamiento de ciertos indios, con un niño que decian ser hijo de Dios.—ASUNCION, 5 de julio de 1556.

Muy poderosos señores:

DESPUES de aver escrito dos cartas, que á S. M. y V. A. escrivo, de las cosas desta provinçia, tenemos nueva que entre los yndios se a levantado vno, con vn niño que dize ser Dios o hijo de Dios, y que tornan con esta invençion á sus cantares pasados, á que son ynclinados de su naturaleza: por los quales cantares, tenemos notiçia que en tienpos pasados, munchas vezes se perdieron, porque entretanto que dura, ni sienbran ni paran en sus casas, sino, como locos, de noche y de dia en otra cosa no entienden, sino en cantar y baylar, hasta que mueren de hanbre y cansançio, sin que quede honbre ni muger, niño ni viejo, y ansi pierden los tristes la vida y el ánima. A sido en lo de presente la causa, segun las lenguas dizen y todos lo vemos, nuestro obispo (102), porque á mí propio an dicho yndios prinçipales, no a munchos dias, que fué quando echó á sus hijos de la dotrina, «pues que no queria el obispo que sus hijos aprendiesen las cosas de Dios, quellos aprenderian las cosas del diablo»; movidos á esto del mismo enemigo y de las cosas que an visto y cada dia ven en el obispo, que esperavan que les avia de salvar vida y ánima, mugeres, hijas y hazienda, como yo se lo tenia dicho. Visto que todo les a salido al rebes, como dello á

S. M. y V. A. tengo dada cuenta en las dos mis cartas fechas á tres deste: conozco, por lo que conozco de los yndios y entiendo de su condiçion, que si Dios no lo remedia, y V. A. no lo provê, que de esta hecha la tierra se a de levantar de hecho, porque quien los avia de apaçiguar, antes los a de enpeorar, segun a començado y las muestras a dado de su condiçion. Y desto y de lo demas que tengo escrito, en cunplimiento de lo que devo como christiano y saçerdote, V. A. se podrá ynformar, no aseñalo de vno más que de otro, sino de quantos allá van, mandandoles con juramento que digan la verdad de lo que saben de todo lo que escrivo y e escrito, porque aqui yo no pretendo sino avisar á S. M. y á V. A., segun caridad y conpasion que tengo de estos proves yndios, de sus ánimas y de nuestras vidas; para que por mano de V. A. lo vno y otro se remedie. Dios Nuestro Señor el soberano estado de V. A., con gran triunfo de S. M. Dios Nuestro Señor por muy largos tienpos prospere. Desta cibdad, oy lunes se [*ys*] dias de julio, año de quinientos y çinquenta y seis.

De vuestra alteza vmilde servidor y muy obidiente capellan

Martin Gonzalez.

Sobre.—A los muy poderosos señores presidente y Consejo de Yndias del Enperador y Rey nuestro señor.—Va del Rio de la Plata.

S. M. y V. A. tengo dada cuenta en las dos mis cartas fechas a tres desto presente, por lo que conozco de los yndios y entiendo de su condiçion, que si Dios no lo remedia, o V. A. [illegible] que de esta hecha la tierra se a de levantar de hecho, porque quien los avia de apaciguar, antes los a de empeorar, segun a començado y las muestras a dado de su condiçion. Y desto y de lo demas que tengo escrito, en cumplimiento de lo que devo como christiano y saçerdote, V. A. se podra ynformar, no asi solo de voz mas que de otro, sino de quantos alla van, mandandoles con juramento que digan la verdad de lo que saben de todo lo que escrivo y e escrito, porque ansi yo no pretendo sino avisar a S. M. y a V. A., segun caridad y compasion que tengo de estos proves yndios, de sus animas y de nuestras vidas; para que por mano de V. A. lo vno y otro se remedie. Dios Nuestro Señor el supremo estado de V. A., con gran triunfo de S. M. Dios Nuestro Señor por muy largos tiempos prospere. Desta cibdad, oy lunes xe [illegible] dias de julio, año de quinientos y çinquenta y seis.

De vuestra alteza vmilde servidor y muy obidiente capellan

Martin Gonzalez.

Sobre.—A los muy poderosos señores presidente y Consejo de Yndias del Emperador y Rey nuestro señor.—Va del Rio de la Plata.

ISLAS FILIPINAS.

EL OBISPO

FRAY DOMINGO SALAZAR.

FRAY DOMINGO SALAZAR.

CVIII.

Carta de peticion del obispo de Manila al presidente del Consejo de las Indias, dando cuenta del estado y necesidades religiosas de las islas Filipinas. — Diciembre, 1585.

Muy poderoso Señor:

EL Obispo de las Philipinas digo: Que á V. A. consta y es notorio que la mayor parte de los naturales destas yslas están por conuertir, y muchos de los conuertidos están sin doctrina, por no auer quien se la dé, y en las partes donde ay ministros, por ser pocos é los naturales muchos, no les dan bastante doctrina; y a venido á mi notyçia que en vna carta que el cauildo escriuió desta çiudad de Manilla el año passado á V. A., auia vna clausula en que dan notiçia á V. A. de las partes y lugares que en estas yslas ay doctrina, y en las que no la ay, y que tantos ministros serán menester para que la puedan dar á los naturales dellas; y esta carta se perdió con las demas que el dicho año yban en el nauio *Sancta Ana;* y al descargo de vuestra Real conçiencia y de la mia y al bien de los dichos naturales, conbiene que se dé orden cómo los que se an conuertido, tengan ministros que los enseñen y sustenten en la christiandad, pues es cosa notoria que, luego que les faltan ministros, se bueluen á sus ritos é ydolatrias, y en algunas partes a muchos años que les faltan ministros, y en otras de poco acá, por auerlos dexado los religiosos que los tenian á cargo, como á V. A. consta por la notiçia que muchas vezes en esta Audiençia, á V. A. e dado y me ofrezco á dar dello bastante ynformaçion, si V. A. fuere seruido; y tanbien es neçesario que á los naturales que están por conuertir, se les den ministros que les enseñen y traten de su conuersion, pues están ya todos debaxo del dominio de V. A., é pagan tributo, como si fueran christianos y tubieran doctrina, y sino vienen de España ministros, no es possible remediarse estos daños, ni suplir la falta grande que ay de doctrina. E para que desto á V. A. conste, y sea seruido mandarlo proueher é remediar, segun la grande necesidad que en estas yslas ay de doctrina, lo pide, é para que con mas çertidumbre conste á V. A. la dicha neçesidad, conuiene que la clausula de la dicha carta vaya á vuestras Reales manos.

A V. A. pido y supplico mande al escriuano del cauildo desta dicha çiudad, saque del libro del cauildo vn testimonio, dos o más de la dicha clausula, autorizada en pública forma, para acudir con él á vuestra Real persona, para lo qual, etc.

El Obispo de las Philippinas.

En Manilla, á tres dias del mes de junio de mill é quinientos é ochenta y ocho años, estando en audiençia pública los señores Presidente y Oydores de la Audiençia Real destas yslas Philipinas, se leyó esta petiçion, y por los dichos Señores bista, dixeron que se le dé como lo pide.—Juan de la Paraya.

En cumplimiento de lo qual, yo, Simon Lopez, escriuano del Rey nuestro señor é del cauildo desta ynsigne é siempre leal çiudad de Manilla, de los libros y papeles del cauildo que en mi poder están, hize sacar vn treslado de la relaçion que en esta relaçion se haze minsion, que es del thenor siguiente:

RELAÇION DE LOS NATURALES QUE AL PRESENTE AY EN ESTAS YSLAS DEL PONIENTE, PAÇIFICOS Y DE QUIEN SE COBRA TRIBUTO, ANSI LOS QUE ESTAN EN CABEZA DE SU MAGESTAD, COMO ENCOMENDADOS, Y DE LOS RELIGIOSOS Y DOCTRINA QUE AY EN ELLOS, É DE LA CANTIDAD DE BEZINOS ESPAÑOLES, ANSI EN ESTA CIUDAD DE MANILLA COMO EN LAS POBLAÇIONES DE FUERA DELLA Y DE LOS MINISTROS QUE SON NEÇESARIOS.

Manilla.

Esta çiudad de Manilla está fundada en la ysla de Luzon, que es muy fertil y poblada; é fuera del sitio della, çinco leguas al derredor, ay poblados siete mill y quinientos yndios, los quatro mill de S. M. é los tres mill é quinientos de encomiendas, en quatro encomenderos. Ay ocho frailes de Sant Agustin en quatro casas, y dos de Sant Françisco en otra, que el vno dellos es lego, y todos los demas saçerdotes. Son neçesarios, para que tengan la doctrina bastante en ellos, otros çinco.

Tiene esta çiudad ochenta vezinos, y en ella está la catedral y casa del obispo, con los prebendados, que son de un arçidiano, maese escuela y dos canonigos é treze clerigos saçerdotes y algunos hordenantes.

El monesterio de Sant Agustin, que de hordinario tiene siete o ocho religiosos, cuatro saçerdotes y los tres hermanos y hordenantes.

El monesterio de Sant Françisco, que de hordinario tiene quatro saçerdotes y otros honçe o doze professos é nouiçios.

De la conpañia de Jesus, el padre rector y otros dos padres y otros dos hermanos.

Vn hospital Real de españoles y otro en Sant Françisco de los yndios.

Ay, hordinariamente, duçientos soldados en esta çiudad, acoxidos entre los vezinos é por las casas de los yndios comarcanos á ellas, muy pobres, que se sustentan de limosnas, é lo mesmo se sustentan los de los monesterios y hospitales, avnque se dan cuatroçientos pesos de la caxa para el sustento de cuatro religiosos de Sant Agustin, cada año, y duçientas hanegas de arroz; y el hospital Real tiene vna encomienda, que vale seysçientos, o seteçientos pesos.

Ay en la çiudad çinquenta españoles casados con españolas, y algunos otros con yndias naturales, é quinçe viudas españolas y ocho o diez donçellas y otras que son muy niñas.

El Presidente y tres Oydores é vn fiscal, alguaçil mayor, dos secretarios, vno de la Audiençia y otro de gouernaçion, y portero y respotero, dos relatores, procurador del fisco, quatro procuradores y otros tantos naguatatos, otros quatro receptores, dos alguaçiles de corte, alcayde de la carçel, los ofiçiales de la Real Audiençia y el executor, procurador della y escriuano.

El regimiento de la çiudad, con dos alcaldes hordinarios, alguaçil mayor, doçe regidores, porteros, seys escriuanos publicos, dos procuradores, depositario general, chançiller é registro, hobrero mayor de las obras de S. M., dos alguaçiles de la çiudad y otro de bagamundos.

Ay treynta capitanes, é solos quatro tienen conpañia en esta çiudad.

Todo lo dicho se ençierra en los dichos ochenta vezinos desta çiudad, fuera de las yglesias, hospitales é monesterios. Dentro desta çiudad está el alcayzeria de los mercaderes sangleyes, con çiento y çinquenta tiendas, en que puede auer seysçientos sangleyes hordinariamente, sin otros çiento que están poblados de la otra banda del rio desta çiudad, cassados y muchos dellos christianos, é sin los dichos, más de otros treçientos pescadores, hortelanos, cazadores, texeros y ladrilleros, caleros y carpinteros y herreros, que estos viuen fuera de la alcayzeria, y de la çiudad por la ribera de la mar y del rio della; y dentro del alcayzeria ay muchos sastres, çapateros, panaderos, carpinteros, candeleros, pasteleros, boticarios, pintores, plateros y de otros offiçios.

En la plaça de la çiudad ay mercado público cada dia, de cosas de comer, como son gallinas, puercos, patos, caça de benados, puercos de monte y bufanos, pescado, leña, pan y otros bastimentos y hortaliza, y muchas mercaderias de China y que se venden por las calles.

Vienen de China cada año, hordinariamente, de veynte nauios de mercadurias para arriba, que cada nauio trae, quando menos, çien honbres, que tratan desde nouiembre hasta mayo, que en estos siete meses vienen, están y se parten para su tierra. Traen duçientos mill pesos de mercadurias para arriba, sin más de diez mill en bastimentos, en arina, açucar, vizcocho, manteca, naranjas, nuezes, castañas, piñones, higos, ziruelas, granadas, peras y otras fructas, toçinos, jamones; y esto, en tanta abundançia, que todo el año ay sustento dello para la çiudad y para fuera, de que se prouehen las armadas é flotas, é traen muchos cauallos y vacas, de que se va basteziendo la tierra. De dos años á esta parte, vienen nauios de particulares del Japon, Macaon, Çian y otras partes, con mercadurias, á tratar á esta çiudad, de que los vnos y los otros se van afiçionando á nuestra amistad é trato, y se van conuertiendo muchos de las dichas naçiones.

Y desta tierra lleuan para la suya reales, oro, çera, algodon y palo para tintas é caracoles menudos, que es como moneda en su tierra y de mucho prouecho para otras cosas y los estiman en mucho, y lo que ellos traen, es seda en seda labrada é rasos, damascos negros é de colores, brocateles y otras telas, de que ya es muy comun la notiçia, y mucha ropa de algodon, blanca y negra, é los dichos bastimentos.

Fuera desta çiudad, en las poblaçiones que se an dicho de las çinco leguas al derredor, ay en esta misma ysla de Luzon siete provinçias de mucha poblaçion, que son la Panpanga, Pangasinan, Ylocos, Cagayan, Camarines, la Laguna, Bonbon y Balayan; en las quales ay tres poblaçiones de españoles, que son Camarines, Ylocos, Cagayan, y tienen los tributarios y encomiendas siguientes:

La prouinçia de Panpanga.

La provinçia de Panpanga tiene veynte y dos mill tributarios, los siete mill tiene S. M., é qüinçe mill están repartidos en honçe encomiendas. Ay oçho casas de religiosos de Sant Agustin y una de Sant Françisco, en que ay diez y seys saçerdotes agustinos y vn françisco; y en otra cassa vn dominico conpañero del obispo, que por todos son diez y ocho sacerdotes. Y es neçesario, para que aya la doctrina bastante en esta prouinçia, otros veinte y seys saçerdotes, porque, quando menos, mill tributarios tienen quatro mill personas, é son neçesarios para ellos dos religiosos; y á este respecto en todas las yslas, en lo qual se crehe abrá mucho augmento de gente y doctrina. Ay vn alcalde mayor en esta prouinçia, y son menester dos corregidores.

Está esta prouincia en quinçe leguas del contorno y otras tantas desta çiudad, lo más lexos.

Y entre esta prouinçia dicha y la de Pangasinan que se sigue, ay tres mill yndios, que están en dos encomiendas, que son çanbales, muchos dellos paçificos, y de la misma generaçion ay más de otros tres mill serranos brauos y por paçificar, y an de estar á veynte y çinco y treynta leguas desta çiudad, y no ay caudal para enbiar veynte soldados á los paçificar. Está toda esta poblaçion sin doctrina. Serán neçesarios seys ministros.

La prouinçia de Pangassinan.

La prouinçia de Pangassinan tiene çinco mill tributarios, paçificos y sin doctrina; está quarenta leguas desta çiudad, por mar é por tierra; tiene S. M. mill y quinientos tributarios en ella, é lo demás tienen çinco encomenderos: ay vn alcalde mayor. Son neçesarios diez religiosos.

La prouinçia de Ylocos.

Çinco leguas adelantre de Pangasinan, por tierra o por mar, comiença la prouinçia de Ylocos, que está poblada dentro de quarenta leguas. Tiene veynte y siete mill tributarios: tiene el Rey los seys mill, é los veynte é vn mill, en catorze encomiendas; é tres religiosos de Sanct Agustin en dos cassas o partidos, y dos clerigos en otras dos; son menester otros çinquenta: y ay mucha gente serrana, que no reconoçe amo. Ay vn alcalde mayor é vezindad de villa.

La prouinçia de Cagayan.

En la prouinçia de Cagayan ay muchos rios y esteros, y en el rio prinçipal, que se llama Taxo, está fundada la çiudad de la Nueua Segouia, dos leguas la tierra adentro; é tiene esta çiudad quarenta vezinos encomenderos, y ay vn monesterio de Sanct Agustin, con dos saçerdotes, vn alcalde mayor, dos alcaldes hordinarios, vn alguaçil mayor, regidores seys, que es el cauildo, vn hospital del Rey, que tiene de renta de lo que alli cobra S. M. Ay vn fuerte con siete piezas gruesas y otras tantas pequeñas, como versos y falcones, y algunos mosquetes y arcabuzes y picas y cotas, que son las armas que se vsan en esta tierra: tiene este fuerte para sus reparos los tributos de vn pueblo, que valdrán çien pesos: tiene su alcayde. Estos quarenta vezinos, sustentan otros quarenta soldados, los quales acuden á pazificar é conquistar é cobrar las encomiendas: los diez destos vezinos son casados, los demas solteros. En los treynta y tres destos vezinos están encomendados, en el rio prinçipal de Taxo y los demas comarcanos, veynte y seys mill yndios; destos están paçificos y se cobran, siete mill hombres. Tiene S. M. en este rio y comarca mill y seteçientos tributos, y dellos cobra, paçificos, mill. Este rio de Taxo es muy ancho y hondable: pueden entrar nauios gruessos hasta la çiudad; tiene muy buena bahia; tiene su naçimiento çinquenta leguas la tierra adentro; por todo él está poblada la gente que está dicha: es de muy buena agua y toda la tierra muy fértil y sana y abundosa de arroz, puercos, gallinas, vino de palmas, mucha caza de bufanos é benados é puercos y aues. Cójese en esta tierra mucha çera y algodon y oro, y en estos generos pagan los tributos los naturales. Dos leguas frontero desta barra del rio de Taxo está mucha gente poblada de los

Babuyanes; la vna, está encomendada en cabeza de S. M., en que dizen ay mill hombres; no se a cobrado tributo, porque dizen no está paçifica: las otras ocho están encomendadas. En los siete vezinos abrá tres mill hombres, antes más que menos, y de todos ellos cobran sus dueños treçientos tributos. Están todas estas yslas á tres o quatro leguas vna de otra. Eran menester, para la administraçion destos treynta mill yndios, sesenta saçerdotes, respecto á dos saçerdotes para cada mill hombres tributantes; y al presente, para lo que está paçifico, como auemos dicho, serán menester diez y seys saçerdotes; los quales son muy ynportantes para la paçificaçion y asiento de los naturales, tanto como los soldados. Está esta prouinçia de Cagayan setenta leguas de la tierra firme de China é de las çiudades maritimas della. Son neçesarios sesenta ministros, que, con el ayuda y anparo de los soldados, ellos congregarán y paçificarán á todos y descubrirán la demas gente, que se tiene notiçia de muchos hasta aqui.

La prouinçia de la Laguna.

La prouinçia de la Laguna, que es el rio arriba desta çiudad de Manilla, de donde nace el rio della y otros que están en el de la sierra de su comarca, comiença de la laguna, seys leguas desta çiudad. Tendrá de circuyto veinte leguas, y en ellas, pobladas de honçe mill yndios tributarios, ay doçe casas de religiosos, los diez de frančiscos con quinçe saçerdotes, nueue hermanos, y otra de agustinos con tres saçerdotes, y en otra casa vn clerigo. Tiene S. M. dos mill y seteçientos, y los dos mill y quatroçientos en ocho encomenderos. Esta prouinçia es la que tiene en estas yslas más doctrina: son neçesarios otros tres saçerdotes. Tiene vn alcalde mayor, é puede tener otro corregidor. Çerca de la costa de la bahia desta çiudad, está la prouinçia de Bonbon y Balayan.

La prouinçia de Bonbon y Balayan.

Tiene la prouinçia de Bonbon los pueblos de la Laguna, que son quatro mill hombres del Mariscal [103], y ay la poblaçion de Batangas, Galbandayun, Calilaya, é los baxos de Balayan, que en toda ay nueue mill tributarios. Tiene S. M. mill y duçientos, y los siete mill y ochoçientos, çinco encomenderos. Ay quatro casas de religiosos, las dos de agustinos en Bonbon é Batangas, y otras dos de françiscos en Balayan é Dayun, con quatro saçerdotes agustinos é tres françiscos y otros dos hermanos. Son neçesarios otros diez ministros.

Prouinçia de Camarines.

La prouinçia de Camarines está çinquenta leguas desta çiudad, donde está asentada la çiudad de Caçeres, con treynta vezinos, y ay de hordinario otros treynta soldados aloxados con ellos: ay veynte casados é los seys dellos con naturales. Ay en esta çiudad cauildo y regimiento, y vna yglesia con vn vicario y vn monesterio de Sant Françisco con dos sacerdotes y otros dos hermanos, y vn alcalde mayor. Puede auer otros tres corregimientos.

Ay en esta prouinçia veynte mill tributantes, en que tiene S. M. dos mill y quinientos, y los diez y siete mill y quinientos están repartidos en veynte encomiendas. Ay en esta prouinçia diez casas de Sanct Françisco, fuera del conuento de la çiudad, que ay en todas honçe saçerdotes y ocho hermanos: ay otros dos clerigos en dos partidos, sin el cura de la çiudad, é son neçesarios otros veynte sacerdotes. En esta prouinçia de Camarines a entrado muy bien la fee é donde resplandeçe mucho el negoçio de la predicaçion euangelica, particularmente reçiuen los naturales muy bien esto del sacramento de la Penitençia, que es cosa para marauillar ver ocupados continuo, particularmente las quaresmas, las yglesias con gente pidiendo conffission. Es la gente desta prouinçia sinple y de buen natural y el sitio de la tierra deleytoso, sano y muy abentajado: ay mucha caza de puercos, benados é bufanos, y aues, como gallinas, patos de muchas maneras, pajaros y otras aues. Ay vn rio donde se coje siempre mucho pescado, particularmente peje-espada é muchas almejas negras, y ay vn rio donde se cojen. Tiene muy buenas vistas, muchas fuentes é rios de agua fresca y clara, y por el tanto, se veue siempre en esta prouinçia muy buena agua. Tiene en los lados esta prouinçia dos bolcanes, de grandeza y hermosura estremada: el vno de fuego, y el otro de agua: ay, segun dizen los naturales que an subido allá al bolcan de agua, muchas aguilas reales, y ay mucha cantidad de miel blanca é çera é frutas de diuersos generos.

En toda la poblaçon desta prouinçia, á dos y á tres leguas vna encomienda de otra, y otras á menos, é todas dentro de treynta leguas.

Demas desta dicha ysla de Luzon, ay otras muchas pobladas en la comarca della, dentro de çien leguas de contorno, y ay otras dos poblaçones de españoles, que la vna es la çiudad del Nonbre de Jesus en Çebu, y la otra la villa de Areualo en Oton.

De Çubu.

La çiudad de Çubu, con treynta bezinos y otros veynte soldados aloxados entre ellos, los vezinos son encomenderos todos é casados con españolas é yndias. Tienen sus encomiendas por las yslas çircunbezinas, en que ay diez y ocho mill tributarios en treynta y dos encomiendas, donde tiene S. M. vnos poblezuelos de poco tributo, é los naturales de la çiudad, que por priuilegio no le pagan, por auer allí á los prinçipios acoxido á los españoles amigablemente é sustentado el campo y mostradose fieles en muchas ocasiones. Ay yglesia y vn vicario y vn monesterio de Sanct Agustin, en que ay tres o quatro religiosos y en todas aquellas encomiendas no ay otra doctrina. Son neçesarios otros tres saçerdotes.

Ay en esta çiudad regimiento y alcaldes y vna fortaleza con tres o quatro piezas de artilleria gruessa y alguna menuda, de falcones é versos é vn alcayde: está en frontera de Burney é los Malucos é Mindanaos y otras yslas é reynos de ynfieles; é tiene esta çiudad su alcalde mayor.

La villa de Areualo.

La villa de Areualo está asentada en la ysla de Oton, con beynte bezinos encomenderos y otros treynta soldados aloxados con ellos, con regimiento y alcaldes hordinarios y vn alcalde mayor. Ay en las yslas comarcanas á esta poblaçon veynte y dos mill tributarios, de los quales tiene S. M. tres mill, é los diez y nueue mill en diez y ocho encomenderos. Ay yglesia y vicario y vn monesterio con dos agustinos, y otras quatro casas de la mesma horden fuera de la villa, en algunas encomiendas, que en todas çinco, ay diez saçerdotes. Son neçesarios otros tres o quatro.

E todas estas yslas é las de la poblaçon de Çubu son muy fertiles de carne de monte y aues, y ay en todas las dichas poblaçones mucha cria de gallinas é puercos. Pagan tributo en oro, mantas, çera é ylo de algodon, arroz y gallinas, á razon de á peso de tipuzque.

Demas de las dichas yslas y poblaçones, ay otras yslas, que son Marinduque, Luban, Mindoro Elen Calamianes, en que ay dos mill é quinientos tributarios é mucha más gente, que no está paçifica. No ay doctrina en todas ellas, saluo en Mindoro, donde tiene S. M. quinientos yndios que ay; vn clerigo en las de Calamianes cobra tributo, por S. M., de otros duçientos. Ay notiçia de mucha más gente, que no está paçifica. Los demas son de dos encomiendas. Son neçesarios seys clerigos.

SUMARIO DE LA SOBREDICHA RELAÇION.

Por manera, que segun lo que se a declarado por la relaçion, pareçe que ay çiento é quarenta é seys mill é seteçientos tributarios paçificos en esta ysla de Luzon é las demas desta gouernaçion, en los quales tiene V. M. veynte y ocho mill y seteçientos; é los religiosos que ay, son çinquenta é quatro saçerdotes de Sant Agustin, é treynta y ocho frayles descalzos de San Françisco, estos para esta çiudad é doctrina de los naturales, con más diez clerigos que están fuera desta çiudad, en curatos é vicarias que van declarados, siendo como son necesarios otros çiento y nouenta saçerdotes para la doctrina de los dichos naturales, con lo qual ternian suffiçiente doctrina, contando para cada mill tributarios dos religiosos saçerdotes, frayles o clerigos, que mill tributarios, poco menos, tienen quatro mill personas; é se tiene por cosa çierta que, auiendo doctrina tan bastante como se a dicho, se paçificará mucha gente que no lo está, y llegaria á número de duçientos mill tributarios en las prouinçias declaradas, porque en la de Cagayan se tiene notiçias de mucha más gente aún de la que está repartida, y en las yslas de Lamianes, en Mindoro y Luban y Elin lo mismo, y en otras muchas de la poblaçon de Oton é Çebu, en que se estenderia la doctrina y conuersion por los terminos y prouinçias çircunvezinas á estas, y darian la obediençia á S. M. sin fuerça de armas y guerra, de que Dios Nuestro Señor seria muy seruido y estos reynos yrian en mucho augmento. Los padres de la Conpañia, como no son más de tres saçerdotes y dos hermanos, se están en esta çiudad, donde con su doctrina hazen grandisimo fructo y van estudiando y aprendiendo la lengua de los naturales y de los chinos, para hazer entre ellos lo mismo quando tengan más Conpañia, que es muy neçesario que S. M. ansi lo provea. Esta relaçion, ansi en suma, se a fecho por el cauildo desta çiudad, para enbiar al padre Alonso Sanchez, procurador general desta çiudad é yslas en corte de S. M. Fecha á fin de deçiembre de mill y quinientos y ochenta y seis años.

Fecho y sacado, corregido y conçertado fué este traslado, de otro questá en mi poder, en los papeles del cauildo en Manila, á veynte y vn dias del mes de junio de mill y quinientos y ochenta y ocho años, siendo testigos Françisco de Zarate y Alonso Maldonado. Por ende, en fe de lo qual, yo, Simon Lopez, escriuano del Rey nuestro señor y del cauildo desta insigne é siempre leal çiudad de Manila, fiçe mi signo, que es á tal. (Hay un signo.)

En testimonio de verdad

Simon Lopez,

escriuano de cauildo.

Allende de los pueblos que en esta relaçion van nombrados, me pareçió dar aviso á V. M. de algunas yslas que aqui se nombran en comun, sin hacer particular mençion dellas, y de otras que no se nombran, que son muy prinçipales y de mucha gente.

La villa de Areualo, de que arriba se haçe mençion, está fundada en la ysla de Panay, que es vna de las mejores deste arçipielago; tiene çien leguas de contorno y bien poblada. Tenianla á cargo frailes agustinos quando la relaçion se hizo, y abrá seys meses que la desanpararon por no tener frayles que poner en las casas.

Junto á esta ysla, vna legua de trauesia, está la ysla de Ymaras, que es encomienda; terná beynte leguas de contorno y tiene seysçientos tributantes. A estado siempre sin doctrina, avnque algunas vezes la visitaron frayles agustinos.

Junto á esta ysla de Ymaras, tres leguas de trauesia házia la parte del sur, está la ysla que llaman de Negros; es ysla mucho mayor que Panay, pero no tan poblada. Vbo en ella dos monesterios de agustinos, y a más de çinco años que los desampararon y dexaron los christianos que auian bautizado sin doctrina, y está agora sin ella, y los christianos que bautizaron se han buelto á sus ydolatrias.

La ysla de Bantayan es ysla pequeña y muy poblada: ay en ella más de ochoçientos tributantes, todos los más christianos, y tanbien los an dessamparado los agustinos que los tenian á cargo, y están aora sin doctrina. Está esta ysla veynte leguas de Zubu.

La ysla de Leyte.

La ysla de Leyte está treynta leguas de Çubu á la parte del sur: es vna de las buenas yslas deste obispado y muy abundante de comida: ay en ella diez y seys o diez y ocho encomenderos: tiene quinçe o diez y seys mill tributantes. Nunca a avido en ella doctrina ni la ay.

Ysla de Bohol.

La ysla de Bohol, comarcana á Çubu, es pequeña y poblada; terná seysçientos tributantes.

La ysla de Mindanao es mayor que la de Luzon, aunque se crehe que no es tan bien poblada: está mucha parte della encomendada en españoles y algunos pagan tributo. De tres años á esta parte an entrado en ella los predicadores de Mahoma, que an venido de Burney á Terrenate, y tenemos notiçia que algunos moros de Meca están entre ellos. Predicasse en el proprio rio de Mindanao publicamente la ley de Mahoma, y están hechas y se van haçiendo mezquitas, y con tener aquel oprobrio de la christiandad alli, no se haçe casso de yr á hecharlos de alli, siendo vasallos de V. M., y que a mucho tiempo que an dado á V. M. la obedienςia. Reconoçen esta ysla y prouehen de agua y bastimentos los galeones que vienen de la Yndia al Maluco. A çinquenta leguas desta ysla de Mindanao está la de Joló, encomendada muchos años a. Es ysla donde ay muchas perlas y crianse en ella elefantes. Tienen Rey por sí y es pariente del de Terrenate. En esta ni en la de Mindanao no auido doctrina, ni la podrá auer si no se paçifica.

La ysla de Ybabao, que está entre esta ysla de Luzon y la de Çubu, es muy grande y no bien poblada: ay en ella algunos encomenderos y no está del todo paçífica, y ni a tenido jamas doctrina. La ysla de Catanduanes es muy buena ysla y muy bien poblada; está junto á Camarines: ay en ella quatro encomenderos: abrá en ella como tres mill tributantes, y nunca an tenido ni tienen doctrina. La ysla de Marinduque, que está como tres leguas de la costa de esta ysla, es de encomienda; terná como ochoçientos tributantes: nunca a tenido doctrina. Desde esta ysla hasta el desenbocadero que dizen del Espiritu Sancto, ay muchas yslas pequeñas, como Masbate, Capul, Burias, Banton, Conblon, Simara, Sibuyan, Ysla de Tablas, y otras muchas, que por ser pequeñas y mal pobladas, no se haçe menςion dellas, avnque todas están encomendadas y cobran cada año dellas tributo sin que aya doctrina ni esperança de auerla.

A la parte del poniente de la ysla de Panay, diez y ocho o veynte leguas, está vna muy buena ysla y muy bien poblada que se llama Cuyo: es ysla baxa y pequeña: tiene mill y duçientos tributantes con siete yslas pequeñas, que están junto á ella. Esta es gente rica, y los principales della bien tratados. Contratan los de Burney en aquella ysla, y avnque no tan público como en Mindanao, pero tenemos reçelo que les predican la ley de Mahoma. Crianse en esta ysla muchas cabras y faysanes y gallinas mayores que las de por acá. Va el encomendero cada año por el mes de hebrero y março á cobrar sus tributos, y cobrados, se viene á su cassa, que viue en la ysla de Panay. Ninguna otra cuenta tiene con ellos, ni ay doctrina en ella ni la a avido.

Entre la ysla de Mindoro y Burney, están muchas yslas, que llaman los Calamianes; son poco pobladas y están en cabeza de S. M. Cóxesse en ellas cantidad de çera, y pagan tanbien tributo á los burneyes, porque no los defienden los españoles más de yr á cobrar el tributo y dexarlos á que vengan á robar los de Burney. Nunca an tenido doctrina, ni se espera que la ternán tan presto, porque es poca gente y muy derramada.

La ysla de Mindoro está veynte y çinco leguas desta çiudad, á la parte del sudueste, y de la costa más çercana desta ysla abrá como seys leguas á la de Mindoro. Tiene esta ysla de Mindoro, de contorno, sessenta leguas: ay en ella más de çinco mill casas; las dos mill pagan tributo y están paçificas; las demas, por falta de quien las paçifique, lo dexan de pagar. A auido en esta ysla frayles agustinos y françiscos y todos la an dexado: ay ahora vn clerigo, que terná á su cargo como mill tributantes que ay christianos; todos los demas son ynfieles y están sin doctrina.

Junto á la ysla de Mindoro, hàzia la parte desta çiudad, está la ysla de Luban, pequeña, de hasta quinientos tributantes. Es muy buena gente y an me pedido muchas veçes doctrina, y por no tener ministros que dalles, se están sin ella.

Esta es la más çierta relaçion que á V. M. e podido haçer para que conste á V. M. la grande neçesidad que ay de ministros que traten de conuertir á estos ynfieles y de conseruar á los que ya an reçiuido la fee, que por auerles dexado los que los bautizaron, se están en sus ydolatrias. Muchas de las yslas que aqui van nombradas e andado yo en persona y las demás eme ynformado de personas que lo sauen, y avnque no es possible sauerse preçissamente la verdad, pero e procurado sauer lo más çierto. Todas estas yslas son de V. M., todas pagan tributo y lo dan suffiçiente para poder ser doctrinadas; y pues en esos sus reynos tiene V. M. tantos y tan buenos religiosos y clerigos que, mandandolo V. M., se dispornán á venir, V. M. se duela de los males que en esta tierra ay y la falta que en ella haçen los ministros, para que mande venir los que son menester para remedio de tantas ánimas como aqui pereçen por falta de doctrina. Y es bien que V. M. sepa que, quando dezimos auer en tal ysla o en tal pueblo tantos o tantos tributantes, se a de entender de hombres casados ó de dos solteros, que haçen un tributo entero; de manera, que quando ay mill tributantes, a de auer neçesariamente dos mill personas; y aconteçerá las más vezes auer en ellos de tres á quatro mill, hechando á cada casado á vno o dos hijos, de donde consta las ynumerables ánimas que V. M. tiene á su cargo y esperan que V. M. los prouea de ministros que las saque de la zeguedad en que están, y las pongan en camino de saluaçion. En Manilla á veynte y çinco de junio 1585 años.

NOTAS.

VOCABULARIO GEOGRÁFICO.

DATOS BIOGRÁFICOS.

GLOSARIO.

NOTAS.

1 (Página 3.) —Una cédula de los Reyes Católicos, expedida en Búrgos á 23 de abril de 1497, facultando al Almirante para tomar á sueldo las personas que desearan establecerse en las Indias, y la Instruccion de la misma fecha sobre la poblacion de las tierras descubiertas y por descubrir, hacen fundadamente suponer, que Cristóbal Colon escribió á aquellos Monarcas esta carta despues del 11 de mayo de 1496, en que regresó de su segundo viaje á la Isla Española. Dicha suposicion se aproxima mucho á la certidumbre, al comparar con las propuestas del Almirante las medidas dictadas en aquella Instruccion, la cual, aunque sin referencias, parece contestar directamente á varios particulares de los contenidos en la carta que, por tanto, no será aventurado asegurar fué escrita en la segunda mitad del año 1496, ó principios del 1497.—COLECCION DE LOS VIAJES Y DESCUBRIMIENTOS QUE HICIERON POR LA MAR LOS ESPAÑOLES, etc., ordenada é ilustrada por don Martin Fernandez de Navarrete, tomo II, pág. 203 y siguientes.

2 (Pág. 4.)—Entre dos ejemplares, ámbos con la firma de Colon, que de esta carta posee el Archivo Histórico Nacional, nótanse algunas variantes: la palabra *luego*, línea 17, página 4 de la carta que se imprime, está entre renglones en la otra; en las líneas 20 y 21 del mismo párrafo dice ésta: *y se escriva por el dicho escrivano é por el dicho abad ó frayle*, y en la impresa se omiten *por el dicho escrivano* y la conjuncion *é;* en la línea 27 suprime la no publicada el *de* al tratar del *oro que oviere;* en la penúltima línea de la plana sustituye ésta la conjuncion *y* con la disyuntiva *o* ántes del *sy paresciere* de la carta impresa; y, por último, en la página 5, faltan en la otra las palabras *de cerraduras*, de la línea 28, y *dicha arca* de la línea 31.

3. (Pág. 13.)—En las firmas de Cristóbal Colon, publicadas hasta el dia, así por fray Antonio de Remesal, que fué quien primero la dió á conocer en su HISTORIA GENERAL DE LAS INDIAS OCCIDENTALES Y PARTICULAR DE CHIAPA Y GUATEMALA, etc. (lib. IIII, cap. II, pág. 163), como por don Martin F. de Navarrete, en la ya citada COLECCION DE VIAJES, y por el historiador del Almirante, Washington Irving, se notan diferencias importantísimas que merecen ponerse de relieve. Remesal, sin sospechar que habrian tambien de ocuparse de este asunto las edades venideras, imprimió en la página indicada la firma que, segun dice, habia visto en una carta del descubridor del

Nuevo Mundo, sin explicacion ninguna, y solamente «por si algun curioso quisiera »exercitar su ingenio en interpretarla», y áun sin fijarse ni dar su verdadero valor á ciertos detalles característicos y decisivos de la autenticidad, sin explicar las omisiones y sin justificar la puntuacion, que puso por igual en todas las iniciales de la antefirma, y tomándose la libertad de figurar las palabras, representativas del nombre de Cristóbal, traducidas y escritas de esta manera:

S.
S. A. S.
X. M. A.
Christo ferens.

En las quince cartas autógrafas que del gran marino encontró Navarrete en el archivo del señor Duque de Veragua, y en las de otras procedencias, que imprimió, juntamente con aquellas, en los tomos I y II de la Coleccion, nada dijo, y el mismo silencio guardó Washington Irving respecto á la rúbrica que al lado izquierdo de la firma ponia el descubridor; omitiendo, asimismo, uno de los puntos entre los cuales está situada la primera S. de las dos que tiene la segunda línea de iniciales de la antefirma, y áun el que precede á la S. de la primera línea en muchos casos (puntos que no se olvidó de poner el escritor anglo-americano), y suprimiendo tambien la raya oblícua, dirigida de fuera á dentro, que cierra la palabra ferens, la cual señaló Washington Irving, aunque sin acompañarla del correspondiente punto. Pero la variante más trascendental, que sólo á distraccion de Navarrete debe atribuirse, nótase en el modo de escribir el *Xpo*, en cuya abreviatura se sirvió de letras mayúsculas, mientras Irving, más ajustado al original, puso únicamente la letra *X* de las de esta clase y minúsculas las *po* y prolongó el trazo superior derecho de la versal para suplir la tilde ó signo de la abreviacion; resultando ambas firmas en estas diferentes formas:

Segun Navarrete.	*Segun Washington Irving.*
S.	·S·
S. A ·S·	·S ·A· S·
X M Y	X M Y
XPO FERENS.	Xpo FERENS /

Que el reputado indianógrafo español omitió esas particularidades, no hay que dudarlo, pues algunas de las quince cartas encontradas por él hemos tenido el gusto de examinar, merced á la benevolencia del señor don Cristóbal Colon de la Cerda, actual Duque de Veragua, y en ellas, además de la rúbrica que precede á la firma, cual está en el facsímile B, se ven claramente los dos puntos y raya indicados. Pero lo difícil es explicarse semejante falta en persona tan minuciosa como el autor de la Coleccion de Viajes, quien nos demostró ser apócrifas las firmas de Colon que de otra manera estaban escritas, como aquellas en que iban puntuadas las iniciales X. M. Y. y ésta I latina en vez de Y griega, y las que presentaban separado y no á continuacion de las iniciales el XPO FERENS, segun consta en el documento, evidentemente falso, descubierto en la nombrada Biblioteca de la casa de Corsini, en Roma, con el título de *Codicillus more militari Christophori Columbi*, que se suponia *datum Valledoliti* 4 *Mai* 1506, que exhibió con esta firma:

·S·
S. A. S.
X· M· I· XPOFERENS.

Demás de estas particularidades, hemos notado en el modo de firmar del Almirante, que únicamente en los escritos ológrafos usaba la rúbrica complementaria de la firma, y no en los que carecian de esta circunstancia, como se convencerá quien compare los facsímiles A y B; notándose tambien que en unos documentos ponia los dos puntos que preceden al Xpo FERENS como en el ya dicho facsímile B y en una carta que conserva el general don Eduardo Fernandez San Roman, mientras en las que se sirvió mostrarnos el señor Duque de Veragua parecia omitirlo; aunque en absoluto no puede esto afirmarse, cuando se trata de documentos «*muy injuriados del tiempo, borradas ó muy desvanecidas las tintas, y rotas muchas márgenes y dobleces*», segun dice Navarrete (tomo I, pág. 477), que estaban las cartas que por su celo y diligencia fueron descubiertas en el archivo de los descendientes del Almirante. Entre unas y otras de las autógrafas, se repara igualmente que en las familiares aparece distinto el signo de abreviacion, y en las escritas á los Reyes lo suple prolongando el brazo de la X; deduciéndose de aquí que no se acomodaba el gran marino á reglas fijas en este punto.

Tambien algunas veces sustituyó el Xpo FERENS con el título del cargo que á la sazon desempeñaba, como se ve en el documento que trata de la institucion de su mayorazgo, famoso por lo pleiteado, fecho á 22 de febrero de 1498, que el ya mencionado Navarrete dió á luz de esta manera:

· S ·
S · A · S ·
X M Y
El Almirante.

Ó como en la provision de 3 de agosto de 1499, que en nombre de los Reyes Católicos dió al mercader Pedro de Salcedo, concediéndole privilegio exclusivo de por vida para el abasto de jabon á la Isla Española, en cuyo escrito firmó así:

· S ·
S · A · S ·
X M Y
VIREY.

Pero ordinariamente firmaba como se ha indicado, con el Xpo FERENS; así que, de las dichas quince cartas autógrafas del archivo del Duque de Veragua publicadas por Fernandez Navarrete, «cuatro dirigidas á su gran amigo fray don Gaspar Gorricio, monje del monasterio de Santa María de las Cuevas de la Cartuja de Sevilla, y once á su hijo y heredero, don Diego Colon», iban firmadas del mismo modo todas, ménos una, fecha en Sevilla á 25 de hebrero de 1505 (quince meses antes del fallecimiento del Almirante), en la cual suprime las iniciales y solo firma, con mayúsculas y minúsculas segun lo hacemos, de este modo:

Xpo Ferens.

Parece fácil comprender el significado de estas palabras, escritas «medio en griego y medio en latin», segun decia desde Roma don Nicolás de Azara á don Juan Bautista Muñoz en 12 de Febrero de 1784; pero ¿se sabe cuál sea el de las iniciales que al *Christo-Ferens* preceden? Dice Washington Irving que para leerlas debe empezarse por las letras inferiores, coordinándolas con las de arriba; Juan Bautista Spotorno conjetura que significan, ó *Xristus*, *Sancta Maria*, *Josephus*, ó *Sálvame*, *Xristus*, *Maria*, *Josephus*; y en la REVISTA DEL NORTE DE AMÉRICA, perteneciente á abril de 1827, se indica la sustitucion de *Iesus* por *Iosephus*. Semejante sustitucion no debe, en nuestro concepto, aceptarse, porque implicaria una redundancia, puesto que *Iesus* y *Christus* son homónimos, y *Iosephus* completaria la invocacion, aún hoy vulgar, de Jesús, María y José. Partidarios de esta opinion, nosotros sustituiriamos tambien el *Salve* al *Sálvame*.

4 (Pág. 8.) — Pone eos montes, [Riphæi] ultraque Aquilonem, gens felix (si credimus) quos Hyperboreos appellavere, annoso degit ævo, fabulosis celebrata miraculis. Ibi creduntur esse cardines mundi, extremique siderum ambitus, semestri luce, et una die solis aversi: non, ut imperiti dixere, ab æquinoctio verno in autumnum. Semel in anno solstitio oriuntur iis soles, brumaque semel occidunt. Regio aprica, felici temperie, omni afflatu noxio carens.

Domus iis nemora, lucique, et deorum cultus viritim gregatimque, discordia ignota et ægritudo omnis. Mors non nisi satietate vitæ, epulatis delibutoque senio luxu, ex quadam rupe in mare salientibus. Hoc genus sepulturæ beatissimum. (*PLIN.*, *Hist. Nat.*, lib. IV, cap. XXVI).

Los antiguos á que Colon se refiere pueden ser Hecateo, Heródoto (lib. IV, Melp.); Pomponio Mela (lib. III, cap. V) y otros, de quien Plinio tomó sus fabulosas noticias acerca de los hiperbóreos, ó C. I. Solino (cap. XXVI), que copió á Plinio.

5 (Pág. 10.) — En efecto, ya en enero de este año, 1497, estaban los Reyes Católicos en Búrgos, segun consta por las fechas de algunas cédulas que allí expidieron y en la relacion de Galindez de Carvajal, quien manifiesta tambien que «en el mes de marzo vino la princesa Margarita, y la casaron con el príncipe heredero, don Juan, el lunes de Cuasimodo, 3 de abril, con grandes fiestas.»

6 (Pág. 11.) — Véase *Mina del Oro* en el VOCABULARIO GEOGRÁFICO.

7 (Pág. 13.) — En gran parte de los numerosos documentos que se refieren á Amerrigo Vespucci, hemos visto escrito su nombre de estas diferentes maneras: En una carta, la tercera de las que escribió á Lorenzo de Médicis, fechada en 1504 y publicada en latin el 1505, en la que referia su viaje á las Indias, se le llama AMERICUS VESPUTIUS; en la relacion de las *Cuatro navegaciones* (M. F. Navarrete, tomo III, pág. 191), AMERICI VESPUTII; en otras publicaciones de los primeros años del siglo XVI, ALBERICUS VESPUTIUS, ALBERICO VESPUTIO y VESPUZIO; en una de las cartas escritas por Cristóbal Colon á su hijo don Diego, le nombra AMERIGO VESPUCHY; en una cédula Real de 11 de abril de 1505, mandando entregarle 12.000 maravedis para ayuda de costa, AMERIGO DE ESPUCHE; en otra Real cédula de 24 del mismo mes y año, concediéndole carta de naturaleza en los reinos de Castilla, AMERIGO VEZPUCHE; en certificaciones de 1506-1507, AMERICO VESPUCHE; en cédula de 22 de marzo de 1508, otorgándole otra ayuda de costa y sobresueldo, AMERIGO VISPUCHE; en el título de piloto mayor, que se le expidió en 6 de agosto de 1508, AMERIGO DESPUCHI; en una escritura de 12 de junio de 1509, sobre venta de lonas, firmaba (Navarrete, tomo III, pág. 323) AMERIGO VESPUCCI; en cédula de 28 de marzo de 1512, señalando una pension á su viuda, María Cerezo, se le nombra AMERIGO VESPUCHI; su sobrino Juan se firmaba VESPUCII, y escribia del mismo modo el apellido de AMERIGO; el abate Bandini publicó la *Vita e lettere di* AMERIGO VESPUCCI; y Antonio de Herrera le llamó, como hoy se le nombra, AMERICO VESPUCIO. Sólo don Juan Bautista Muñoz, que disfrutó la carta que aquí se publica, llama AMERRIGO VESPUCCI al negociante florentino.

8 (Pág. 17.) — Era la prisa de don Cárlos porque deseaba mucho volver á Alemania y asistir á la dieta de Nuremberg, que habia convocado con el objeto de tratar de la defensa contra el turco y de las cuestiones religiosas; pero, no obstante su prisa, ni pudo embarcarse en Barcelona hasta 1.º de mayo de 1543, ni darse á la vela hasta el 19 del mismo mes. — Las Ordenanzas se publicaron en Barcelona, despues que el Emperador volvió de las Córtes de Monzon, el 20 de noviembre de 1542; y entre este suceso y su marcha le ocuparon, sin permitirle descanso, el reconocimiento como príncipe heredero de su hijo don Felipe en Valencia, la visita de sus hijas en Alcalá, los desposorios de la infanta doña Juana con el príncipe don Juan de Portugal, y otros muchos negocios.

9 (Pág. 19.) — Era á la sazon obispo de Guatemala don Francisco Marroquin. (V. DATOS BIOGRÁFICOS.)

10 (Pág. 19.) — Obispo electo de Nicaragua, sucesor de don Diego Alvarez Osorio, primer prelado de esta diócesis, era el mismo fray Antonio de Valdivieso, que firmaba la carta con Las-Casas. (Véase Datos biográficos.)

11 (Pág. 22.)—Se erigió el obispado de Honduras en 1539.—Fué su primer obispo fray Juan de Talavera, y el que se indica en el texto don Cristóbal de Pedraza. (V. Datos biográficos.)

12 (Pág. 24.)—El dean de Chiapa á que se refiere Las-Casas se llamaba Gil de Quintana.—El P. Remesal, en su Historia citada (lib. VI, cap. II y III, y lib. VII., cap. V.), trata largamente del escándalo promovido por Quintana y de las consecuencias que tuvo; pero su relacion no está del todo conforme con otra, hecha en Yucatan el año de 1544, donde se lee que Las-Casas desembarcó con cuarenta religiosos, en vez de cincuenta, por habérsele ahogado nueve, y que los vecinos de Ciudad-Real, y áun quizá los de toda la Nueva España, hubieran deseado que el obispo fuese el ahogado, y los frailes, aunque fueran franceses, los salvados; añadiendo que fué bien recibido y hospedado y obsequiado en fiestas y banquetes, y recibido debajo de palio «como hombre que trae á S. M. en los pechos y sus provisiones en el cofre.» Que corrió bien pronto *rum rum* de los intentos que tenia, pues el obispo no tardó en «desalforjar.» Prohibió confesar y absolver á los que tuviesen esclavos; acudieron los vecinos al dean, comisario de las bulas, para que lo hiciese; hízolo con algunos: súpolo el obispo Casas; quiso prender al dean Gil de Quintana, y éste se defendió, contra el alguacil del obispo, tomando una espada, con la cual se hirió, al tomarla, é hirió al alguacil en una pierna. No fué preso por entónces el dean, quien decia de Las-Casas «el obispo es seco y terco en su demanda, y dice que, aunque S. M. y Su Santidad se opongan, ha de llevar adelante su empeño y descargar la conciencia de S. M. del delito de consentir la esclavitud.» (Archivo de Indias, Patronato Real, t. II, ramo 8, pág. 119.)

13 (Pág. 25.)—El comendador mayor de Alcántara á que Casas se refiere, era frey Nicolás de Ovando.

14 (Pág. 32.)—El peso de oro valia 500 mrs. de los de entonces, equivalentes á unos 61 reales 14 mrs. del dia; pero hay que tener en cuenta, que en aquel tiempo representaba un valor tan exorbitante que algunos le hacen subir á más de 200 reales de nuestra moneda.

15 (Pág. 33.)—Era en aquel tiempo obispo de Cuenca don Sebastian Ramirez de Fuenleal ó de Villaescusa. (V. Datos biográficos.)

16 (Pág. 33.)—Se refiere al primer marqués del Valle, don Hernando Cortés.

17 (Pág. 36.)—El obispo á que se alude era el de Honduras, don Cristóbal de Pedraza, de cuya diócesis dependia la ciudad de Gracias á Dios.

18 (Pág. 58.)—El presidente de la Audiencia recien llegado era don Sebastian Ramirez de Fuenleal ó Villaescusa, despues obispo de Cuenca, y los oidores Juan de Salmeron, Alonso Maldonado, Francisco Ceinos y don Vasco de Quiroga, que fué á poco primer obispo de Michoacan.

19 (Pág. 61.)—Esta carta la repitieron los mismos religiosos en 18 de enero de 1533 desde *Guantepeque*, suponiendo que la anterior se habria extraviado. Las dos se hallan en el Archivo Histórico Nacional.

20 (Pág. 63.)—Alúdese á los primeros religiosos que fueron á la Nueva España, quienes, imitando á San Jerónimo, que para aprender y pronunciar el hebreo se aserró los dientes, se los aserraron tambien

para facilitar la pronunciacion de los idiomas indios. Quizás por la misma causa, los llamados Guancabilcas, que habitaban en la desembocadura del rio Guayas, quitábanse los dos dientes incisivos medios, superiores.

21 (Pág. 66.)—Eran los mismos que se nombran en la nota 18 el presidente y oidores de la segunda Audiencia de la Nueva España.

22 (Pág. 140.)—Al márgen de este párrafo, dice en el original, escrito de diferente letra: «Que la Abdiençia enbie »relaçion de lo que en esto pasa y de lo »que converná hazerse», y al fin de la carta, en otra nota: «Que estas cosas las »proponga en la Abdiençia».

23 (Pág. 142.)—Tambien de letra distinta de la del original, dice al márgen, como indicacion de respuesta ó decreto: «Que en la relaçion que se enbia á Roma, »se declare esto, que puedan hazer como »curas, obligandose á ello.» Pedido por el Rey lo que los religiosos franciscanos deseaban, les fué luego concedido.

24 (Pág. 165.)—Caserío inmediato á Ocuituco, pueblo donde fundó un hospital el primer obispo de Mexico, don fray Juan de Zumarraga.

25 (Pág. 168.)—Eran á la sazon obispo de Tlaxcala don fray Julian Garcés y de Michoacan don Vasco de Quiroga. (V. Datos biográficos.)

26 (Pág. 168.)—El ya citado don Hernando Cortés, primer marqués del Valle de Oaxaca.

27 (Pág. 168.)—El virey era don Antonio de Mendoza.

28 (Pág. 174.)—El ducado valia 375 maravedís de aquel tiempo.

29 (Pág. 174.)—El castellano tenia el mismo valor que el peso, y era el de éste, el que se dice en la nota 14. Hoy se usa como unidad monetaria y de peso en los distritos auríferos del Ecuador, y vale todavía los 61 reales y 14 mrs., poco más ó ménos.

30 (Pág. 176.)—El virey á que alude era don Martin Enriquez de Almansa, hermano del marqués de Alcañices.

31 (Pág. 179.)—La obra ejecutada con motivo de la consagracion del arzobispo de Mexico, don Pedro de Moya y Contreras, el 5 de diciembre de 1574, compuesta por el clérigo presbítero Juan Perez Ramirez, llevaba por título: Desposorio espiritual entre el pastor Pedro y la Iglesia Mexicana, en traje pastoril, y presentaba como interlocutores *La Iglesia mexicana, la Fé, la Esperanza, la Caridad, la Gracia, Pedro, Prudente, Justillo, Robusto, Modesto, Cantores* y *un Bovo*. Puede verse en el tomo 88 de la Coleccion Muñoz, fol. 229 á 235.—El entremés que se cita no hemos tenido la fortuna de encontrarlo.

32 (Pág. 184.)—Se refiere á don Antonio Ruiz de Morales y Molina, presentado para el obispado de Michoacan en 1557, y promovido al de Tlaxcala ó Puebla de los Ángeles en noviembre de 1573.—(V. Datos biográficos.)

33 (Pág. 192.)—Es decir, «de un solo maravedí»; refiriéndose al valor de una almendra de cacao, que entre los mexicanos era la ínfima moneda, puesto que el valor comun de cien almendras era el de un real.

34 (Pág. 248.)—Va escrito de letra diferente al márgen del original: «Lo »proveido» y «.... que se vea lo proveido »contra Castroverde (sic), y al otro se le »mande que parta, con aperçibimiento que »sino vá se hará justiçia.»

35 (Pág. 270.)—La carta á que se alude no se halla con ésta.

36 (Pág. 274.)—No acompaña á ésta la carta á que se refiere el virey don Luis de Velasco.

37 (Pág. 281.)—Está en blanco el nombre del fraile.

38 (Pág. 288.) — El arzobispo de quien se trata, fué don fray Alonso de Montufar, del órden de Predicadores, que falleció en 1569, sucediéndole don Pedro de Moya y Contreras. — (V. DATOS BIOGRÁFICOS.)

39 (Pág. 296.)—No acompañan á esta carta los documentos que se citan.

40 (Pág. 304.)—Las relaciones no van con esta carta.

41 (Pág. 309.) Véase *Açeca* en el VOCABULARIO GEOGRÁFICO.

42 (Pág. 309.)—Véase *Daualos* en el VOCABULARIO.

43 (Pág. 313.)—Así en el original.

44 (Pág. 332.)—Don Francisco de Mendiola fué obispo de Guadalajara desde 1571 hasta su fallecimiento, ocurrido en 1576, y don Antonio Ruiz de Morales y Molina rigió el obispado de Tlaxcala desde noviembre de 1573 á 1576.

45 (Pág. 335.)—Varias veces y en diferentes cartas al Rey, hizo dimision de su cargo.—(V. DATOS BIOGRÁFICOS.)

46 (Pág. 338.)—Así en el original.

47 (Pág. 353.)—No acompaña á esta carta el documento que se cita.

48 (Pág. 375.)—Ni la residencia de Loaisa ni la provision citadas van en la carta.

49 (Pág. 379.)—El aludido castillo de Montalban, famoso en España, tiene su leyenda y su historia.

Dice la leyenda, que en los términos de la poblacion, nombrada en distintas épocas Villahermosa, Villaharta, Villa de Ronda, de Trujillo, y últimamente Puebla de Montalban, habia en lo antiguo un castillo, llamado de las Dos Hermanas, que le tenian por refugio, y de él salian armadas, en sus caballos, á saltear á los viajantes que por su vecindad pasaban. Tales fueron las agresiones y el terror que las varoniles mujeres infundieron, que ya nadie osaba pasar por las cercanías de su morada, hasta que dos hombres, padre é hijo, decididos á tranquilizar la comarca, se dirigieron al castillo en ocasion en que las salteadoras iban á sus aventuras. Fuéronse á ellas, y el padre lanzó la azagaya que llevaba en la mano, con tal acierto, que dió en el pecho de una de las aventureras, la cual, herida y por el dolor acobardada, prorumpió en lastimero grito: «Muerto me han, hermana»; y contuvo la accion de su compañera. Entónces los hombres las prendieron y las llevaron ante el rey que á la sazon era, quien en recompensa nombró á padre é hijo los primeros alcaldes de la hermandad que más tarde fué conocida con el nombre de *Hermandad vieja de Toledo*.

La historia dice, que en dicho castillo de Montalban, situado en término de la villa de San Martin de Montalban ó Lugar Nuevo, anejo de la Puebla de Montalban, en la provincia de Toledo, se refugió el rey don Juan el II, huyendo de la sujecion y tutela de los infantes de Aragon don Enrique y don Juan, los cuales le tuvieron allí cercado algun tiempo y con grandes privaciones por la falta de mantenimientos. Hízose tambien célebre aquel castillo, por haberse amparado de sus fuertes muros la condesa de Montalban, doña Juana de Pimentel, viuda de don Alvaro de Luna, á la cual tuvo el rey sitiada ocho meses; y, porque, habiéndose suscitado en Toledo y movídose en su territorio ciertas guerras y disensiones, con motivo de la tenencia del Alcázar, residiendo aún en el castillo la misma condesa doña Juana, á él se acogieron muchas personas de la Puebla y de Toledo con sus haciendas, que allí creian tener aseguradas.

Lo dicho nos hace suponer que la comparacion entre la ciudad de Mérida y el castillo de Montalban, la hacia el doctor Diego Quixada en el concepto de lugar seguro, más bien que como refugio de criminales y de gente de mal vivir.

50 (Pág. 415.)—En aquella fecha dependia Guatemala de la Nueva España, de donde don Antonio de Mendoza era virey.

51 (Pág. 415.)—Alude sin duda al concilio general que trataba de reunirse y fué al fin convocado por el Papa Paulo III en bula de 10 de mayo de 1537.

52 (Pág. 415.)—Punto de reunion de la gente que pasaba á Indias y donde se pregonaban las disposiciones que tenian relacion con aquellas partes.

53 (Pág. 417.)—Compárese lo que este prelado dice respecto de fray Bartolomé de las Casas, en el pasaje que motiva la nota, con lo que manifestaba al Rey en el penúltimo párrafo de la página 442.

54 (Pág. 419.)—Este hermano era Hernando Pizarro, el cual defendia la ciudad del Cuzco, cercada por Manco Inca.—Almagro no habia muerto: se hallaba en la entrada de Chile.

55 (Pág. 445.)—Al márgen de este párrafo se decreta en el original: «A »Çerrato, en razon destos, que avise.»

56 (Pág. 445.)—Para preceptor de gramática habia, en efecto, propuesto el obispo á Juan Suarez, clérigo de buena vida.

57 (Pág. 445.)—Alúdese sin duda á Miguel Diaz Maldonado, beneficiado de Santa María de Búrgos y pariente del conquistador Bernal Diaz del Castillo.

58 (Pág. 445.)—El licençiado Rogel se llamaba Juan, quien, con el cargo de oidor de la Audiencia de los Confines, el sábado 3 de noviembre de 1543 se embarcó para su destino, en la flota que zarpó del puerto de Sanlúcar de Barrameda, en la cual iba el virey nombrado para el Perú, Blasco Nuñez Vela.

59 (Pág. 446.)—Los sucesos de Cumaná que se indican, son, seguramente, los que refiere Herrera en la Década I, libro IX, capítulo XIV y Década IV, libro V, cap. II.

60 (Pág. 446.)—Alude al alzamiento de Gonzalo Pizarro.

61 (Pág. 448.)—En el original se anota al márgen de este párrafo: «Que »se dé duplicado lo proueido.»

62 (Pág. 449.)—Dice al márgen del original, escrito de otra letra: «A Çerrato, »inserto este capítulo, para que lo prouea »y haga breuemente justiçia.»

63 (Pág. 449.)—A continuacion de este párrafo va escrito, de diferente letra que la del original: «Que se le proroga »la merçed de los novenos por seys »años.»

64 (Pág. 449.)—Se decreta al márgen: «A Çerrato que se ynforme y enbie su »pareçer.»

65 (Pág. 450.)—Dice al márgen: «A »Çerrato que vea dónde estará mejor y »allí prouea questé.»

66 (Pág. 455.)—Se decreta al márgen: «Que se remedie de manera que los que »administran los Sacramentos, estén en »parte que puedan socorrer.»

67 (Pág. 458.) — No acompaña la carta de que se habla.

68 (Pág. 459.) — No va con la carta el poder que se cita.

69 (Pág. 473.) — Copia de carta, con errores que se han corregido al publicarla.

70 (Pág. 481.) — El primo ó pariente de Vaca de Castro, que el cabildo del Cuzco llama sobrino en la carta número LXXXIV, era Garcia de Montalvo.

71 (Pág. 485.) — Estos anderos eran de las provincias llamadas Rucana y Hatunrucana, que despues formaron la que se llamó de los Lucanas ó Lucanaes en tiempo de nuestra dominacion, mudando, segun costumbre, la *r* en *l*. — El sitio de placer á que se alude, es el valle de Yucay, cerca del Cuzco; y la yerba de que proveian al Inca, es la coca. Véase esta palabra en el GLOSARIO.

72 (Pág. 486.) — Macas y Quizna, al oriente de los Andes quiteños, entre los 2° y 3° de latitud austral.

73 (Pág. 487.) — Tucma ó Tucuman es el nombre que se omite.

74 (Pág. 487.) — Esta tierra es la que despues se llamó de Chuquimayo, que baña el rio de Chinchipe, y el capitan era Juan Porcel.

75 (Pág. 490.) — No acompaña al original la nota de obispados á que se hace referencia.

76 (Pág. 491.) — La duplicada no se acompaña.

77 (Pág. 494.) — El original de esta carta lleva en el ángulo superior izquierdo la siguiente nota, de letra de Vaca de Castro: «*Esta carta es duplicada de otra* »*que levaron Bezerra y Carrança*, *hecha á* »XXVIIJ *de nouiembre del año pasado de* »*quarenta y dos.*» — No acompaña á esta carta la memoria citada en el epígrafe.

78 (Pág. 501.) — No va el memorial que se cita.

79 (Pág. 502.) — Así se halla en el original.

80 (Pág. 502.) — El secretario del Real Consejo de Indias, Juan de Samano, estampó su firma al lado de la de Vaca de Castro, acotó unos pasajes, y señaló con su rúbrica la primera plana de cada una de las cuatro hojas de la carta y la segunda plana del memorial de lo que llevó Diego de Aller. Véase, respecto de esta carta, lo que se dice, en los DATOS BIOGRÁFICOS, de Vaca de Castro.

81 (Pág. 521.) — Copia de carta con muchos errores que se han salvado en la impresion.

82 (Pág. 534.) — En el dorso del original dice, de letra de uno de los secretarios del Presidente: «Traslado de »la carta que el liçençiado Gasca escriuió »al gouernador Miguel Diez Armendariz.»

83 (Pág. 535.) — En carta fecha en la ciudad de Los Reyes, á 25 de setiembre de 1548. — Está publicada en la COLECCION DE DOCUMENTOS INÉDITOS PARA LA HISTORIA DE ESPAÑA, páginas 394 á 427 del tomo XLIX.

84 (Pág. 541.) — Fué el repartimiento primero que hizo, despues de la derrota de Gonzalo Pizarro, en el sitio llamado Guainarimac. — (V. el VOCABULARIO GEOGRÁFICO.)

85 (Pág. 542.) — No está con esta carta el documento que se cita.

86 (Pág. 544.) — Al dorso de esta carta va escrito, de letra de uno de los

secretarios del licenciado Gasca: «1549. »Potosí. Licenciado Polo, de 9 de octubre. »Registrada á 26 de noviembre»; lo cual suple la fecha omitida en la carta, que se pone entre paréntesis.

87 (Pág. 545.)—Al márgen de este párrafo va escrito de letra del licenciado Gasca: «Está preso en esta ciudad de »Lima.»

88 (Pág. 546.) — No acompaña el traslado que se indica.

89 (Pág. 547.)—Véase el valor del castellano en la nota 29.

90 (Pág. 548.)—El texto de la Ordenanza á que se refiere la carta es el siguiente:

«Yo el liçençiado Pedro Gasca, del Consejo de S. M., de la santa general Ynquisiçion, é su presidente destos Reinos é prouinçias del Piru, etc. A todos los corregidores, alcaldes é justiçias, cauildos, caualleros, escuderos, offiçiales é hombres buenos de las çiudades, villas é lugares destos dichos reinos, y á cada vno é qualquier de uos en su jurediçion, salud é graçia. Sepades que como por residir la Audiençia é Chançelleria Real, á donde las causas destos reinos hiuan, fuera dellos, en parte tan apartada de los dichos reinos como hera en Santo Domingo de la Ysla Española, S. M. dió vna su prouision Real, en el año de quinłentos y treinta é seis, por la qual, entre otras cosas, mandó que quando alguna apelaçion que se deuiese otorgar en estos reinos se ynterpusiese para la Audiençia Real que ansi fuera dellos resedia, que antel juez de quien se ynterpusiese, las partes se presentasen en el dicho grado de apelaçion, é alegasen y probasen lo que les conbiniese, é se concluyese el dicho proçeso; é ansi concluso el dicho proçeso en el dicho grado de apelaçion, se entregase el dicho proçeso á la parte apelante para que lo pudiese presentar, segund y en el término que hera obligado, sopena de deserçion; aperçeuiendo á las partes, que en el dicho grado de apelaçion no les seria dado más término para alegar ni probar cosa alguna en la segunda ystançia, é quel juez de quien se apelase, çitase á la parte apelada para que fuese en seguimiento de la dicha apelaçion, y señalase á ambas partes término conpetente para yr á proseguir la tal apelaçion, nocteficandoles que en ausençia é reueldia de la parte que no paresçiese, el presidente é oidores de la dicha Audiençia Real proçederian en la causa á pedimiento de la otra parte, é determinarian é sentençiarian en ella difinitivamente lo que hallasen por justiçia. E porque quanto á esto cessa lo mandado en la dicha prouision, despues que las apelaçiones destos dichos reinos dexaron de yr á la dicha Audiençia Real de Santo Domingo, é en espeçial aviendo ya Audiençia Real en estos reinos, á la qual an de benir las dichas apelaçiones, conbiene dar orden en la manera que se deue tener é guardar en la prosecuçion de las apelaçiones que para ella se ynterpusieren, é en el autuar é hazer de los proçesos de las dichas apelaçiones, de manera que con menos gastos y caminos de las partes se sigan las dichas apelaçiones é autuen é hagan los proçesos, é que, en quanto fuere posible, las cosas del Audiençia é Chançelleria Real destos reinos se conforme con las de las Audiençias é Chançellerias Reales de Valladolid é Granada, é se guarden las leyes é prematicas de S. M. é de los Reyes sus progenetores, de gloriosa memoria, en todo lo más que la distançia é largos caminos que de los pueblos destos reinos á esta çiudad de Los Reyes, á donde reside la dicha Audiençia Real, dieren lugar. E por tanto, por virtud de la çedula que de S. M. para ello tengo, cuyo tenor, de *beruo ad berbum*, es este que se sigue:

«El Rey: Por quanto nos enbiamos »á vos, el liçençiado Pedro de la Gasca, »del nuestro Consejo de la sancta general »Ynquisiçion, por nuestro presidente de la

»Audiençia Real de las prouinçias del »Piru, é á ordenar é reformar á aquellas »prouinçias é ponerlas en toda paz é »sosiego, en seruiçio de Dios Nuestro »Señor y nuestro, é por que podria ser que »despues de llegado vos á las prouinçias »dichas conbiniese tratar con los vezinos »españoles é con los naturales, sobre cosas »que fuese nesçesario ordenar para la »perpetuidad é bien de aquellas prouinçias, »é hazer en ello ordenanças; por la presente »vos damos poder y facultad para que »çerca de lo susodicho podais tratar con »qualesquier personas que conbiniere, é »hazer las ordenanças que os paresçiere ser »nesçesarias al seruiçio de Dios Nuestro »Señor é nuestro, é bien é sosiego de las »dichas prouinçias é avitadores é naturales »dellas; é de las ordenanças que ansi »hizieredes enbiareis vn treslado ante nos »al nuestro Consejo de las Yndias. E entre »tanto que por nos otra cosa se probey é »manda çerca dello, hazerlas heis guardar »y cumplir. Fecha en Venelo á diez é seis »dias de hebrero de mill é quinientos é »quarenta é seis años.—Yo el Rey.—Por »mandado de S. M.,—Françisco de Eraso.»

»Aviendo platicado é comunicado sobre esto con el liçençiado Andres de Çianca, é doctor Melchor Brauo de Sarauia, é liçençiado Pedro Maldonado, oidores de la dicha Audiençia Real, ordeno y mando: que guardandose en la çiudad de Los Reyes en todo y por todo las leyes y prematicas de S. M., que en la presentaçion y prosecuçion de las apelaçiones hablan, en todas las otras çiudades, villas é lugares destos dichos reinos, quando alguna persona ynterpusiere para esta Real Audiençia é Chancelleria alguna apelaçion que para ella se deba otorgar, el juez de quien se apelare la otorgue, y mande dar el proçeso á la parte apelante, la qual se presente en esta Real Audiençia dentro de quarenta dias, despues de ynterpuesta la tal apelaçion, si se ynterpusiere en la çiudad del Cuzco, é si se ynterpusiere en la çiudad de Quito, dentro de ochenta dias, é si en la villa de la Plata, dentro de otros ochenta dias, é si en la çiudad de Nuestra Señora de la Paz, dentro de sesenta, é si en la de Arequipa, dentro de quarenta é çinco, é si en la de Guamanga, dentro de veinte é çinco, é si en la de Truxillo, dentro de veinte é çinco, é si en la de San Miguel, dentro de quarenta é çinco, é si en la de Guanuco, dentro de veinte é çinco, é si en la de los Chachapoyas, dentro de çinquienta, é si en la de Loxa, dentro de sesenta dias, é si en la de Santiago de los Valles, dentro de otros sesenta, é si en la de Guayaquil, dentro de sesenta, é si en la de Puerto Viejo, dentro de ochenta; é no se presentando la parte apelante en esta Real Audiençia, en el dicho término, que asy le está señalado, quede desierta la apelaçion, é finque firme el juizio é sentençia de que oviere apelado. Ansymismo ordeno é mando, quel juez acá çite á entrambas partes, con señalamiento de los estrados desta Audiençia Real, para que el dicho término que arriua en cada vno en de los dichos pueblos está señalado, parescan en ella á dezir é alegar en el dicho grado de apelaçion lo que vieren que les conbiene; aperçibiendoles que, sin más çitarlos ni llamarlos, se proçederá en la dicha causa de apelaçion á pedimiento de la parte que paresçiere, é se determinará é sentençiará, en la tal causa, definitivamente, lo que se hallare por justiçia. Lo qual ordeno é mando se guarde é cumpla en las apelaçiones que para esta Audiençia Real en las dichas çiudades, villas é lugares se ynterpusieren para ella, asta en tanto que por S. M. é señores del su muy alto Consejo Real de Yndias se mande é probea otra cosa. E porque venga á notiçia de todos, é ninguno pueda pretender ynorançia, mando á los dichos corregidores é justiçias de las dichas çiudades, é villas é lugares, hagan pregonar esta ordenança, cada vno en su jurediçion, é poner el original della en la caxa del cauildo, é vn treslado en el lugar donde se haze avdiençia pública, y enbien á esta dicha Real Audiençia testimonio del pregon é cumplimiento de lo sobre dicho.

Fecha en la çiudad de Los Reyes á nueue dias del mes de agosto de mill é quinientos é quarenta é nueue años.—El liçençiado Gasca.—Por mandado de su señoria, Pedro de Avendaño.»

91 (Pág. 549.)—Todo el principio de esta carta hasta «se hallaba,» se encuentra repetido en otra de Gasca al Consejo de las Indias, fecha en Sevilla á 22 de setiembre de 1550, publicada en el tomo L de la COLECCION DE DOCUMENTOS INÉDITOS PARA LA HISTORIA DE ESPAÑA, páginas 100 á 172.

92 (Pág. 550.)—La carta de Pedro de Hinojosa, á que el licenciado Gasca se refiere, dice así:

«Muy illustre señor:—Desde Potosy escreuí á vuestra señoria, cómo la plata de S. M. salia, y con ella el capitan Pablo de Meneses, por quedar yo á cobrar los dineros quel capitan Diego Çenteno devia á la hazienda Real, y por otras cosas que se hizieron que á ella convenian. Hecho esto, yo vine á la ligera hasta alcançarla. Ha venido á muy buen recabdo y bien aviada y con la menos pesadumbre de los naturales que ha sido posible; llegó á esta çibdad, á catorze deste, donde se ha entregado fuera della á los vezinos para que la pongan en el puerto, á donde con todo el buen recabdo y brevedad posible se embarcará. He dexado dar esta cuenta á vuestra señoria hasta aqui, porque con más contentamiento vuestra señoria la oyese: yo le llevo muy grande en yr á besar las manos á vuestra señoria y dar cuenta á vuestra señoria.

En vna carta, que me dió Farfan, me manda vuestra señoria que tome cuenta al factor Mercado de çierta coca que huvo de los yndios de Rojas, y de otras cosas que tocan á la hazienda de S. M. Estando yo en Cavana y el contador Juan de Caçeres, vino alli nueva, por carta de Symon Pinto, cómo hera muerto en Chuquito, y escrivió que hasta que se averiguasen las quentas quél tiene con S. M., avia embaraçado la recua y lo demas que alli se halló. El contador llevó á cargo entender en ello, y porná todo el recaudo que sea posible. Nuestro Señor la muy illustre persona de vuestra señoria guarde y en grand estado acreçiente. De Arequipa, XVIJ de setiembre [de 1549]. Muy illustre señor.—Besa las muy illustres manos de vuestra señoria su muy verdadero seruidor—Pedro de Hinojosa.

Al muy illustre señor el Presidente, mi señor.»

93 (Pág. 550.)—No acompaña al original la cuenta de Juan de Cáceres, que se cita.

94 (Pág. 555.)—Los autos á que se alude, no acompañan á la carta.

95 (Pág. 556.)—El acuerdo no está con la carta.

96 (Pág. 557.)—Ni los autos ni la instruccion acompañan al original.

97 (Pág. 564.)—No va el testimonio indicado en la carta.

98 (Pág. 573.)—No acompaña á la carta el testimonio que Irala indica.

99 (Pág. 580.)—Martin de Orue dió cuenta al Consejo de Indias, en carta fecha en la ciudad de la Asuncion en junio de 1556, de la navegacion que hizo, desde la isla de Tenerife al Rio de la Plata, en el buque que conducia al obispo de aquellas provincias, fray Pedro Fernandez de la Torre, religioso franciscano, el cual llegó á dicha ciudad el miércoles de Tinieblas ó de Semana Santa de aquel año.

100 (Pág. 596.)—A seguida de la direccion de esta carta, hay una nota que dice: «De Granada, á 16 de diziembre de LVI, viene entre otros vn capítulo siguiente: Dilaten quanto quisieren, pues no nos pueden dar más de lo que tenemos, y no es tiempo para quel posedor no tranpee, porque todo anda como cosa en que Dios

tiene poca parte, y que claro muestra que a apartado la mano de la justiçia: él sabe porqué lo permite; bien está vuestra señoria en Villamuriel.»—Esta nota es extraña á la carta y, en nuestro concepto, debe referirse á algun asunto del licenciado Gasca, á la sazon obispo de Palencia, que residia en aquel punto, cámara de su diócesis.

101 (Pág. 618.)—Hay otra carta del mismo Martin Gonzalez, fechada en la Asuncion á 1.º de julio de 1556, que por repetirse en ella conceptos y noticias de la que va impresa no se publica toda, y de la cual tomamos los siguientes párrafos:

«Es muy grande mal el desta tierra si V. M. no lo prové, porque con estas dichas [mujeres indias] y con las demas, están los más, o casi todos, amançebados, imitando al tresdoblo á los moros, porque los moros no tienen sino siete y ellos tienen más de veynte; y lo que es más de llorar, que mueren los cuytados ansi, alumbrandoles ellas las candelas, estando delante dellos é no quiriendo que se partan de delante sino que estén allí; diziendo: «Hulaneja, ¿por qué no vienes aqui delante de mí? no ves que me quiero morir? no sabes que te quiero bien? No te vayas de aquí, que me dá pena no verte;» y si se las echavan de allí davan vozes; y esto es muy general, y ansi espiravan, y á lo que demostravan llevavan gran pena en dejarlas. En ninguna desta cosas a fablado el obispo, ni tocado en burla ni en veras, ansi á los yndios como á cristianos, sino a sido en sus diezmos pasados, porque a de cobrar allí las quinientas mill maravedis que V. M. le manda dar, y en desanimarme á mí, como V. M. será ynformado, en lo que toca á dotrina, vozar y publicar las cosas de nuestra fe catolica, como más largamente lo hago saber á V. M. por otra mi carta . . . .

»E dado esta cuenta á V. M. para que sepa cómo yo, con vn manto viejo que tengo y siendo un clerigo sençillo, e sido cauvsa, mediante Dios y su palabra, para que munchos maltratamientos que hazen á estos naturales no se les ayan hecho, y que el perlado, que V. M. nos envió para socorro y anparo de nosotros y dellos, que no aya tocado en parte ninguna en favor dellos, sinó antes en disfavor, como V. M. será ynformado; echandómelos de la dotrina, dando ocasion á que los yndios digan, que pues quel obispo no quiere que sepan las cosas de Dios que quieren deprender las del diablo: toda su agonía es yr á entrar por oro y plata, á lo que dá á entender.

». . . . . prometo á V. M. que, despues que vino, que an muerto más de seys ó siete yndios á estocadas; dellos an pareçido y dellos no, porque los echan en el rio. . . .

»En mi ánima que digo verdad á V. M., que, como dicho tengo, que viendo estos naturales sus travajos no aver fin, antes agora doblarse, queste verano sé que se quieren yr de aquí, y estó çierto que se yrán más de dos mill yndios, tras otros que agora a vn año se fueron á meter en los montes y de allí hazer saltos á los yndios de otras naçiones y comerseles como lo acostunvravan. Y estos que se fueron, podrá aver vn año, fueronse porque Nuflo de Chaves ahorcó siete u ocho mensajeros, que le enviaron los yndios, hijos de prinçipales y parientes, y enbiolos amenazar con los Batatas, enemigos suyos; y ansi dejaron la tierra. Y antes tanbien avia ahorcado el capitan Vergara otro prinçipal desta misma provincia, por lo qual dezian que cantavan mal. Estos yndios van y quieren yr á las tierras del Peru, y como no tienen camino, y van fuyendo de sus contrarios, van poblando y senbrando, y de que tienen ya descubierta la tierra adelante, cojen todos los bastimentos y vanse. Desta manera tanbien fueron los demás questán munchos tienpos a allá en las dichas sierras, y estos que van agora, y quieren yr, es su porposito de yr á dar con christianos.

»Aquí ay munchos yndios que an ydo, venidos dos y tres vezes allá con sus hijos y mugeres, por aquí de frente desta çibdad, por vn rio que estará dos leguas

de aquí que vá á dar á la villa de la Plata, y junto á este rio están los yndios de aquí poblados y más por toda la cordillera, y á lo que dizen no están de aquí çien leguas. Tanbien an ydo estos carios allá á las sierras y venido por otro rio, questá de aquí hasta quarenta leguas este Paraguay abajo, que se dize el Ypiti; y ansi mismo están allá en las sierras poblados carios, junto á este dicho rio que vá dar, segun dizen los que vinieron del Peru, cerca de la villa de la Plata. En toda esta tierra ay minas abiertas, segun lo dizen los yndios y tanbien vna lengua christiano español que a visto algunas quando venian del dicho Peru. Muy gran cosa seria, para la salvaçion de munchas ánimas y para que el tesoro del Peru viniese por estos rios abajo y estas minas se labrasen, que V. M. mandase hazer pueblos en las sierras, entre estos carios, donde mejor conviniese al serviçio de Dios y de V. M.: y de todo esto estoy muy bien ynformado, ansi de los christianos que vinieron del Peru como de yndios munchos que an estado allá. Nunca el capitan Vergara a querido que se vayan á poblar estas sierras, ni tanpoco los christianos que son señores de metal, porque no a querido que V. M. sepa lo que a pasado, porque dezia que ydo allí se yrian ó escrivirian al Peru y que vendria quien le dixere «jaque de ay»; y ansi a procurado de cerrar todos los caminos, no a querido que ninguno se descubra, antes si algunos querian descubrir alguno yvan á él, dezíales, «no ando yo tras que se descubran caminos.» Segun dizen yndios, más a de tres años queste rio arriba del Ypiti, que dicho tengo, están poblados christianos del Peru; y a dicho á los yndios, que los a de ahorcar si lo dizen. Hago saber á V. M., que viendo yo las cosas como van y el poco remedio de los naturales, antes como dicho tengo peor, por no vello, que me duele en el ánima, y por hazer serviçio á Dios y á V. M. en descubrir este rio del Ypiti, do dizen los yndios que están poblados los christianos, que estoy determinado, este mes de agosto de quinientos y çinquenta y seys años en que estamos, de me yr por él con algunos españoles, que tanbien quieren yr, y algunos destos carios por guias, y para yntérpretes y que fablen á los suyos, los quales yrán de su propia voluntad; y porque no se hará si guardamos la voluntad del que manda, será no sabiéndolo él.....
.................................»

102 (Pág. 632.)—Respecto de la conducta del obispo fray Pedro Fernandez de la Torre, están conformes todas las cartas escritas al Rey y Consejo de Indias por los conquistadores de las provincias del Rio de la Plata, que no fué la más prudente ni la que las circunstancias aconsejaban practicar.

103 (Pág. 644.)—Siendo gobernador de las islas Filipinas don Gonzalo Ronquillo (1580-1583), el capitan Gabriel de Ribera fué á descubrir la costa y poblaciones de la isla de Borneo y reino de Patan, donde recogió raras curiosidades, y gran cantidad de pimienta, de la que llevó á la isla de Luzon cargadas la galera y fragatas que constituian su armada. Para que noticiase al Rey el suceso y estado de las conquistas en el Archipiélago, envió Ronquillo á España al capitan Ribera, á quien don Felipe II, en premio de sus servicios le hizo merced del título de Mariscal de Bonbon ó de la Laguna de Bonbon, y poco despues de la presidencia de la Chancillería de Manila, establecida en 1584.

VOCABULARIO GEOGRÁFICO.

ACALAN. — *Acatlan*. Poblacion de la provincia de Yucatan, en la Nueva España.

ACAPULCO. — *Los Reyes*. Puerto de la Nueva España en el Océano Pacífico. Hoy pertenece al estado de Guerrero, de la República mexicana.

ACAXUTLA. — *Acajutla*. Poblacion de Guatemala que se mudó al lugar nombrado Bodegas de Acajutla, puerto de la ciudad de Sonsonate, en la república de San Salvador.

AÇECA. — *Aceca*. Sitio Real, despoblado ya, en la provincia de Toledo, partido judicial de Illescas, á la márgen derecha del Tajo, donde hubo un palacio, casa de oficios y otras dependencias, que se han ido arruinando, en particular desde principios de este siglo.

ALUARADO (RIO DE). — *Alvarado*. En el estado y canton de Veracruz, de la República mexicana.

AMAZONAS. — *San Juan de las Amazonas, Marañon, Orellana*. Rio el más caudaloso de los conocidos: nace en la laguna de Lauricocha, al N. del Cerro de Pasco, capital del departamento y provincia de este nombre en la República peruana, y desemboca en el Atlántico bajo la línea equinocial, despues de recorrer unas 1.500 leguas.

ANDAGOYA (UN PUERTO DE). — V. *Buena Ventura (La)*.

ANDES QUITEÑOS. — El trozo de la Cordillera que entra en el territorio de la república del Ecuador, y se extiende de N. á S. entre los 1° de lat. bor. y los 5° 3 de lat. aust.

ANGELES (PUEBLA DE LOS). — Ciudad, capital de la provincia de Tlaxcala, en la Nueva España, fundada por el licenciado Salmeron, oidor de la Audiencia de Mexico, y el obispo don Sebastian Ramirez de Fuenleal, el año de 1533.

ANTEQUERA. — Ciudad, capital de la provincia y alcaldía mayor de Oajaca ó Guajaca, antigua de Antequera. Hoy se llama ciudad de Oajaca, y es cabeza del departamento de este nombre, en la República mexicana.

ANTILLAS. — Islas del mar Océano, situadas entre los 18 y 24° de lat. bor., descubiertas por Colon en su primer viaje el año 1492. El nombre de *Antilia* (Antilla) usado por Aristóteles, refiriéndose á las tierras situadas en el Océano al Oeste de las islas de Canaria, que algunos tradujeron *ante insulæ*, se usó por Martin de Behem ó de Boemia, por Toscanelli, y por los portugueses con el significado de primeras tierras, en cuyo concepto llamaron, durante cierto tiempo, *Antilla* á la Española. Los franceses, buscando en su idioma una palabra que razonablemente se acomodara á la de Antillas, escogieron la de *Lentilles* para aplicarla á las numerosas islas del Archipiélago Caribe, que como lentejas parecen esparcidas por aquel mar. Por su posicion pueden las Antillas dividirse en tres grupos: el de las Lucayas, que entre otras comprende la Gran Bahama, Grande y Pequeño Abaco, Eleuthera, San Andrés, Nueva Providencia, San Salvador ó Guanahaní, Gran Exuma, Marijuana, Gran Inagua y los Caicos: las Antillas mayores constituidas por Cuba, Santo Domingo, Jamaica y Puerto Rico, y las menores, que forman el arco de círculo que desde la entrada del Canal Viejo de Bahama se extiende hasta las vecindades del Orinoco en las costas de Venezuela, se subdividen en Antillas menores de sotavento y Antillas menores de barlovento; correspondiendo á las primeras, entre otras, las islas de Santa Cruz, las del Archipiélago de las Vírgenes, y las nombradas Sombrero, Anguila, San Martin, de Aves, Sabá, San Eustaquio, San Cristóbal, Redonda, Monserrate y Nieves; y á las segundas ó Antillas menores de barlovento las denominadas Barbubo, Antigua, Guadalupe, Dominica, Martinica, Santa Lucía, San Vicente, Granadillos, Granada, Tábago, Barbada, etc.

Apiraes.—Naparus.—*Aperúes, Aperrúes, Iperúes, Naperúes.* Indios cazadores que habitaba una comarca regada por el Bermejo ó Grande afluente occidental del Paraguay, situada hácia los 24° de lat. aust.

Arequipa.—Villa de Arequipa. *Arequeppa.* Segun las crónicas, fué ciudad desde su fundacion por don Francisco Pizarro el año de 1530; pero en muchos documentos oficiales se la llama villa. Era ya poblacion en tiempo de los Incas. Hoy es ciudad importante y capital de la provincia del mismo nombre en el Perú.

Arequipa (Villa de).—V. *Arequipa.*

Arevalo.—*Arévalo.* Villa situada en la isla de Panay, actual provincia de Iloilo del Archipiélago Filipino, fundada por don Gonzalo Ronquillo en 1581.

Asalomas.—Llanos cerca de Guamanga en el Perú.

Asumption (Çibdad de Nuestra Señora de la).—Ciudad de la Asunpçion.—Ciudad de la Asuncion. Asunçion.—Capital de la provincia y gobernacion del Paraguay, y actualmente de la república de este nombre.

Asuncion (Ciudad de la).—V. *Asumption.*

Asunçion.—V. *Asumption.*

Asunpçion (Ciudad de la.)—V. *Asumption.*

Atasta.—Punto próximo á Xicalango, en el distrito de Tabasco, provincia de Yucatan, en la Nueva España, por otro nombre Villahermosa.

Atitalaquia.—Pueblo en el partido de Tula, estado de Mexico, en la república de este nombre.

Atlapulco (San Pedro de).—Pueblo, cabeza de partido del distrito de Metepec, á cinco leguas OSO. de la capital de Mexico, en la Nueva España.

Atotomilco (Real de).—*Atotonilco el Chico.* Pueblo del partido de Pachuca, en el arzobispado de Mexico.

Auacatlan.—*Ahuacatlan, Aguacatlan.* Pueblo del partido de Xala en la antigua provincia de Nueva Galicia, en la Nueva España, y actualmente en la de Guadalajara, de la República mexicana.

Avisca.—*Abisca.* Provincia del Perú, situada al E. de la cordillera de los Andes y al S. del Cuzco, entre los rios Yetaú y Amarumayu.

B

Babuyanes (Los).—Gente que dió su nombre al pueblo que habitaba, frontero de la barra del rio Taxo ó Tajo de la provincia de Cagayan, en el Archipiélago Filipino.

Balalcho.—Nombre de una nacion ó pueblo de indios de la provincia de Yucatan.

Balayan.—Pueblo que se halla situado á la izquierda del rio de este nombre, el cual desemboca en el estrecho de Mindoro, y provincia antigua de la isla de Luzon, llamada ahora Batangas.

BALAYAN (BAXOS DE).—Donde estaba asentada la poblacion de su nombre. (V.)

BANTAYAN.—Pequeña isla situada en la boca setentrional del estrecho que forman las de Negros y Cebú, en el Archipiélago Filipino.

BANTON.—*Bantoon.* Isla situada en la provincia de Cápiz, diócesis de Cebú, en el Archipiélago Filipino.

BATANGAS.—Capital de la provincia ántes llamada de Bonbon y Balayan, en la isla de Luzon (Filipinas).

BATATAS.—V. *Guatatas.*

BELALCAÇAR (GOUERNACION DE).—Así solian llamar á la gobernacion de Popayan, por su descubridor y poblador el adelantado don Sebastian de Belalcázar.—V. *Popayan (Gobernacion de).*

BERA CRUZ.—V. *Vera Cruz.*

BOHOL.—Isla del Archipiélago Filipino en el grupo de las Visayas, correspondiente á la provincia de Cebú.

BONBON.—Comarca del alto Perú á que daba nombre la laguna de *Pumpu*, *Bombon* ó *Chinchaicocha*, fuente del Guadiana, Pari ó rio de Jauja. Así se llamó, poquísimo tiempo, una provincia de la isla de Luzon por llevar este nombre la laguna de Taal: hácia 1575 se le agregó la visita ó barrio de Balayan, que dió á su vez nombre y capital á la provincia llamada actualmente de Batangas.

BONBON Y BALAYAN (PROVINCIA DE). V. *Bonbon.*

BRABO.—Rio caudaloso en la Nueva España, que la separaba del territorio de Texas.

BRACAMOROS (PROVINCIA DE LOS). V. *Bracamoros (Los).*

BRACAMOROS (LOS).—PROVINÇIA DE LOS BRACAMOROS.—*Pacamurus.* Territorio habitado por la nacion de ese nombre, situado al SO. de Quito y sobre la ribera izquierda del Marañon; hoy es provincia de Jaen, la más setentrional de la república del Perú.

BRASIL (EL).—*Tierra de Santa Cruz.* Vasta region del continente Sur-Americano, en un principio limitada al Oriente por el Atlántico, y al Occidente por el meridiano divisorio de los dominios españoles y portugueses en el Nuevo Mundo. Despues las repetidas y sistemáticas invasiones de estos últimos fueron ensanchándole poco á poco; y en la actualidad constituye un imperio que se dilata por el S. hasta la República Oriental ó del Uruguay, y por el N. hasta las Guyanas y Venezuela; al E. sus confines, que no están perfectamente determinados, pasan por las márgenes izquierdas de los rios Uruguay y Paraguay y por las derechas del Guaporé ó Iténes y del Yavarí, cuyo rio señala los límites más occidentales del imperio, corriendo á 37° 30′ de distancia del punto más oriental ó sea el puerto de Paraíba. Alvarez Cabral, uno de sus exploradores, le puso el nombre de Tierra de Santa Cruz, y despues recibió el mismo que llevaba antiguamente una de las islas Azores, y por la misma causa, el criarse allí el palo brasil ó *rojo como la brasa.*

BUENA VENTURA (LA).—PUERTO DE LA BUENAVENTURA.—Puerto de la ciudad de San Sebastian de Cali, en el Pacífico y en la gobernacion que se llamó del rio de San Juan ó de Pascual de Andagoya, por habérsele concedido á este descubridor. Hoy pertenece á la república de Nueva Granada.

BUENOS AYRES.—PUERTO DE BUENOS AYRES.—*La Trinidad de Buenos Ayres.* Ciudad capital de la provincia, gobernacion y vireinato de ese nombre, hoy República Argentina. La fundó don Pedro de Mendoza el año de 1535 sobre la costa meridional del gran seno del Plata en los 34° 30′ de lat. aust.; tuvo que abandonarse dos veces por causa de las invasiones de los indios comarcanos, y se restauró otras dos: la primera por órden del gobernador del Perú Cristóbal Vaca de Castro en 1542, y la segunda por mandato Real en 1581, poblándola don Juan Ortiz de Zárate.

BUENOS AYRES (PUERTO DE).—V. *Buenos Ayres.*

BURIAS.—Isla, y su único pueblo del mismo nombre, situada frente de la costa meridional de Camarines, diócesis de Nueva Cáceres, en el Archipiélago Filipino.

BURNEY.—*Borneo.* Isla, la mayor de las del globo despues de la Nueva Holanda, situada en el mar de las Indias, entre los 7º 7' lat. N. y 12 lat. S.

BURNEYES (LOS).—Naturales de la isla de Burney ó Borneo.

CAÇERES (CIUDAD DE). — V. *Camarines.*

CAGAYAN.—Provincia de la isla de Luzon, cuya capital es Nueva Segovia.

CALAMIANES.—Forma su territorio un grupo de islas en el Archipiélago Filipino y una de sus provincias. Las principales islas son: Cuyo, Calamian, Coron, Linacapan, Dumaran, Lutaya ó Agutaya y Busuagan, y la capital está en la punta setentrional de la isla de la Paragua.

CALI.—*San Sebastian de Cali.* Ciudad de la antigua gobernacion de Popayan, situada á orillas del rio Cauca. Hoy de la república de Nueva Granada.

CALI (TIERRA DE).—La comarca ó el distrito de la ciudad de Cali. (V.)

CALILAYA. — Pueblo que existió en la antigua provincia de Bonbon (Filipinas).

CALKINI. — Nombre de una nacion ó pueblo de indios de Yucatan.

CALLAO (EL).—Así se empezó á llamar el puerto de la ciudad Los Reyes ó de Lima desde los años de 1549, por una pesquería indiana en aquel punto de antiguo establecida. Callao en lengua *yunca*, ó de la costa, significa cordero.

CAMARINES. — Provincia de la isla de Luzon, y cuya antigua capital, nombrada Nueva Cáceres, se fundó en 1578 durante la gobernacion de don Francisco de Sande; ha desaparecido completamente; hoy está representada por el barrio indio llamado Naga.

CANARIA. — *Gran Canaria.* Isla del conocido archipiélago de su nombre.

CANELA (LA).—*Tierra ó provincia de la Canela.* Así dicha por la que crece en ella y fué á buscar Gonzalo Pizarro el año de 1541. Formó parte despues del llamado gobierno de Quijos, Sumaco y la Canela; hoy constituye el canton denominado de Quijos, en la Provincia Oriental de la república del Ecuador.

CANPECHE.—SAN FRANCISCO.—VILLA DE SAN FRANCISCO. — *Campeche.* En la provincia de Yucatan. Tuvo su primer asiento donde hoy se encuentra el pueblo de Tenozic, despues en el de Potonchan ó Champoton, y por último en el que actualmente conserva.

CAPUL.—Isla en la provincia de Samar, Archipiélago Filipino.

CARAQUES (BAYA DE LOS). — En la costa del mar Pacífico, al Sur de Cabo Pasao ó Pasau. Hoy corresponde á la provincia de Manaví, canton de Monte Cristi, en la República ecuatoriana.

CARCAXAS (SIERRAS DE LOS). Abundantes en minas de plata, situadas en el territorio de los Carangues, limítrofe de los Charcas, en el Perú.

CARIES.—V. *Xaries.*

CARIOES. — CARIOS. — Indios del Paraguay: ocupaban principalmente el territorio en donde se fundó la ciudad de la Asuncion.

CARIOS.—V. *Carioes.*

CARTAGENA. — Cartagena de Indias ó de Poniente, capital de la gobernacion del mismo nombre. (V.) Se fundó por el adelantado don Pedro de Heredia, junto al pueblo indiano de Calamar, en 1531.

CARTAGENA (GOUERNAÇION DE). Llamada tambien un tiempo La Nueva Lombardía; extendíase de SO. á NE. desde el golfo del Darien ó culata de Urabá al rio de la Magdalena, denominado asimismo Guadalquivir, Grande ó de Santa Marta, y sin límites fijos al Mediodía. Hoy es provincia de la república de la Nueva Granada.

CASTILLA (LA NUEVA).—V. *Nueva Castilla (La).*

CASTILLA (GOUERNACION DE LA NUEVA).—V. *Nueva Castilla (La).*

CATANDUANES.—Isla del Archipiélago Filipino, en la provincia actual de Albay.

CAUALLOS (PUERTO DE).—*San Juan de Puerto de Caballos.* Situado en la provincia ú obispado de Guatemala, por el que se proveia la ciudad de Santiago de los Caballeros, capital de aquella gobernacion, que distaba ochenta leguas de él. Hoy pertenece á la república de Honduras.

CAVANA. — *Cabana.* Pueblo de indios que despues fué de la provincia de Lucanas ó Rucanas, en Coyasuyu, situado hácia los 15° 30′ lat. aust., al NO. del lago de Titicaca y al S. de Lampa, camino de la sierra á la ciudad de Arequipa.

CAXAMALCA.—*Cassamarca, Caxamarca, Cajamarca.* Residencia de verano de los Incas; despues fué capital de provincia y corregimiento en el obispado de Trujillo. En la actualidad lo es del departamento de su nombre en la República peruana.

CIGAL (PUERTO DE).—En el Atlántico, á nueve leguas de Mérida de Yucatan.

CIUDAD DE LOS REYES.—V. *Lima.*

CIUDAD REAL. — *Ciudad Real de Chiapa.* Capital de la provincia y obispado de este último nombre, en la gobernacion, hoy república, de Guatemala.

CIUOLA.—*Cívola, Cíbola.* Territorio sin límites fijos de la Audiencia de Guadalajara ó de la Nueva Galicia, al N. de la provincia de Culiacan.

COATLAN. — *Coatlan del Rio.* Cabeza de la municipalidad de su nombre en el partido y distrito de Cuernavaca, estado de Mexico.

COCUMEL.—*Coçumel, Cozumel.* Isla que está situada en frente de la costa oriental de Yucatan.

COCHUA.—Nombre de una provincia antigua del Yucatan.

COLIMA. — Antigua provincia del obispado de Michoacan en la Nueva España: hoy es partido del mismo nombre en la República mexicana.

COLLAO.—EL COLLAO.—PROVINCIA DE L COLLAO.—Famosa y extensa region situada al S. del Cuzco y entre las ramas occidental y central de la cordillera andina, habitada antiguamente por los indios Collas. Hoy se halla repartida entre las repúblicas del Perú y de Bolivia.

COLLAO (EL).—V. *Collao.*

COLLAO (PROVINCIA DEL).—V. *Collao.*

COMBLON.—*Romblon.* Una de las islas Visayas, en el Archipiélago Filipino.

COMITLAM.— Pueblo del obispado de Chiapa, que contaba de 500 á 600 vecinos, en donde tenia una casa la órden de Santo Domingo.

COMPOSTELA.—Ciudad y capital de la Nueva Galicia, en la Nueva España, y residencia algun tiempo de la Audiencia, que pasó con la silla episcopal á la ciudad de Guadalajara.

CONFINES (AUDIENCIA DE LOS).—Se creó el año de 1542: llamábase así por estar situada en los de Guatemala y Nicaragua; comprendia su territorio desde los límites de la Audiencia de Panamá ó de Tierra Firme hasta los de Nueva España, ó de Costa Rica á Tehuantepec. El año de 1570 se trasladó á Guatemala.

COPANABASTLA.—Pueblo del obispado de Chiapa, en donde tenian un convento los religiosos de Santo Domingo. Despues fué capital de la provincia de su nombre.

COROCOTOQUES (LOS). — LOS COROCOTOQUIS.—Tribu de indios del Paraguay, que habitaba entre los rios Pilcomayu y Bermejo, hácia la márgen izquierda de este último y entre los 25° y 26° lat. aust.—Acaso sean los mismos que se nombran Conocotés en el mapa de La Cruz y Olmedilla.

COROCOTOQUIS (LOS).—V. *Corocotoques (Los).*

COROCOTOQUIS (PROUINCIA DE LOS). Territorio habitado por los indios de ese nombre. (V.)

CREO (CABO DE).—El llamado de *Creus* en Cataluña.

CUAUHTIMALA.—V. *Guatemala.*

CUBA (ISLA DE).—La más rica y mayor de las Antillas.

CUERNAVACA.—Pueblo del distrito de Mexico, que se nombraba antiguamente Quauhnahuac.

CUESTERA.—V. el GLOSARIO.

CULHUACAN. — *Colhuacan*. Pueblo del estado de Mexico, asentado junto al lago de Xochimilco.

CUMANA. — *Cumaná*. Provincia de la América meridional comprendida entre Venezuela, el océano Atlántico y la boca grande del Drago.

CUMPAHUACAN.—Pueblo de indios en el antiguo arzobispado de Mexico de la Nueva España.

CUMPAHUALA.—Pueblo de indios del antiguo arzobispado de Mexico, en la Nueva España.

CUYO.—Isla del Archipiélago Filipino, que hoy forma parte del grupo y provincia de Calamianes.

CUZAMA. — Pueblo de indios en la provincia de Yucatan.

CUZCATLAN.—Así llamaban los indios al lugar poblado donde se situó la villa de San Salvador, hoy ciudad capital de la república de este nombre.

CUZCO (EL).—*Cozco*. Antigua córte de los Incas, y la primera ciudad del Perú en los primeros tiempos de la dominacion española; hoy es capital de la provincia y departamento de este nombre en la República peruana.

CUZCO (CIUDAD DEL).—V. *Cuzco (El)*.

CUZCO (TIERRA DEL).—El distrito ó la comarca dependiente de la ciudad del Cuzco; hoy provincia y departamento del mismo nombre de la República peruana.

ÇACATECAS.—V. *Zacatecas*.

ÇACATULA.—V. *Zacatula*.

ÇAPOTECA. — ZAPOTECAS. V. *Zapoteca*.

ÇAQUALPA. — *Zaqualpa*, *Zacualpa*. Pueblo de indios y asiento de minas, que se encuentra situado á veinte leguas de Mexico.

ÇIAN.—*Siam*. Uno de los reinos de la India, de muy frecuente comercio con el Archipiélago Filipino.

ÇIHA.—Pueblo ó nacion de indios en la provincia de Yucatan.

ÇIMEONOS. (LOS).— Indios vecinos de los Corocotoques. (V.)

ÇOÇUTA.—*Sotuta*. Provincia de indios en el Yucatan, donde existe hoy un pueblo del propio nombre, al O. de Valladolid.

ÇOQUES (PROVINCIA DE LOS).—*Provincia de los Zoques*. En el obispado y comarca de Chiapa; su capital Tecpatlam. (V.)

ÇUBU.—ZUBU.—*Cebú*. Isla y provincia que forma parte del Archipiélago Filipino. La capital del mismo nombre se llamó antiguamente del Nombre de Jesus.

ÇUBU (CIUDAD DE).—*Ciudad de Cebú, Nombre de Jesus*. Capital de la provincia de aquel nombre (V.), en el Archipiélago Filipino.

ÇULTEPEQUE.—*Zultepec*. Pueblo y real de minas de plata en la provincia de Tlaxcala de la Nueva España, hoy de Puebla, en la República mexicana.

ÇUMACO (PROVINÇIA DE).—Descubierta por Gonzalo Diaz de Pineda en el año de 1539. Formó parte de la gobernacion llamada primero de Quijos, Zumaco y la Canela, y despues solamente de los Quijos. En la actualidad constituye el pequeño distrito de San José de Moti, pueblo situado en las faldas del volcan de Sumaco, en el canton de Quijos, provincia de Oriente, de la república del Ecuador.

ÇUNPANGO.—*Zumpango*. Asiento de minas en el distrito de Mexico, á cuarenta leguas de la capital.

CHACHAPOYAS (LOS).—*Los Chachapuyas*. Nacion de indios del Perú, célebre en tiempo de los Incas por su valor y la hermosura de sus mujeres. Su territorio era al Oriente de los Andes, sobre la márgen derecha del rio Marañon, entre los 6° y 7° lat. aust. Llamóse provincia despues, y hoy conserva esa denominacion, siendo una de las del departamento del Amazonas, en la República peruana.

CHACHAPOYAS (CIUDAD DE LOS).—San Juan de la Frontera de Llavantu ó de los Chachapoyas.—V. *Frontera (La)*.

CHACHAPOYAS (PROVINÇIA DE LOS). V. *Chachapoyas* (*Los*).

CHALCO.—Ciudad situada á orillas de la laguna del mismo nombre.

CHANES.—*Chaneses*. Pueblo de indios que habitaban cerca de la confluencia de los rios Negro y Paraguay.

CHANPOTON.—*Champoton*. Nombre de un rio y de un pueblo de Yucatan, donde empieza la serranía que atraviesa aquella península.

CHARCAS.—LAS CHARCAS.—LOS CHARCAS.—PROVINÇIA DE CHARCAS. Territorio habitado por la nacion de su nombre, que se extendia al SO. de las grandes lagunas de Aullaga y Paria; fué despues provincia en el vireinato del Perú, más tarde Audiencia, y hoy pertenece á la república de Bolivia.

CHARCAS (LAS).—V. *Charcas*.

CHARCAS (LOS).—V. *Charcas*.

CHARCAS (PROVINÇIA DE).—V. *Charcas*.

CHARCAS (VILLA DE).—VILLA DE LOS CHARCAS.—VILLA DE LA PLATA.—VILLA DE PLATA.—*Chuquichaca*, *Chuquisaca*. Fundada en la comarca de los Charcas por el capitan Per Anzures Enriquez de Camporedondo, el año de 1538. Es en la actualidad capital de la república de Bolivia.

CHETEMAL.—Cacicazgo en la provincia de Yucatan.

CHIAMETLA.—*Chametla*. Pueblo de indios del reino de la Nueva Galicia en la Nueva España.—Minas de la gobernacion de Francisco de Ibarra, en el territorio de los Zacatecas.

CHIAPA.—*Chiapas*. Obispado, provincia y alcaldía mayor del antiguo reino de Guatemala, conquistada en 1524 por Diego de Mazariegos: quedó sujeta, entónces, á la Audiencia de Nueva España, hasta que en el año de 1542 pasó á la jurisdiccion de la de los Confines. En lo espiritual estuvo primeramente sometida al obispado de Tlaxcala, y ocurrida entre éste y el de Guatemala competencia, fué adjudicada al último; por fin, en 1538, erigió Paulo III el obispado de Chiapa.—Ciudad, capital y provincia de la diócesis, llamada tambien Ciudad Real de Chiapa. (V.)

CHIAPA (OBISPADO DE).—Comprendia el mismo territorio que la provincia de ese nombre. (V.)

CHIAPA DE LOS INDIOS.—El principal de los pueblos del obispado de Chiapa en 1579; contaba 1.200 vecinos.

CHICHIMECAS (Los).—*Chichimecos*. Indios de la Nueva España, procedentes de la tierra de *Chichimecin*, cuyas feroces y numerosas tribus vivian sin tener casa ni pueblo, repartidos por los vastos territorios al O. y N. de Mexico, que despues formaron las provincias de Nueva Galicia y otras más setentrionales.

CHICHIMECAS (PROVINCIA Ó PROVINCIAS DE LOS).—El país poblado por la nacion de ese nombre. (V.)

CHINCHIPE (RIO DE).—En el antiguo reino, gobernacion y Audiencia de Quito, hoy república del Ecuador. Tiene sus cabeceras en el nudo de Savanilla, sierra del Cóndor y faldas orientales de la gran Cordillera en la provincia de Loja; corre de NO. á SO. recogiendo casi todas las aguas de la region oriental de dicha provincia, y desagua en el alto Marañon junto á Tomependa, en los 3°30′ lat. aust.

CHILE.—CHILI.—PROVINCIAS DE CHILI.—País descubierto y sojuzgado por el Inca Tupac Yupanqui, explorado despues por don Diego de Almagro y conquistado por Pedro de Valdivia, que lo tuvo en Gobernacion, y en calidad de tal continuó hasta constituirse en república independiente. Extendíase desde los 23° lat. aust. hasta el estrecho de Magallanes, y comprendia tambien las pampas de Patagonia, á contar del rio Negro para el Sur.

CHILI.—V. *Chile*.

CHILI (PROVINCIAS DE).—V. *Chile*.

CHINA.—Las provincias de este vasto imperio, que en el siglo XVI mantenian relaciones comerciales con el Archipiélago Filipino, eran: Canton, Kian-si, To-kien, Nanquin, Chekian y Xantung.

CHINCHA (PROUINÇIA DE).—Antiguo

estado indígena en el valle costeño de ese mismo nombre en el Perú, situado frente á las islas llamadas tambien de Chincha. Formó parte despues de la provincia de Cañete y hoy constituye dos distritos en el departamento de Lima.

CHIQUIPILCO.—XIQUIPILCO.—*San Juan de Xiquipilco, Jiquipilco.* Pueblo que fué cabeza de partido de la alcaldía mayor de Metepec, en la Nueva España, y es actualmente juzgado de paz del distrito de Ixtlahuaca, departamento de Mexico.

CHONTALES.—Indios del antiguo señorío de la Zapoteca, comarca de Tehuantepec, en la Nueva España.—Llevaban el mismo nombre otros indios del corregimiento de Matagalga, provincia de Nicaragua, cuya denominacion, que equivale á bozal ó rústico, dieron los españoles á aquellos habitantes.

CHUCUYTO. — *Chucuito, Chucuitu.* Comarca del Perú, donde tenia sus mejores encomiendas la Corona de España; más tarde provincia de aquel vireinato; hoy del departamento de Puno, en la República peruana.

CHULULAN. — *Chollollan, Chollolan, Cholula, Churultecatl.* Antigua provincia de la Nueva España; hoy partido del departamento y estado de Puebla, de la República mexicana.

CHUPAS (ASIENTO DE). — Poblacion de indios en los primeros tiempos de la conquista del Perú, situada en unos llanos próximos á la ciudad de Huamanga.

CHUQUIMAYO (TIERRA DEL).—*El Chuquimayu, Provincia de Chuquimayu.* Llamábase *Silla* en su remota antigüedad; los Incas le dieron el nombre de *Chacayunca* ó *Chacainca*, y cuando la exploraron los españoles era régulo ó cacique de ella *Chuquimay.* Descubrióla el capitan Juan Porcel por órden de Vaca de Castro en 1542, estableciéndose por poco tiempo en la comarca y pueblo llamado de Perico, y la conquistó Diego Palomino, en 1549, por encargo del Presidente Pedro de la Gasca, fundando en ella la ciudad de Jaen, sobre la ribera oriental del Chinchipe, poco ántes de desaguar en el Marañon. Carecia de límites fijos hácia el NO. y E. y confinaba por el S. con el Marañon y provincia de los Chachapoyas. Despues constituyó gran parte de la provincia de Jaen y gobierno denominado de Juan de Salinas, dependiente de la Audiencia de Quito; no obstante lo cual, hoy es provincia de la república del Perú.

DAUALOS (PUEBLOS). — *Pueblos D'Áualos* ó *de Ávalos.* Componian la provincia de Ávalos, del obispado de Jalisco, jurisdiccion de Mexico, la cual «tomó este nombre de un español principal, »llamado Ávalos, que fué el primero que »tuvo en encomienda los pueblos contenidos »en ella.» — Los sucesores de Ávalos no llevaban en 1586 más de la mitad de los tributos, porque la otra mitad era del Rey, el cual tenia puesto en toda la provincia un alcalde mayor que administraba justicia. Habia en aquel territorio nueve conventos de franciscos, establecidos en los pueblos de Tencuylatlan, Axixique, Chapala, Cocula, Tzayula, Amacueca, Atoyaque, Techalutla y Tzacualco.

DAYUN.—Pueblo que existió en la provincia de Balayan, en la isla de Luzon, del Archipiélago Filipino.

DOMINICA (ISLA.)—V. *Isla Dominica.*

DOÑA MARIA (HATO DE). — A una legua del sitio que ocupaba Veracruz y donde, para que se trasladasen sus vecinos, trazó en 1562 un nuevo sitio el bachiller Martinez.

ECUADOR.—República cuyo territorio comprende el antiguo reino Quitu ó de Quito, despues gobernacion y Audiencia del mismo nombre.

ELEN. — *Elin.* Isla en el Archipiélago Filipino.

ERES (ISLAS DE).—*Islas de Hieres* ó *Hyeres.* Grupo situado en el Mediterráneo y costa meridional de Francia; forman parte del departamento del Var.

ESPAÑOLA (LA).—V. *Santo Domingo (Isla de)*.

ESPECERIA.—*Especiería*. Se daba este nombre al Archipiélago Malayo, por sus islas del Maluco y otras, donde se produce la nuez moscada, la canela, el clavo, la pimienta, etc.

ESPIRITU SANTO (CABO DE).—Es un promontorio en la costa Norte de Samar, Archipiélago Filipino.

ESTRECHO (EL).—El estrecho de Magallanes, denominado tambien algun tiempo de la Madre de Dios.

EZMIQUILPA.—V. *Ixmiquilpan*.

FILIPINAS (ISLAS).—PHILIPINAS. Archipiélago situado en la zona tórrida. Su extension de E. á O., medida por la parte meridional, es de más de 180 leguas, y desde el extremo SO. hasta las islas más setentrionales, de unas 320.

FLORIA (LA).—V: *Florida (La)*.

FLORIDA (LA).—LA FLORIA.—Vasta comarca en la parte setentrional de América, así llamada por haber sido explorada en el domingo de Pascua Florida de 1512 por el adelantado Juan Ponce de Leon, aunque otros derivan el nombre de su feracidad y abundancia de flores: corresponde en el dia próximamente al estado de la Union americana que lleva igual denominacion.

FRONTERA (LA).—ÇIUDAD DE LOS CHACHAPOYAS.—San Juan de la Frontera de los Chachapoyas, que fundó el mariscal Alonso de Alvarado en el año de 1536; fué capital del corregimiento de aquel nombre, y en la actualidad lo es de la provincia que conserva esa denominacion en la República peruana.

GALBANDAYUN.—Pueblo de la antigua provincia de Bonbon en el Archipiélago Filipino.

GALIZIA (NUEVO REYNO DE).—*Nuevo Reino de Galicia, Nueva Galicia*. En la América setentrional. Eran sus confines una línea tirada del SSE. al ENE. desde el pueblo de Autlan en la mar del S. hasta la boca del rio de Pánuco en la del N.; al N. la provincia de Cinaloa, Nuevo Reino de Leon y Nueva Vizcaya, y al SSE. el mar Pacífico desde el pueblo referido al de Chiametla, á la entrada del golfo de California. La mayor parte de su territorio está hoy comprendido en el estado de Xalisco, de la República mexicana.

GILOTEPEQUE.—V. *Xilotepeque*.

GOLFO DULCE.—Situado al SO. del de Honduras; hoy pertenece á la república de Guatemala.

GOMERA (LA). — Una de las islas de Canaria, situada entre la de Hierro y la de Tenerife.

GRAÇIAS A DIOS.—ÇIUDAD DE GRAÇIAS A DIOS.—Ciudad perteneciente á la provincia ó gobernacion de Honduras, situada en la sierra de Naco, en el antiguo reino y obispado de Guatemala; en ella residió la Audiencia que fué de los Confines, luego trasladada á Guatemala. Hállase al O. de Comayagua, capital de la república de Honduras, hácia el confin oriental de la república de Guatemala.

GRAÇIAS Á DIOS (ÇIUDAD DE).—V. *Graçias á Dios*.

GUAÇAQUALCO.—V. *Guazacoalco*.

GUADALAJARA (CIUDAD DE).—Capital que fué de la provincia del mismo nombre y del reino de Nueva Galicia, fundada en 1531 por Nuño de Guzman, y cabeza del obispado que con la propia denominacion se erigió en 1548: forma actualmente parte de la República mexicana, y es capital del departamento de Xalisco.

GUADALUPE (ISLA DE).—Una de las Antillas menores, está situada entre la de Nuestra Señora de la Antigua, la Dominica y la Martinica: fué descubierta en 1493 por Colon, quien la dió el nombre que lleva por la semejanza de sus montañas con la sierra de Guadalupe en Extremadura.

GUAILAS (PROUINÇIA DE).—*Provincia de Huailas* ó *de Huailla*. Hoy departamento del mismo nombre ó de Ancahs, en la República peruana.

GUAJACA ó GUAXACA.—V. *Oaxaca*.

GUALLARIMA.—*Guainarimac*. Pueblo ó asiento á doce leguas al O. del Cuzco: el licenciado Pedro de la Gasca y el arzobispo de Lima fray Jerónimo de Loaisa, hicieron allí la division y repartimiento de los indios tributarios del Perú que se publicó á 24 de agosto de 1548.

GUAMACHUCO.—Antiguo cacicazgo ó principado sometido por los Incas y que luego formó el corregimiento de su nombre en el vireinato peruano. Hoy es provincia en la república del Perú.

GUAMANGA (PROVINCIA DE).—*Provincia de Guamanga* ó *Guamanca*. Antiguo estado sometido al imperio de los Incas por Viracocha y erigido despues en provincia del vireinato del Perú. En la actualidad se llama de Ayacucho.

GUAMANGA.—V. *San Juan de la Frontera* (*Villa de*).

GUAMANGA (VILLA DE).—V. *San Juan de la Frontera* (*Villa de*).

GUANAJUATO.—GUANAXUATO. Region habitada en la época de la conquista por las tribus errantes de los chichimecas, que adquirió bien pronto importancia con el descubrimiento de minas de oro y plata, viniendo á constituir una alcaldía mayor en la provincia y obispado de Michoacan; hoy es uno de los estados de la República mexicana y su capital el Real de Minas de Guanajuato, más comunmente conocida por el último nombre.

GUANAXUATO.—V. *Guanajuato*.

GUANCAVILCAS (LOS).—Nacion que habitaba en las riberas del rio Guayas ó de Guayaquil más inmediatas á la costa.

GUANTEPEQUE.—V. *Tequantepeque*.

GUANUCO (PROUINÇIA DE).—*Provincia de Guánuco*. Comprendió en un principio las que despues fueron de Chinchaicocha, Conchucos, Caxatambo, Tarma, Guailas y Guamalíes, en el distrito de la última de las cuales estuvo primero fundada la capital llamada Leon de Huánuco de los Caballeros.—En la actualidad se halla mucho más circunscrita y forma parte del departamento de Junın, en la República peruana.

GUARANIES.—*Guaraníes*, *Guaranís*. Nacion de indios de la provincia y gobierno del Paraguay, en el territorio bañado por el rio Uruguay, que se extendia por el NO. hasta el Paraná, por el SE. hasta el Ubicuy, por el N. hasta el Iguazú y por el S. hasta el Rio Negro; la lengua guaraní es, aún hoy, la más comun en toda la parte oriental de América.

GUARAZ.—*Huaraz*. Comarca que se erigió en provincia del vireinato del Perú, y hoy lo es con el mismo nombre del departamento de Ancachs, en la República peruana.

GUARAZ (TAMBO DE).—*Tambo de Huaraz*. Aposento ó sitio real de los Incas, donde más tarde se fundó la ciudad de Huaraz, capital de la provincia de su nombre. (V. *Guaraz*.)

GUASTECA (LA).—LA HUASTECA. Antigua provincia de Mexico, habitada por indios muy belicosos, cuya difícil conquista realizó el segundo Moctezuma, para cumplir la ley inviolable que le obligaba á sujetar una nueva provincia á aquel Imperio, si habia de recibir la corona. Los guastecos eran fronterizos de los chichimecos, con los cuales estaban tambien en guerra; tenian lengua propia, hoy perdida, y el territorio que estos ocupaban distaba unas cuarenta y cinco leguas al N. de Mexico.

GUASTECOS.—Indios habitantes de la provincia mexicana llamada la Guasteca.

GUASTEPEQUE.—V. *Huastepec* (*San Juan de*).

GUATATAS.—BATATAS.—*Guatataes*, *Uatatas*. Generacion de indios que ocupaba parte del territorio de la antigua provincia y hoy república del Paraguay.

GUATEMALA.—GUATIMALA. GOATIMALA.—GOBERNACION DE GUATIMALA.—CUAUHTIMALA. *Cuauthemallan*, *Huautimallan*, *Coctemalan*. Antigua provincia ó reino, conquistado por don Pedro de Alvarado, que lo tuvo en gobernacion, y quedó como tal en lo sucesivo. Confinaba con la provincia de Oajaca, de la Nueva España, con la de Yucatan, con la gobernacion de Nicaragua y tenia costas en ambos mares. Su capital, llamada Santiago de los Caballeros, ha sido cámara de Audiencia y sede episcopal del mismo nombre. Actualmente se halla su territorio repartido entre las repúblicas de Guatemala y de San Salvador.

GUATEMALA (AUDIENCIA DE).—Se llamó primero de los Confines (V.), y de Guatemala desde el año de 1570, en que se trasladó su residencia á esta ciudad.

GUATIMALA.—V. *Guatemala.*

GUATIMALA.—V. *Santiago de Guatemala (Ciudad de).*

GUATIMALA (GOBERNACION DE).—V. *Guatemala.*

GUATIMÁLA (OBISPADO DE).—Erigióse el año de 1534; comprendia los territorios que hoy forman la república de Guatemala y la de San Salvador.

GUATIMALA (CIUDAD DE).—V. *Santiago de Guatemala (Ciudad de).*

GUATITÁN.—V. *Guatitlan.*

GUATITLAN.—GUÁTITAN.—Pueblo de la Nueva España, al NO. de Mexico, en la provincia, hoy distrito federal, de Tacuba. Guatitlan fué el pueblo que Hernan Cortés encomendó á Alonso de Ávila al regresar éste de la isla de Santo Domingo, tanto para premiar sus servicios por la comision que allí habia desempeñado cerca de los gobernadores de aquella isla, como para tenerle alejado de su persona.

GUATULCO.—V. *Huatulco.*

GUAXACÁ.—V. *Oaxaca.*

GUAYACOCOTLA.—V. *Huayacocotla.*

GUAYANGAREO. — Pueblo y valle del antiguo reino tarasco, ó de Michoacan, donde fundó Cristóbal de Olid la ciudad que, por el sitio en que estaba y el apellido del fundador, se dijo Valladolid; capital, despues, de su nombre en la Nueva España y hoy con el de Morelia, del estado de Michoacan, de la República mexicana.

GUAYAQUIL. — *Santiago de Guayaquil.* Ciudad fundada sobre la márgen derecha de la ria del Guayas por Sebastian de Belalcázar el año de 1535. Perteneció á la gobernacion y despues Audiencia de Quito, dependiente del vireinato peruano. Hoy es capital del canton de Guayaquil, provincia del mismo nombre, distrito del Guayas, en la república del Ecuador.

GUAYAS (RIO).—Más conocido por el rio de Guayaquil; desemboca en el golfo de este nombre, frente á la isla de la Puná, en los 2° lat. aust. Es propiamente una gran ria formada por el Daule, Babahoyo y Yaguachi.

GUAYMOCO.—GUEYMOCHO.—Pueblo de la provincia de San Salvador de Guatemala, hoy de la república de San Salvador.

GUAYRA. — *Guayrá.* El territorio del Paraguay más inmediato al Brasil por la parte de NE., llamado tambien provincia de Vera ó del Tapé. Actualmente compone la mitad meridional de la provincia de San Paulo en el Imperio brasileño.

GUAYRA (ASIENTO DE).—Ciudad Real de Guairá, capital de la provincia de ese nombre, llamada tambien de Vera y del Tapé, poblada por Domingo Martinez de Irala, junto á la confluencia del Paraná y Pequirí ó Itatú, hácia los 24° de lat. aust.

GUAZACOALCO.—GUAÇAQUALCO. COATZACOALCO.—Con el primero de estos nombres nace un caudaloso rio de la Nueva España en la provincia de Acacuya, por la cual sigue su curso hácia el S. hasta salir al mar, formando una barra ó banco de arena, en cuyo sitio hubo un pueblo llamado Espíritu Santo, destruido hoy, y que creemos es el Guazacoalco, de que habla el texto.

GUEYMOCHO.—V. *Guaymoco.*

HABANA.—*Hauana, Havana, San Cristóbal de la Habana.* Capital de la Isla de Cuba, fundada por Diego Velazquez el año de 1511 en la costa del S. y cerca de la desembocadura del rio Bija, en la proximidad de la actual poblacion de Batabanó, y trasladada hácia 1519 á la orilla derecha del puerto de Carenas, donde actualmente se encuentra.

HATUNRUCANA.—V. *Lucanas.*

HIBUERAS.—HIGUERAS.—Denominóse así primeramente el territorio y provincia de Honduras (V.), porque al descubrirlo en 1502 don Cristóbal Colon, vió muchos árboles cargados de fruta, á modo de grandes calabazas, llamadas *Hibueras* y *Jigüeras* en la Isla Española, y *Güiras* en la de Cuba (*Crescentia cujete*).

HIGUERAS.—V. *Hibueras*.

HIGUERAS Y HONDURAS. —V. *Honduras*.

HIGUERAS Y HONDURAS (GOVERNACION DE).—V. *Honduras*.

HIGUERAS Y HONDURAS (PROVINÇIA DE).—V. *Honduras*.

HOMUN.—*Human*. Provincia de indios en el Yucatan: hoy existe un pueblo del propio nombre al SO. de Mérida.

HONDURAS. — ONDURAS. — HUNDURAS. HIGUERAS Y HONDURAS. — GOBERNACION DE HIGUERAS Y HONDURAS. — PROVINCIA DE HIGUERAS Y HONDURAS.—Provincia y gobernacion limitada al N. por la bahía de su nombre, al O. por Guatemala, al S. por Nicaragua y al E. por el Atlántico. Hoy constituye la república de Honduras. V. *Hibueras*.

HONDURAS (CABO DE).—En la costa setentrional de esta gobernacion, y hoy República, al N. de Trujillo.

HONDURAS (OBISPADO DE).—Eran sus límites los de la gobernacion y provincia de ese nombre. (V.)

HUASTECA (LA).—V. *Guasteca*.

HUASTEPEC (SAN JUAN).—*Guastepeque, Huastepec, Huastepeque*. Pueblo que forma hoy parte de la República mexicana, en el departamento de Oaxaca.

HUATULCO.—GUATULCO.—*Santa María de Huatulco*. Pueblo y puerto de la Nueva España en el mar Pacífico, de gran importancia en la época del descubrimiento y conquista, que en 1587 fué saqueado y reducido á escombros por Francisco Drake: reedificóse luego, y hoy forma parte del distrito de Jutla, partido de Pochutla, departamento de Oaxaca, de la República mexicana.

HUAUCHINANGO. — QUAUCHINANGO. Antiguo pueblo y cabecera de partido de la alcaldía mayor de Tehuantepec, en la Nueva España, y despues del estado de Puebla, en la República mexicana.

HUAYACOCOTLA.—GUAYACOCOTLA. *Hueyocotl, Hueyacocotl*. Capital de la alcaldía del mismo nombre, bajo la advocacion de San Pedro, en la Nueva España, sesenta leguas al NE. de Mexico, que forma hoy parte de la República mexicana, en el estado de Puebla, distrito de Tuxpan, partido de Chicontepec.

HUBAY.—V. *Ubay*.

HUCHUCTOCA.—Pueblo de la alcaldía mayor de Cuautitlan, en la Nueva España. Hoy es cabeza de la municipalidad de su nombre, en el estado de Mexico.

HUIALOPUCHCO.—(L. *Huicilopuchco*.) *Huizilopuchco*. Pueblo grande de indios, situado en las inmediaciones de Mexico.

HUICICILAPA. — *San Lorenzo de Huitzilapa*, segun Alcedo; *Huitzitcilapan*. Pueblo y cabecera de partido de la alcaldía mayor de Metepec, y actualmente del municipio de Lerma, partido y distrito de Toluca, del estado de Mexico.

HUICT (ISLA DE).—HUIT.—Isla de Wight, en el condado de Southampton.

HUIÇUCO.—*Huitzuco*. Actualmente cabeza de la municipalidad de su nombre, prefectura de Tasco, estado de Guerrero, de la República mexicana.

HUIPUZTLA.—*Huipuxtla*. Pueblo que está situado no lejos de Mexico al NNE.; cabeza que fué de la alcaldía mayor de Tetepango.

HUIT.—V. *Huict* (*Isla de*).

HUNDURAS.—V. *Honduras*.

IBABAO.—V. *Ybabao*.

IÇUCAR.—*Izucar*. Antiguamente *Itzocan*. Pueblo, capital de la alcaldía mayor del propio nombre, situado á la falda de un volcan, treinta y una leguas al S. de Mexico. Hoy se llama Matamoros, y es ciudad cabecera del partido de igual denominacion.

IGUALA.—Nombre de dos pueblos de la Nueva España; uno, San Francisco de Iguala, capital del partido de su nombre;

otro, San Martin de Iguala, dependiente de la alcaldía mayor de Tlapa. Pertenecen hoy ámbos al estado de Guerrero, en la República mexicana.

Ilocos.—Provincia primitiva de la isla de Luzon, al presente dividida en dos, Ilocos Sur y Norte. Llámase Vigan la capital de la primera, y la de la segunda Laoag.

Imaras. — *Guimaras*. Isla de la provincia de Iloilo, diócesis de Cebú, en el Archipiélago Filipino.

India Spañola (La).—La América española.

Isla Dominica.—La más alta de todas las Antillas; corresponde al grupo de las menores de Barlovento.

Isla del Marques.—Isla á la entrada del golfo de California.

Isla de Sant Juan.—V. *Sant Juan (Isla de)*.

Islas del mar Oceano (Ciertas). Las que años despues descubrió Álvaro de Mendaña y llamó de Salomon.

Islas del Poniente.—Las del Océano Pacífico.

Islas (Descubrimiento de las). Se refiere el texto á las Islas Filipinas.

Ixcateupa. — *Ixcateopan*. Pueblo de la alcaldía mayor de Tlapa, en la Nueva España; es cabecera de partido, á dos leguas al NE. de su capital.

Ixcucul.—Pueblo de la provincia de Yucatan, donde tenia indios el adelantado Montejo.

Ixmiquilpan. — Ezmiquilpa. Capital de la alcaldía del mismo nombre en la Nueva España, situada veinticuatro leguas al N. de Mexico; actualmente cabeza de la municipalidad y partido de la propia apelacion, distrito de Tula, estado de Mexico, en la República mexicana.

Ixtlahuaca.—Pueblo perteneciente á la Nueva España; hoy juzgado de paz del partido de su nombre, en el departamento de Mexico, de la República mexicana.

Izatlan.—*Itzatlan*. Cabeza de partido de la alcaldía mayor y jurisdiccion de la Nueva Galicia, á orillas de una laguna, y donde habia un convento de religiosos de San Francisco, como en el texto se indica. Forma hoy parte de la República mexicana, en el estado de Puebla.

Jamaica (Isla de). — *Jamaica*, llamada por los naturales *Xaymaca*, es la menor de las cuatro grandes Antillas. Fué descubierta el año 1494 por Cristóbal Colon, quien por haber naufragado en sus costas, en el verano de 1503, residió en ella hasta que pudo regresar á España en 1504. Poco tiempo despues se nombró gobernador de Jamaica á don Alonso de Ojeda, y desde entónces siguió la isla bajo el dominio español hasta 1655, en que no pudiendo resistir sus colonos las tropas que, al mando de Penn y Venables, envió Cromwell para fundar en las Antillas un establecimiento importante, abandonaron la mayor y más rica parte del territorio y se retiraron á la inmediata isla de Cuba y á las poblaciones litorales de Honduras y de Venezuela los habitantes más acomodados, refugiándose los otros en las montañas, donde permanecieron en guerra con los ingleses, hasta que en 1796 compraron éstos la paz y quedaron dueños de toda la isla.

Japon.—El conocido imperio asiático, limítrofe de la China.

Jardines (Los).—*Jardines del Rey*. Nombre dado por Diego Velazquez á los grupos de islotes y cayos situados en la costa setentrional de la isla de Cuba.

Jolo. — *Joló*. Isla que dista cincuenta leguas de la de Mindanao, predominante del Archipiélago á que da nombre, y situada entre el extremo SO. de Mindanao y el NO. de Borneo.

Kalahcum.—Tribu indígena de la península de Yucatan en la Nueva España.

Kinlacam.—Nacion ó pueblo de indios en la provincia de Yucatan.

Kucab.—Cacicazgo en la provincia de Yucatan.

LAGUNA (LA).—La laguna de Bay en la provincia de la isla de Luzon, del Archipiélago Filipino. Tiene mucha extension y es partícipe de ella Batangas, que es en la antigua provincia de Bonbon.

LAYENOS.—Pueblo de indios labradores vecinos de los Naparus y que habitaban cerca de la ribera izquierda del rio Grande ó Bermejo, hácia los 23° ó 24° lat. aust.

LEON.—Capital de la gobernacion de Nicaragua, y actualmente de la República de ese mismo nombre.

LEVANTO.—*Levantu*, *Llavantu*. Lugar de indios, donde primero fundó el mariscal don Alonso de Alvarado, por los años de 1536, la ciudad de San Juan de la Frontera de los Chachapoyas, que se llamó tambien por esta causa San Juan de la Frontera de Levanto. Trasladóse, poco despues, la fundacion á la provincia de los Huancas, en la misma tierra de los Chachapoyas, donde permanece. Levanto quedó como pueblo de españoles, y hoy es cabeza del distrito de su nombre en la provincia de los Chachapoyas, departamento del Amazonas, de la república del Perú.

LEYTE.—Isla del grupo Visaya, en el Archipiélago Filipino. Tiene sobre unas trescientas leguas cuadradas.

LIMA.—LOS REYES.—CIUDAD DE LOS REYES.—Capital de la gobernacion, vireinato y república del Perú; fundada primeramente en el valle de Xauxa, y poco despues trasladada, el dia de la Epifanía de 1535, á orillas del Rimac, de cuyo nombre es corrupcion el de Lima.

LIMA (PUERTO DE).—V. *Callao (El)*.

LOBOS (ISLA DE).—Situada en el golfo mexicano, en frente de la ensenada del rio de Tampico de la Nueva España.

LOS REYES.—V. *Lima*.

LOXA (CIUDAD DE).—*Ciudad de Loja*, *La Zarza*. Fundóse primero con este nombre de Zarza, el año de 1546, por órden de Gonzalo Pizarro, en recuerdo de la villa extremeña de Santa Cruz de la Zarza, en donde radicaba un mayorazgo ó vínculo de los Pizarros; más tarde trasladóse al lugar llamado *Cusipampa* ó Campoalegre, entre los rios que hoy se nombran Zamora y Malacatos. Fué capital de corregimiento en la gobernacion y Audiencia de Quito, y actualmente es capital del canton y provincia de su nombre, en la República ecuatoriana.

LUA (SAN JUAN DE).—V. *Ulua*.

LUBAN.—LUBANG.—Isla en el Archipiélago Filipino, perteneciente á la actual provincia de Mindoro.

LUCANAES.—V. *Lucanas*.

LUCANAS.—LUCANAES.—RUCANA. Antigua comarca del imperio de los Incas, habitada por la nacion Rucana ó de los rucanas, que se dividia en Rucana y Hatunrucana, ó sea Rucana la Grande, célebre por la fuerza y agilidad de sus hombres, escogidos por aquellos soberanos para el servicio de las andas ó *huandus* reales. Fué constituida en provincia del vireinato peruano, y actualmente lo es, con el mismo nombre, del departamento de Ayacucho, en la república del Perú.

LUCAY.—UCAY.—*Llucay*, propiamente *Yucay*. Valle amenísimo situado á cuatro leguas de la ciudad del Cuzco, antigua capital del imperio peruano.

LUZON.—Isla del Pacífico, que es la principal del Archipiélago Filipino, ó de San Lázaro, y está situada entre los 123° 22′ y 127° 53′ 30″ de long. y 12° 10′ y 18° 43′ lat. Su forma es semicircular. Créese que el nombre de Luzon ó los Luzones se debe á los morteros ó pilones de madera llamados *losong*, que usaban para descascarar el arroz y vieron los primeros conquistadores en las puertas de todas las casas de los naturales de la isla.

LLANOS (LOS).—Denominábase así en el Perú la prolongada série de valles que alternan con planicies arenosas, comprendida de N. á S. desde el golfo de Guayaquil á los límites setentrionales de la gobernacion de Chile, y de E. á O. entre las faldas de la Cordillera y la costa. Llamábanse tambien los *Yuncas*, si bien este nombre se hacia, como hoy, extensivo á las regiones más calientes y bajas de la sierra ó parte montuosa del Perú.

Llerena.—Villa del Erena. Provincia de Zacatecas en la Nueva España, comarca de las minas del Sombrerete.

Macaon.— *Macao.* Una de las provincias del Imperio de China más relacionadas con Manila desde los tiempos antiguos, por el comercio y por surtirla de industriales y artesanos, que todavía se suelen llamar *macanistas.*

Macas y Quizna.— Territorio que se extendia desde la rama oriental de la cordillera andina hácia el E. entre los 2° y 3° lat. aust., limitado vagamente por los rios Pastasa y Paute, grandes afluentes del Marañon. Fué explorado primero por el capitan y tesorero de Quito Rodrigo Nuñez de Bonilla, el año 1540; repartido despues en cuatro provincias, se agregó al gobierno de Quijos, Sumaco y la Canela, y hoy constituye los dos cantones de Canelos y Macas, de la provincia de Oriente, de la República ecuatoriana.

Madera.—*Madeira.* La más grande de las islas del grupo de este nombre en el Atlántico, á ochenta leguas al N. de Tenerife: pertenece hoy á Portugal.

Malucos (Tierra de los).—*Maluco, el Maluco ó islas de la Especeria.* De esta manera se llamaba en el siglo XVI á las cinco islas de Tidore, Terrenate, Motil, Maquian y Bachian, donde se produce el clavo, la canela, nuez moscada, etc., vecinas de las Filipinas y próximas á la de Cebú.

Mani.—Pueblo en la antigua provincia de Tutuxiú, habitado por una tribu de los Xives, y que hoy depende del partido de Ticul, distrito de Mérida y departamento de Yucatan; es curato, que dista de Mérida diez y seis leguas.

Mani (Provincia de).—El territorio sujeto al pueblo de ese nombre, llamado tambien provincia de Tutuxiú.—V. *Mani.*

Manila.—*Maynila* de los naturales, llamada así por abundar en su jurisdiccion el árbol Nilad ó Nilar (*Ixora Manila*), era poblacion de los luzones de la que Miguel Lopez de Legaspi, por medio de Martin de Goiti, desposeyó á Raja Matanda, régulo de aquel punto, y á Lacandola, de Tondo, en 19 de mayo de 1571, constituyéndola en capital de la Nueva Castilla, nombre que dió á la isla de Luzon, y en metrópoli de los dominios españoles en el Archipiélago Filipino.

Mar del Norte.—Así se llamaba la parte del Océano Atlántico que baña la costa de América desde el istmo de Panamá hasta la pequeñas Antillas y la costa meridional hasta la desembocadura del rio Amazonas próximamente.

Mar del Sur.—Se conoce actualmente con el nombre de Mar Pacífico del Sur y se cuenta desde la línea equinocial al polo austral.

Marinduque.—Isla en el Archipiélago Filipino, perteneciente á la provincia de Mindoro.

Masbate.— Isla del Archipiélago Filipino, inmediata á la de Luzon, á la cual parece haber estado unida en otro tiempo. Forma con la de Ticao un gobierno militar dependiente de la provincia de Albay. Sepárala de Buria un canal de unas dos leguas; famoso en tiempo de la navegacion de Mexico, porque pasaba por él la nao de Acapulco.

Mayas.— Mayaes.— *Bayas* y propiamente *Mbayas.* Numerosa tribu de indios descendientes de los Guaycurús. A la llegada de los españoles al Paraguay, habitaban entre los rios Bermejo y Yabebirí, de donde se extendieron hasta las fronteras del Brasil por el lado de Cuyabá.

Mayaes.—V. *Mayas.*

Mechuacan —Michoacan.—*Mechoacan, Michuacan.* Provincia, obispado y antiguo reino de la Nueva España, cuya capital, situada en las márgenes del lago Patzcuaro, se llamaba Tzintzontzan. Hoy es estado de Michoacan y su capital Morelia.

Merida.—*Mérida.* Ciudad, capital de la gobernacion, hoy estado de Yucatan, en la República mexicana.

Mestitlan (Sierra de).—*Sierra Madre de Mextitlan.* Es una de las más elevadas y extensas de la Nueva España, que tomó el nombre de Mextitlan por ser este pueblo el más importante de los que contiene en sus cumbres, faldas y valles; cuyo pueblo fué cabeza de partido del vireinato y hoy es municipalidad, con unos 15.000 habitantes, y juzgado de paz, del partido de su nombre, en el distrito de Huejutla, departamento de la capital de la República mexicana.

Mexico.—Capital que fué del vireinato de la Nueva España y actualmente de la república de los Estados Unidos mexicanos. Hácia el año 1327 de nuestra era, segun las opiniones más aceptables, se fundó esta ciudad en el lago de Tezcoco, donde hoy existe, por los aztécas procedentes del N. del golfo de California, que peregrinaban en cumplimiento de cierto mandato de su oráculo Aztlan; quienes creyendo encontrar las señas del término de su peregrinacion, en el punto seco de aquel lago donde habia un nopal sobre una piedra, en el que posaba un águila devorando una culebra, se establecieron allí y levantaron la ciudad de Tenuchtitlan, nombrada así, ya por significar nopal sobre piedra, pues *tenuchtli* es nopal, ya por dedicarla á Tenoch, jefe de la tribu de los tenochcas, y principal caudillo de los veinte que conducian la expedicion azteca, ó ya en honor y gloria de Tenuchtin, respetable anciano (quizás el mismo Tenoch), que fué el primero que ejerció el supremo poder electivo en la nueva nacionalidad. Al erigirse la poblacion, se empezó por levantar un templo al dios de la guerra que llamaban Huitzilopochtli ó Huitzilopotzli (llamado Uchilobos por los conquistadores) ó Mexitly (*ombligo de maguey*); y de este nombre tomó tambien la ciudad el de Mexiti y despues de Mexico como se conocia al tiempo de la conquista, si bien la gente más ilustrada y conocedora, por tanto, de las tradiciones patrias, seguia nombrándola indistintamente Tenochtitlan, Tenoxtitlan, Tenustitan, Temistitan y áun Mexico-Temistitan.

Situada la ciudad de Mexico en un extenso valle, que se cree fuera el cráter de inmenso volcan, á los $19^{\circ} 25' 45''$ de latitud N. y á una altura de 2.277 metros sobre el nivel del mar, fué la metrópoli populosa de los reyes tenochcas ó mexicanos hasta la conquista de los españoles: luego la «Roma del imperio del Nuevo Mundo,» segun expresion de Gil Gonzalez Dávila, y hoy, como ya se ha dicho, es capital de los Estados Unidos mexicanos, con una poblacion de algo más de 200.000 habitantes.

Mexico (Arzobispado de).—El arzobispado de Mexico fué erigido por bula del Pontífice Clemente VII en 1534, siendo su primer prelado don Juan de Zumarraga. La jurisdiccion de la metropolitana de la Nueva España llegó á ejercerse hasta en los obispados de Guatemala, Chiapa, Nicaragua y Comayagua, quedando en 1743 limitada á los de la Puebla de los Ángeles, Yucatan, Valladolid de Michoacan, Antequera de Oaxaca, Guadalajara de la Nueva Galicia, Durango de la Nueva Vizcaya, Sonora y Monterey del Nuevo Reino de Leon.

Mexico (Audiencia de).—La Audiencia de la capital de la Nueva España se estableció en 1528, teniendo jurisdiccion desde el cabo de Honduras al de la Florida; y despues de creadas las de Nueva Galicia y de los Confines, limitóse su territorio por parte del S., en Tehuantepec y el golfo de Honduras, y hácia el N., desde el Puerto de la Navidad, en el Pacífico, hasta el rio de Tamiagua, en el Atlántico.

Miaracanos.—Indios que habitaban en las orillas del rio Paraguay, hácia los confines del Tucuman, en la vecindad de los Moyganos. (V.)

Miges.—*Mijes.* Tribu poderosa de indios que habitaban las montañas centrales del istmo de Tehuantepec, estando hoy reducidos al pueblo de San Juan Guichicoví en la República mexicana.

Mina de Oro.—*San Jorge de la Mina,* ó *Elmina.* Factoría y fortaleza portuguesa en la costa setentrional del golfo de Guinea;

situada en los 5° de lat. aust. y los 15° 30′ long. or. del meridiano de Tenerife.

MINAS DEL SOMBRERETE.—Asiento en la comarca de los zacatecas y actualmente ciudad del Sombrerete, en el estado de Zacatecas, de la República mexicana.

MINDANAO.—Isla que compite en hermosura y riqueza con la de Luzon, en el Archipiélago Filipino, cuya parte meridional ocupa. Aunque se posesionó de ella Magallanes, en nombre de la corona de Castilla, el Domingo de Resurreccion de 1521, nuestra dominacion ha sido muy pasajera por la ferocidad de las razas que la pueblan, y hoy poseemos una mínima parte de su territorio.

MINDANAOS.—Son los moros de la isla así llamada, que en lo antiguo pirateaban constantemente en las aguas de Cebú.

MINDORO.—Isla en el Archipiélago Filipino, y la principal despues de Luzon y Mindanao, pues se le calculan unas doscientas cincuenta leguas cuadradas. De la primera solamente la separa el estrecho de su nombre.

MISTECA (LA).—MIXTECA.—Provincia de la Nueva España, en la costa del mar del Sur: dividíase en alta y baja, la primera en la serranía, cuyos pueblos pertenecian al obispado de la Puebla de los Angeles; la baja, en la parte de la costa, jurisdiccion del obispado de Oaxaca.

MIXTECA.—V. *Misteca (La).*

MIZQUIAHUALA.—*Mixquiahuala.* Pueblo en la Nueva España, cabeza de partido en la alcaldía mayor de Tepetango, á diez y ocho leguas al N. de Mexico. Hoy es cabeza de la municipalidad de su nombre, partido de Actopan, distrito de Tula, estado de Mexico, de la República mexicana.

MOGRANOES (LOS).—MOGRANOS. Nacion ribereña del Bermejo, hácia los Charcas.

MOGRANOS.—V. *Mogranoes (Los).*

MOGRANOS (PUEBLO DE).—El habitado por la nacion de los Mogranoes. (V.)

MONA.—Pequeña isla situada cerca de la costa occidental de la isla de Puerto Rico.

MOPILLA.—Nacion de indios en la península de Yucatan.

MOYGANOS.—Indios habitantes en las orillas del Paraguay, hácia los 22° de lat. meridional.

MOYOBANBA (PROVINCIA DE). *Muyupampa.* Region del Perú, situada entre los rios Marañon y Huallaga, al NE. de los Chachapoyas, donde despues se fundó la ciudad de Santiago de los Valles, capital del partido de este nombre, en la provincia y corregimiento de Chachapoyas.

NACO.—Region montuosa en el obispado de Guatemala, que hoy está comprendida en los términos de la república de Honduras.

NAPARUS.—V. *Apiraes.*

NEGROS (ISLA DE).—Antiguamente *Buglas*, por un rio así llamado, que corre por ella; cambiósele el nombre en razon de los *Negritos* que se hallaron en sus montes, mientras sus costas estaban pobladas de indios visayas. Está situada al O. de la isla de Cebú, de la que le separa un canal de dos leguas de ancho en la boca del N. y una en la del S. á SE. de las islas de Panay y de Guimaras sobre los 10° de lat.

NICABIL.—Repartimiento de indios en la península de Yucatan.

NICARAGUA.—Antigua gobernacion y hoy república de este nombre en la América Central, entre las de Honduras y Costa Rica.

NOLO.—Repartimiento de indios en Yucatan.

NOMBRE DE DIOS (EL).—NONBRE DE DIOS.—NONBRE DE DYOS.—Ciudad de Tierra Firme, costa del Océano Atlántico, que hoy casi no existe, por estar há tiempo reducida á un pueblo de pocas casas.

NOMBRE DE JESUS.—Así fué llamada primeramente en la isla de Cebú la ciudad que hoy lleva este último nombre y que es capital de las islas Visayas. La fundó Legaspi en 1571.

NONBRE DE DIOS. — V. *Nombre de Dios (El)*.

NONBRE DE DYOS. — V. *Nombre de Dios*.

NUCHTEPEQUE. — *Nuchtepec*, *Noxtepec*. Pueblo, cabeza de partido de la alcaldía mayor de Tasco en la Nueva España; hoy forma parte del estado de Guerrero de la República mexicana.

NUESTRA SEÑORA DE LA PAZ. *Chuquiabo*, *Chuquiapo*, *Chuquiapu*, *Pueblo Nuevo*. Ciudad fundada el año de 1549, de órden del licenciado Pedro de la Gasca, por el capitan Alonso de Mendoza, junto á los palacios ó Tambo que tenian los Incas en el lugar denominado *Chuquiapu*, y por los españoles *Chuquiabo*, de la antigua provincia de Pacages. Llamáronla de la Paz para conmemorar la alcanzada por el licenciado Gasca con el vencimiento de los rebeldes partidarios de Pizarro. Fué cabeza de obispado, erigido por Paulo V el año de 1605. Hoy pertenece á la República boliviana.

NUEVA CASTILLA (GOUERNAÇION DE). V. *Nueva Castilla (La)*.

NUEVA CASTILLA (LA). — GOUERNAÇION DE NUEVA CASTILLA. — Territorio que comprendia la que se le concedió á don Francisco Pizarro. Extendíase desde el rio de Santiago al valle de Chincha. Llamóse tambien Perú, cuyo nombre es el que ha prevalecido.

NUEVA ESPAÑA. — LA NUEVA ESPAÑA. NUEVA SPAÑA. — Antiguo y dilatado reino de la América setentrional, cuyos límites no llegaron á determinarse fijamente por el N.; y eran al S. la punta meridional de la bahía de Tehuantepec y el cabo de Honduras, al E. el Atlántico y el Pacífico al O. La Nueva España fué descubierta por Francisco Hernandez de Córdoba, que entró allí el año 1515 por la provincia de Yucatan: la conquistó y sujetó al dominio español el famoso Hernan Cortés, marqués del Valle de Oaxaca.

NUEVA ESPAÑA (LA). — V. *Nueva España*.

NUEVA ESPAÑA (ABDIENCIA DE LA). La segunda que se fundó en los dominios americanos el año de 1527; extendíase su jurisdiccion desde el cabo de Honduras hasta el de la Florida.

NUEVA SEGOVIA. — Ciudad de la provincia de Cagallan en la isla de Luzon, situada en la márgen derecha del rio Taxo. Hoy está casi despoblada, ocupando su lugar un pequeño pueblo llamado Lallo.

NUEVA SPAÑA. — V. *Nueva España*.

NUEVA TOLEDO (GOUERNAÇION DE). V. *Nuevo Reino de Toledo*.

NUEVA VIZCAYA. — Reino de la América setentrional, cuya capital era la ciudad de Durango; confinaba por el N. con el del Nuevo Mexico, por el S. con el de la Nueva Galicia, por el E. con el de Nuevo Leon y por el O. con las Californias. Pobló este reino el capitan Francisco de Ibarra, en tiempo del virey don Luis de Velasco, marqués de Salinas.

NUEVO MEXICO. — Nombre que se dió al extenso territorio de la parte setentrional de la Nueva España, limitado al S. por las provincias de Cinaloa, Nueva Vizcaya y Nuevo reino de Leon, al S. y SE. por la Florida, al NE. por el Canadá ó Nueva Francia, y al ONO. y SO. por las Californias. Puede decirse que comprendia todo lo que constituye la gran república de los Estados Unidos.

NUEVO REINO. — *Nuevo Reino de Granada*. Gobernacion cuyos primitivos límites fueron al E. los extensos llanos de San Juan, al O. el rio de la Magdalena y al N. la gobernacion de Cartagena y Santa Marta. Desde los años de 1718 á 1721 y de 1737 á los comienzos del presente siglo formó parte del vireinato de Santa Fé, así llamado por la capital del Nuevo Reino, la ciudad de Santa Fé de Bogotá. Hoy es provincia ó estado de la república de Nueva Granada.

NUEVO REINO DE TOLEDO. GOUERNAÇION DE NUEVA TOLEDO. El territorio dado en gobernacion á don Diego de Almagro. Empezaba en el Valle de Chincha, continuaba al S. sin límites definidos y hallábase comprendida en él la ciudad del Cuzco, capital del antiguo Imperio peruano.

NUMKINI.—Pueblo ó cacicazgo en la península de Yucatan.

OAXACA.—GUAJACA.—GUAXACA. VAXACA.—*Oajaca, Antequera.* Territorio de la Nueva España erigido en provincia y alcaldía mayor con el nombre de Antequera, que cambió despues por el que ahora tiene. Confinaba con los dos mares Atlántico y Pacífico, con la provincia y obispado de Chiapa, con la de Soconusco, con la de Tlaxcala y con el obispado de la Puebla de los Ángeles. Gran parte de la comarca perteneció á la casa de Hernan Cortés, á quien la concedió el Emperador con el título de marqués del Valle de Oaxaca. Hoy es departamento de este nombre en la república de los estados Unidos mexicanos.

OAXACA (VALLE DE).—Comprendia, en la provincia de ese nombre, las tierras y pueblos de Hernan Cortés.

OCHUSE (RIO DE).—Gran rio de la Florida, al NE. del Bravo; quizás el Mississippí.

OCELOTEPEC.—OCELOTEPEQUE. *Ozolotepec.* Catorce pueblos del mismo nombre, bajo la advocacion de distintos santos, existen actualmente en el distrito de Ejutla, departamento de Oajaca, de la República mexicana.

OCELOTEPEQUE.—V. *Ocelotepec.*

OCOA.—El puerto de Ocoa en la isla Española, diez y ocho leguas al O. de Santo Domingo, donde solian fondear las flotas que iban á la Nueva España.

OCUYTUCO.—Pueblo de que el Emperador hizo merced de por vida al arzobispo de Mexico fray don Juan de Zumarraga. Dividíase su término en tres partes; Ocuytuco, Tetela, Ximultepeque (V.). Fué cabecera de partido de la alcaldía mayor de Coautla en la Nueva España, y hoy pertenece al partido de Morelos, en el departamento de Mexico, de la República mexicana.

ONDURAS.—V. *Honduras.*

OTON.—*Otong.* Pueblo, con cura y gobernadorcillo, de la isla de Panay, provincia de Iloilo, diócesis de Cebú, en las Filipinas, situado á la orilla de un rio sobre la costa SE. de dicha isla de Panay, en terreno llano y clima cálido, á una hora de distancia de Arévalo y otra de Tigbauan, á cuyo pueblo llega la ria de Iloilo, que se junta con el otro brazo de mar que aisla á las poblaciones de Molo, Iloilo, Arévalo y parte de Otong.

OTUMBA.—Capital de la provincia y alcaldía mayor del mismo nombre en la Nueva España, siete y media leguas al NE. de Mexico, á cuyo estado de la República mexicana corresponde hoy.

OXITIPA.—Pueblo del arzobispado de Mexico en la Nueva España.

PACAMOROS (PROVINCIA DE LOS). V. *Bracamoros.*

PACHUCA.—Villa, capital de la alcaldía de su nombre en la Nueva España, á diez y ocho leguas de Mexico, y hoy ciudad en el distrito de Tulancingo.

PAITA.—Ciudad y puerto del mar del Sur ó Pacífico, en la provincia y corregimiento de Piura, en el Perú.

PAKAM.—Nacion de indios en la península de Yucatan.

PALMAS.—Rio de la provincia y alcaldía mayor de Pánuco, en la Nueva España.

PANABOREN.—Pueblo de indios en la península de Yucatan.

PANAMA.—*Panamá.* Ciudad, capital del gobierno, Audiencia y obispado de Tierra Firme, fundada en la costa del mar Pacífico ó del Sur, sobre el istmo á quien da el nombre. Forma parte actualmente de la república de Nueva Granada.

PANBILCHEM.—Nacion de indios en la península de Yucatan.

PANGASINAN.—Provincia de la isla de Luzon, en las Filipinas, situada al N. de Manila.

PANPANGA.—Provincia en la isla de

Luzon, en las Filipinas, una de las más fértiles y pobladas hoy.

PANUCO.—*Pánuco.* Provincia y alcaldía mayor de Nueva España, hoy villa del estado de Veracruz, canton de Tampico, en la República mexicana.—Rio del mismo nombre.

PARAGUAY (EL).—Gobernacion y provincia, que en un principio limitaban el Brasil, las tierras meridionales del Perú y las orientales de Chile, incluyendo lo que despues fué gobernacion de Buenos Ayres. Redujéronse más tarde sus límites notablemente, y constituido en república, comprende en la actualidad el territorio ceñido por los grandes rios Paraná y Paraguay, confinando hácia los 23° lat. aust. en la gran provincia de *Matto Grosso*, del Imperio brasileño.—V. *Rio de la Plata.*

PARAGUAY (RIO DEL).—*Rio Paraguay.* Nace en la sierra *Dos Parexis* de la extensa provincia de *Matto Grosso*, en el Brasil, entre los 13° y 15° de lat. aust.; y en su curso de trescientas leguas, próximamente, de N. á S., recibe por el O. y más abajo del trópico los rios Pilcomayu, Bermejo ó Grande y Salado, y por el E. el Cuyabá, Mbotetú y Paraná, viniendo á perder su nombre en los 27° 30′ lat. aust. al reunirse con el Paraná.

PARANA (EL).—*Paraná.* Gran rio de la América del Sur, que tiene las cabeceras en las vertientes occidentales de la sierra de *Mantiqueira* en el Brasil y corre primero de E. á O., despues de N. á S., y tomando otra vez hácia el Occidente, va á recibir al Paraguay; desaguando, por último, junto con el Uruguay, en el seno ó golfo dulce llamado rio de la Plata. (V.)

PERU.—PIRU.—*Perú.* Así llamaron los españoles, áun ántes de conocerlo, al gran territorio señoreado por los Incas, si bien despues de su conquista el Perú se redujo á los países comprendidos entre el rio Ancasmayu (2° lat. set.), la provincia de los Chichas, cercana al trópico de Capricornio, la costa y la zona nevada de los Andes. Dividióse poco más tarde en las dos gobernaciones de Nueva Castilla y Nueva Toledo, concedidas, la primera, á don Francisco Pizarro, desde el rio de Santiago, que cae casi á la misma altura que el Ancasmayu, y el valle de Chincha (13° 30′ lat. aust.); y la segunda, á don Diego de Almagro, desde dicho valle al S., sin límites precisos; pero esta division subsistió poco tiempo, borrándose la Nueva Toledo con la muerte del infortunado Almagro y quedando como Nueva Castilla para Pizarro todo el Perú verdadero, ó sea el imperio de Huaina Capac, menos la region llamada Chili. Erigida en vireinato la gobernacion del marqués de los Atabillos, conservó sus primitivos confines por el N. y por el S., ensanchando gradualmente los de Levante, en especial por la cuenca de las Amazonas; separóse de él por dos veces desde 1718 el territorio de la Audiencia de Quito para agregarlo al vireinato de Santa Fé, y por último, al declararse estado independiente, el Perú perdió de nuevo por el N. dicho reino y Audiencia, actualmente república del Ecuador, y por el S. las provincias que hoy constituyen la república de Bolivia, es decir, toda la serranía desde el gran lago de Titicaca hasta los Chichas ó Tarija, quedando, sin embargo, con la costa paralela á dicha serranía hasta el rio de Loa.

PHILIPINAS.—V. FILIPINAS.

PIQUIRI.—*Piquerí.* Rio que naciendo al S. de la sierra de Apucaraná, en la antigua provincia de Guairá, y actual de Curitiva, en el Brasil, corre próximamente de E. á O. en los 25° de latitud y desemboca en la orilla izquierda del Paraná, más arriba del salto de Guayrá.

PIRU.—V. *Peru.*

PIURA.—SAN MIGUEL.—*San Miguel de Piura* ó de *Tangarara.* Primera ciudad que fundó en el Perú don Francisco Pizarro, el dia de aquel santo, en el año de 1531.

PLATA (RIO DE LA).—Este nombre corrresponde hoy propiamente al extenso seno, ria ó golfo dulce en la costa oriental americana, abierto entre los 35° y 36° lat. aust., donde confluyen los rios Uruguay y Paraná; pero en los primeros años de la conquista se llamó tambien Rio de la Plata al Paraguay y al Paraná.

PLATA (VILLA DE). — V. *Charcas* (*Villa de*).

PLATA (VILLA DE LA). — V. *Charcas* (*Villa de*).

POMEGAS DE MARSELLA. — Grupo de islas, frente al cabo *Endoume*, compuesto de la *Ratoneau*, *Tiboulen*, *If* y *Pomegues*. La *Pomegues* ó *Pomegue*, se llamaba ántes de San Juan.

POPAYAN. — Ciudad, capital de la gobernacion de su nombre (V.), fundada por don Sebastian de Belalcázar.

POPAYAN (GOBERNACION DE). GOBERNAÇION DE BELALCAZAR. Vasto territorio al N. del reino de Quito, descubierto por el adelantado Sebastian de Belalcázar, que despues lo gobernó. Se extendia de 1° á 6° lat. set. y entre las ramas oriental y occidental de la Cordillera. Incluyóse despues en la gobernacion del Nuevo Reino de Granada, y hoy pertenece á la república de Nueva Granada.

PORCO.—Pueblo de indios y asiento de minas explotadas de muy antiguo por los Incas; dió luego su nombre á una provincia del vireinato del Perú, y en la actualidad pertenece á la república de Bolivia.

POTOSI.—POTOSY.—ASIENTO DE POTOSI.—ASIENTO DE POTUSI.—MINAS DE POTOSI.—*Potosí*, *Potocsí*. Establecimiento y Real de Minas que se empezó á poblar por los años de 1544, y despues fué villa imperial de su nombre, famosa por las riquísimas vetas de plata descubiertas en el cerro á cuyo pié se fundó.

POTOSI (ASIENTO DE).—V. *Potosi*.

POTOSI (MINAS DE).—V. *Potosi*.

POTOSY.—V. *Potosi*.

POTUSI (ASIENTO DE).—V. *Potosi*.

PUEBLA DE LOS ANGELES. — Ciudad, capital de la provincia de Tlaxcala, en la Nueva España, fundada en 1533, por el obispo don Sebastian Ramirez de Fuenleal. Hoy es estado del mismo nombre en la República mexicana.

PUERTO DE CAVALLOS.—V. *Cauallos* (*Puerto de*).

PUERTO DE LA CIUDAD DE LOS REYES. V. *Callao* (*El*).

PUERTO DE LIMA.—V. *Callao* (*El*).

PUERTO DE LOS REYES. — V. *Reyes* (*Puerto de los*).

PUERTO RICO.—V. *San Juan de Puerto Rico*.

PUERTO VIEJO.—*San Gregorio de Puerto Viejo*. Ciudad costeña, capital de la tenencia de su nombre en la antigua gobernacion de Quito, mandada fundar en 1534 por don Francisco Pizarro. Actualmente lo es tambien del canton de Puerto Viejo y provincia de Manabí, distrito de Guayas, en la república del Ecuador.

PUNA. — Está equivocadamente en el original por Puno, distrito principal del territorio de los Charcas, donde el marqués don Francisco Pizarro tenia un pingüe repartimiento. En él se fundó despues, á orillas del lago de Titicaca, la villa de San Juan Bautista ó de San Cárlos de Puno, hoy ciudad que da su nombre á uno de los departamentos de la República peruana, y á la provincia de el Cercado de Puno.

PUNA (ISLA DE LA).—*La Puná*. Cerca de la embocadura del rio Guayas ó de Guayaquil, llamada tambien antiguamente de *Tumbalá*, por uno de sus caciques. Hoy pertenece á la República ecuatoriana.

PURIFICACION (NUESTRA SEÑORA DE LA). — Pueblo de la cabeza de partido y alcaldía mayor de Texcoco, en la Nueva España, hoy departamento de Mexico.

QUACHINANCO. — *Cuachinango*. V. *Huauchinango*.

QUAUHQUECHULA. *Quauquecholla*. Poblacion grande y famosa en tiempo de la gentilidad de los indios de Nueva España, situada en el valle de Atlixco, llamado tambien de Carrion, por Alonso Diaz de Carrion, el primero ó uno de sus primeros pobladores.

QUEÇABA. — *San Juan de Quetzala*. Poblado en el partido de Ezcateopan y alcaldía mayor de Zacualpa ó Zacualpan, en el arzobispado de Mexico, hoy con el nombre de Santa María de Quetzala, en el obispado de Puebla.

QUIRANDIS. — *Quirondís*, *Querondís*. Indios de orígen araucano ó chileno, que ocupaban, á la orilla derecha del Plata, el territorio donde se fundó la ciudad de Buenos Aires. Vencidos por los españoles, se retiraron á las pampas del Sur.

QUITO.—CIUDAD DE QUITO.—QUYTO. VILLA DE QUYTO. — Antigua córte de los reyes quitus, y despues, sucesivamente, residencia de los Incas, ciudad española, poblada por don Diego de Almagro y don Sebastian de Belalcázar, con la advocacion de San Francisco, cámara de Audiencia y capital de la república del Ecuador.—V. *Quito* (*El*).

QUITO (CIUDAD DE).—V. *Quito*.

QUITO (EL).—PROVINCIA DE QUITO. *El Quitu*. Antiguo reino independiente al N. del Imperio de los Incas, circunscrito primero al territorio habitado por la nacion *Quitu*, aumentado despues con guerras y conciertos por el S. hasta muy cerca de la provincia de Tumipampa, hoy Cuenca. Lo exploró el inca Tupac Yupanqui, lo acabó de someter á su dominio Huaina Capac, dejándolo en herencia á su hijo Atahuallpa, despues de prolongar sus confines por el N. hasta el rio de Ancasmayu. Conquistado y poblado el año de 1534 por Sebastian de Belalcázar, quedó como gobernacion dependiente de la de Nueva Castilla luego, y despues del vireinato del Perú; hasta que en 1563 fué erigida en Audiencia. Estuvo algunos años, y por dos veces, desde el de 1718, agregado al vireinato de Santa Fé, extinguido el cual, volvió á formar parte del Perú. Hoy es república del Ecuador, pero con ménos territorio del que tenia la antigua Audiencia.

QUITO (PROVINCIA DE).—V. *Quito* (*El*).

QUITO (PUERTO DE). — Por los años de 1541 podian considerarse como puertos de Quito, es decir, puertos marítimos para entrar á la tierra ó ciudad de Quito, San Gregorio de Puerto Viejo, Santiago de Guayaquil, Túmbez y San Miguel de Piura; este último, sobre todo, pues aunque más distante que los otros de aquella capital, solia preferirse por la comodidad del camino y dócil condicion de los indios que al paso se encontraban. No sabemos á cuál de ellos se referia el licenciado Vaca de Castro en su carta al Emperador (LXXXI, página 471), ó si quiso referirse al puerto de la Buena Ventura, por donde habia entrado á la provincia de Quito, pasando por la de Popayan; como no sea que considerase puerto seco, ó de montaña, al paraje ó asiento de la ciudad de Quito, que es sobre las faldas del Pichincha. Acaso tambien se escribiera en la copia que nos sirve de original *este puerto de Quito* por *esta parte de Quito;* que no seria el único error cometido por el amanuense.

QUYTO.—V. *Quito*.

QUYTO (VILLA DE).—V. *Quito*.

REAL DE ATOTONILCO. — V. *Atotonilco* (*Real de*).

REALEJO.—REALEXO.—Ciudad y puerto principal, en la costa del Pacífico, de la gobernacion de Nicaragua; hoy es puerto de la ciudad de Chinandega, de la República de aquel nombre.

REALEXO.—V. *Realejo*.

REYES (CIUDAD DE LOS).—V. *Lima*.

REYES (LOS).—V. *Lima*.

REYES (PUERTO DE LA CIUDAD DE LOS).—V. *Callao* (*El*).

REYES (PUERTO DE LOS).—Este nombre dió Domingo Martinez de Irala á la laguna de Jaybá, formada por el rio Paraguay, en su márgen derecha, hácia los 17° de lat. aust., por haberla descubierto el dia 6 de Enero de 1543. Herrera (*Descrip. de las Ind. occid.*, capít. XXIV), sitúa equivocadamente Puerto de los Reyes un grado más al N., en lo que se llamó laguna de los Xarayes.

REXUCINCO. — Este lugar, donde está fecha la carta núm. X (V. facsímile H), debe ser Hvexotzinco ó Huexotzinco, actualmente *Huejotzinco*. Fray Martin de Valencia y los cuatro religiosos que le acompañaban fundaron allí uno de los tres primeros conventos de franciscanos de la Nueva España. Fué Huejotzinco antiguo asiento que en la Sierra Nevada poblaron las naciones Teochichimecas, doce leguas al oriente de Mexico.

Rio de la Plata.—Provincia del Rio de la Plata.—Region comarcana á esta gran ria ó seno de la costa oriental de la América del Sur, descubierta por Juan Diaz de Solís en 1515 y que subsistió por algun tiempo sin límites bien determinados por el NO., O. y S., y confinando en parte por el N. con el Brasil. Comprendió, ya con aquel nombre, ya con el de provincia y gobernacion del Paraguay, los territorios de que más tarde se formaron la república Argentina, la del Paraguay, la Oriental ó del Uruguay y la provincia de *Rio Grande do Sul*, del imperio del Brasil.

Rio de la Plata (Provincia del). V. *Rio de la Plata*.

Rucana.—V. *Lucanas*.

Ruparrupa (Provincia de).—Al NE. de Huánuco, en la cuenca del rio Huallaga, afluente del Amazonas.

Salamanca.—*Salamanca de Balcalar*. Ciudad de la provincia y gobierno de Yucatan en Nueva España, fundada por el adelantado Francisco Montejo, que le dió este nombre en memoria de su patria.

San Biçeinte.—V. *San Biçente*.

San Biçente.—San Biçeinte.—San Biçeynte.—Sant Viçente.—Puerto en la capitanía de Rio Janeiro y actualmente provincia de San Paulo en el Brasil.

San Biçeynte.—V. *San Biçente*.

San Christoual.—Villa de San Cristoual.—*San Cristobal*. En la provincia y obispado de Guatemala, camino de Guatemala á la Vera Cruz, situada á sesenta leguas de Santiago de Guatemala y á doscientas de Tlaxcala.

San Cristoual (Villa de).—V. *San Christoual*.

San Fernando (Puerto de).—Se llamó tambien Ensenada de San Fernando; situado en los 27° 30′ lat. aust. sobre la márgen izquierda del rio Paraguay en el lugar donde le tributa el Tibicuarí, frente á la parte media de la orilla derecha de aquel rio, comprendida entre la boca del brazo meridional del Pilcomayu y la del Bermejo.—Hay otro puerto de San Fernando en las juntas del Paraná y Paraguay, situado veinte leguas más abajo del primero.

San Francisco.—*San Francisco de Campeche*. V. *Canpeche*.

San Francisco.—Villa de la primitiva provincia española del Paraguay, despues de la antigua capitanía del Rey en el Brasil. Hállase en la isla de su mismo nombre, cerca y frente del rio de San Francisco, pertenecientes en la actualidad á la provincia de Santa Catharina, en el Imperio brasileño.

San Francisco (Villa de).—V. *Canpeche*.

San Gabriel (Isla de).—Isla de San Graviel.—En el seno ó rio de la Plata, á veinte y tantas leguas de Montevideo y mil seiscientas varas de la costa, donde el año de 1678 fundaron los portugueses la Colonia del Sacramento, causa de tantas discordias entre las coronas de Castilla y Portugal. A veces se la designa con el nombre de *islas de San Gabriel*, por estar rodeada de islotes, pero solo al principal de ellos corresponde el título de San Gabriel.

San German.—Pueblo de la isla de Guadalupe, situado en el istmo que divide las dos bahías *Cul de Sac grand* y *Cul de Sac petit*.

Sanctiago (Ciudad de).—V. *Santiago de Guatemala (Ciudad de)*.

Sangleyes.—*Sang-lay*. Al dirigirse el adelantado Miguel Lopez de Legaspi, en abril de 1571, desde Panay (Visayas) á la conquista de Manila, encontró y libró de seguro naufragio un champan de chinos mercaderes, los cuales, al preguntarles los españoles quiénes eran, contestaron con las palabras *Sang-lay*, que significan en chino tratar y contratar, es decir, que eran comerciantes; y desde entónces se llamaron y ha continuado llamándose *Sangleyes* á los chinos del Archipiélago Filipino.

San Graviel (Isla de). — V. *San Gabriel* (*Isla de*).

San Juan. — Pueblo de indios en la gobernacion de Guatemala.

San Juan (Villa de).—*San Juan de la Frontera.*

San Juan de la Frontera. — San Juan de la Frontera (Villa de). Villa de San Juan.—Sant Joan de la Frontera. — *San Juan de la Frontera de Huamanga*, *San Juan de la Victoria de Huamanga*, *Huamanga*, *Huamanca*, *Ayacucho*. Fundada el año 1539 por don Francisco Pizarro, que la llamó de la Frontera, por serlo de las tierras adonde se refugió el inca rebelde Manco Capac. El licenciado Cristóbal Vaca de Castro le impuso el nombre de la Victoria, por la que alcanzó de don Diego de Almagro el mozo, en Chupas, el año de 1542. Los peruanos la denominaron Ayacucho en memoria de la batalla librada en este lugar y que les valió su independencia. Es capital de la antigua provincia de Huamanga, hoy Ayacucho, en el departamento del mismo nombre, de la república del Perú.

San Juan de la Frontera (Villa de).—V. *San Juan de la Frontera.*

San Juan de Puerto Rico. — La ménos considerable de las grandes Antillas descubierta por Colon en su segundo viaje y conquistada por el sevillano Juan Ponce de Leon.

San Martin (Minas de).—Situadas en la provincia de los Zacatecas y descubiertas en 1554 por Francisco de Ibarra.

San Miguel.—V. *Piura.*

San Miguel (Villa de). — En la gobernacion de Guatemala, y más tarde ciudad de la provincia y corregimiento de San Salvador; y hoy ciudad en la república de ese nombre, inmediata á la bahía de Fonseca.

San Pedro. — Pueblo de indios en la gobernacion de Guatemala.

San Pedro (Villa de).—En la antigua provincia y gobernacion, hoy república de Honduras, situada cerca y al S. de Puerto de Caballos.

San Salbador. — San Saluador (Villa de). — *San Salvador*. Villa de la provincia y gobernacion de Guatemala; actualmente ciudad y capital de la República centro-americana del mismo nombre.

San Saluador (Villa de). — V. *San Salbador.*

San Sevastian (Valle de). — Entre los obispados de Mexico y Michuacan.

Santiago de Guatemala (Ciudad de). — Guatimala. — Ciudad de Guatimala.—Ciudad de Santiago. *Santiago de los Caballeros de Guatemala.* Capital de la gobernacion y hoy República de este último nombre.

Santiago de los Valles.—*Moyobamba*, *Muyupampa*, *Santiago de los Valles de Moyobamba.* Primer pueblo de españoles que se fundó en la comarca de ese nombre. Fué capital del partido de Moyobamba en la antigua provincia y corregimiento de los Chachapoyas del vireinato peruano, y hoy lo es de la provincia de Loreto en la república del Perú.

Santiago de Tatelulco.—*Tlatelolco.* Nombre de uno de los barrios de Mexico, capital de la Nueva España.

Sant Joan de la Frontera.—V. *San Juan de la Frontera.*

Sant Joan del Rio. — *San Juan del Rio.* Pueblo y cabecera de partido en la alcaldía mayor de Querétaro, en la Nueva España.

Sant Viçente.—V. *San Biçente.*

Santa (Puerto de). — Villa de la gobernacion del Perú, situada á los 9° lat. aust. Fué despues capital de la provincia y corregimiento de su nombre, y destruida en 1685 por el pirata E. David, se repobló media legua más adentro orillas del rio de su mismo nombre. Actualmente es curato en la provincia de Santa, habiendo perdido el rango de capital, que pasó á la villa de Casma. Llámase tambien la de Santa, Santa María de la Parrilla y Parrilla.

Santa Barbara.—*Santa Bárbara.* Debe aludirse á la que hoy es villa cabecera de la municipalidad de su nombre, partido de Hidalgo, estado de Chihuahua, en la República mexicana.

Santa Catalina (Puerto de).—En la isla del mismo nombre. Denominábase tambien, cuando pertenecia á la corona de España, Puerto de Vera y Puerto de Patos; hoy se llama *Nosa Senhora do Socorro* ó *do Desterro*, y es la capital de la provincia de *Santa Catherina* del imperio del Brasil.

Santa Catalina (Ysla de).—*Santa Catherina*. Adyacente á la costa de la provincia de este nombre, en el Brasil.

Santa Maria de la Bitoria.—*Santa María de la Victoria*. Pequeña villa de la alcaldía mayor de Tabasco, en la provincia de Yucatan, fundada en 1519 por Hernan Cortés en conmemoracion de una victoria ganada á los indios.

Santa Marta.—Gobernacion y despues provincia, descubierta por el célebre capitan Alonso de Ojeda en 1505 y conquistada por Rodrigo Bastidas, que fué su primer gobernador. Extendíase sobre la costa del Atlántico desde el rio de Hacha hasta el de la Magdalena, llamado tambien Grande, Guadalquivir y Santa Marta. Pasó luego á ser provincia del Nuevo Reino de Granada, y actualmente lo es de la República de este último nombre.

Santa Marta.—V. *Santa Marta (Puerto de)*.

Santa Marta (Puerto de). Capital de la gobernacion de ese nombre; hoy de provincia en la república de Nueva Granada.

Santo Domingo.—V. *Sancto Domingo (Isla de)*.

Santo Domingo (Ciudad de).—V. *Sancto Domingo (Ciudad de)*.

Santo Domingo (Isla de).—V. *Sancto Domingo (Isla de)*.

Sancto Domingo (Çiudad de). Ciudad de Santo Domingo.—Ciudad capital de la isla del mismo nombre, ó la Española, fundada por don Bartolomé Colon, hermano del Almirante.

Sancto Domingo (Isla de).—Isla de Santo Domingo.—La Española.—Una de las cuatro grandes Antillas, y la primera que se pobló por Cristóbal Colon.

Santos.—Puerto de la antigua capitanía portuguesa de San Vicente; hoy de la provincia de San Paulo, en el Brasil.

Sibuyan.—Isla al E. de la de Tablas, en el Archipiélago Filipino. Pertenece al distrito de Cápiz.

Sierras Nevadas (Cordillera de las).—La cordillera de los Andes.

Simara.—Isla adyacente á la costa setentrional de la de Tablas (Archipiélago Filipino).

Soconusco (Provincia de).—Primero perteneció al obispado de Guatemala, y luego, á instancias de don fray Bartolomé de las Casas, obispo de Chiapa, se ordenó agregarla á esta última diócesis en 1545: hoy forma parte de la República mexicana.

Sombrerete.—V. *Minas del Sombrerete*.

Suchimilco.—*Xochimilco*. Jurisdiccion que limitaban las de Chalco, Cuyoacan y la laguna de Mexico, y pueblo del mismo nombre, con la advocacion de San Sebastian, distante unas tres leguas de la capital de la Nueva España.

Tabasco.—Tavasco.—Provincia y alcaldía mayor del gobierno de Yucatan, que confina por el Norte con el golfo de Campeche: el nombre de Tabasco se tomó del cacique ó señor que era de aquella tierra, cuando la descubrieron y entraron en ella los españoles al mando de Hernan Cortés, habiéndola conquistado el capitan Vallecillo en 1525.

Tablas (Isla de).—Perteneciente á la provincia de Cápiz, en el Archipiélago Filipino.

Tacachico.—Pueblo de indios, en términos de San Salvador, ciudad de la provincia de Guatemala, y hoy capital de República de su nombre.

Tacamachalco.—Pueblo de la Nueva España, que Hernan Cortés ofreció dar á los de Tlaxcala en pago de sus servicios.

Tacuscalco.—Pueblo de indios en la gobernacion y provincia de Guatemala.

Talco.—(L. Tasco.) — Provincia y alcaldía mayor de Nueva España, cuya capital, el Real de Minas de Tasco, á treinta leguas al Sur de Mexico, es hoy cabeza de la municipalidad y prefectura de su nombre, en el estado de Guerrero, de la República mexicana.

Tamacoças.—V. *Tamacoçies*.

Tamacoçies.—*Samacosís*, *¿Saramacosís?* Indios que habitaban las vertientes de la Cordillera al NO. del rio Guapay y en la vecindad de los Chiriguanos.

Tamaholipa.—V. *Tamaulipas*.

Tamanalco.—*Tlamanalco*. Pueblo, cabeza de partido de la alcaldía mayor de Chalco, á dos leguas al E. del mismo, y al pié de una sierra.

Tamaulipas.—Tamaholipa.—Pueblo de indios que, más tarde, con el nombre de *San Cárlos de Tamaulipa*, fué villa de la provincia y gobernacion de Sierra Gorda en la costa del Seno mexicano (Nueva España), fundada en 1763 de órden del virey marqués de Cruilles.

Tampico.—Provincia y alcaldía mayor en la Nueva España, cuya capital, llamada hoy *Pueblo viejo de Tampico*, está situada á la orilla de la laguna de su nombre: su antigua importancia, que principalmente consistia en la industria de salazon, pasó á la villa de Tampico de Tamaulipas, del canton de su nombre, departamento de Veracruz, de la República mexicana.

Tampoal.—*Tempoal*. Pueblo cabeza de partido de la alcaldía mayor de Tampico en Nueva España, á orillas de un caudaloso rio y nueve leguas al N. de la capital.

Tanchipa.—Pueblo de indios en la raya de los chichimecas, jurisdiccion de la villa de los Valles, en el arzobispado de Mexico.

Tarequato.—Pueblo de indios, con gobernador, alcalde y convento de San Francisco, situado á unas ocho leguas de su cabecera Periban, en la jurisdiccion de Xiquilpa, obispado de Michoacan, en la Nueva España.

Tascala.—V. *Tlaxcala*.

Tavasco.—V. *Tabasco*.

Taxo.—*Aparro*, *Cagayan*. Principal rio de la provincia que hoy lleva este último nombre en la isla de Luzon, del Archipiélago Filipino.

Tecpatlam.—Pueblo, capital de la provincia y alcaldía mayor de los Zoques, en la gobernacion de Guatemala.

Tecul.—Pueblo de indios de la gobernacion de Honduras; uno de los que tomó para sí en encomienda el adelantado don Francisco Montejo.

Teculutlan (Provincias de).—Así llama el obispo don fray Bartolomé de las Casas al territorio que se dijo despues de la Vera Paz.

Teçayula.—(L. Teçayuca.)—Acaso sea *Tenayuca*. Pueblo situado al NNE. de la villa de Tacuba, arzobispado de Mexico, en la Nueva España.

Teezcuco.—V. *Tezcuco*.

Telchac.—Pueblo de indios en el Yucatan, hoy del departamento del mismo nombre, partido de Motul, distrito de Izamal, en la República mexicana.

Teloloapa.—*Teloloapan*. Pueblo de la cabeza de partido de Escateopan y alcaldía mayor de Zacualpa, en la Nueva España; hoy cabeza de la municipalidad y partido de su nombre, prefectura de Tasco, estado de Guerrero, de la República mexicana.

Temascaltepec.—Temazcaltepeque. Pueblo y Real de minas de plata en la alcaldía mayor de Zultepec ó Lultepec, en la Nueva España, veintiseis leguas al O. de Mexico, y hoy cabeza de la municipalidad de su nombre, en el distrito de Lultepec, y estado de la capital, en la República mexicana.

Temazcaltepeque.—V. *Temascaltepec*.

Tenancingo.—*Tenanzinco*. Pueblo de la alcaldía mayor de Marinalco, en la Nueva España, hoy cabeza del partido de su nombre, distrito de Tulancingo, estado de Mexico, de la República mexicana.

Tenbues (Rio de los).—Debe ser el que hoy se conoce con el nombre de Salado; corre de NO. á SE., y desagua en el Paraguay, por los 33° ó 34° lat. aust.

Tenbues.—V. *Tinbues*.

TEOTENANGO. — *Teutenango del Valle.* Pueblo y curato del arzobispado de Mexico, en la Nueva España.

TEPEYACAC (PROVINCIA DE).—En la actualidad corresponde á la denominada de Tepeaca ó Segura de la Frontera, estado de Puebla, en la República mexicana.

TEPOÇOTLAN. — *Tepozotlan.* Pueblo de la alcaldía mayor de Cuautitlan, en Nueva España, donde tenia la Compañía de Jesus un magnífico colegio, casa de noviciado y estudios. Hoy existe allí un curato dependiente del arzobispado de Mexico, y el juzgado de paz del partido de Cuautitlan, departamento de Mexico, de la República mexicana.

TEQUANTEPEQUE. — GUANTEPEQUE. *Tecoantepec, Tehuantepec.* Voz india, que significa *lugar de tigres*, y se aplicó á la alcaldía mayor del mismo nombre, en la provincia y obispado de Oaxaca, en la Nueva España; la capital, llamada tambien Tehuantepec, se halla á treinta leguas al Norte de Mexico, y es la segunda ciudad del estado de Oajaca, de la República mexicana.

TEQUIXQUIAC.—*Santiago de Tequisquiac.* Pueblo de la alcaldía mayor de Zumpango en Nueva España.

TERRENATE.—*Ternate.* Isla, la principal y más importante de las Molucas, por su abundancia de clavo y otros artículos de especeria.

TETECA.—(L. TETELA.)—Así se llamaba la tercera parte del pueblo de Ocuytuco, que María de Estrada tenía en encomienda, y corresponde á Tetela del Volcan, cabeza de la alcaldía del mismo nombre, en Nueva España, veinte leguas al SE. de Mexico; hoy es de la municipalidad de Ocuytuco, partido de Morelos, en el distrito de Cuernavaca, departamento de Mexico, de la República mexicana.

TETICPAC.—*Tetipac.* Pueblo, cabeza de partido de la alcaldía mayor de Chichicapa, en la provincia y obispado de Oaxaca, de Nueva España; hoy de la municipalidad, partido y prefectura de Tasco, estado de Guerrero, en la República mexicana.

TEXCALTITLAN. — Pueblo que en la actualidad pertenece al municipio, partido y distrito de Sultepec, estado de Mexico, en la República mexicana.

TEXUL.—Territorio ó nacion de indios de la provincia de Yucatan.

TEZCATEPEQUE.—Quizá *Tezontepec.* Pueblo del partido de Tula, arzobispado de Mexico.

TEZCUCO.—TEEZCUCO.—*Tezcoco.* Ciudad, capital de la alcaldía mayor del propio nombre, en Nueva España, y una de las más populosas y célebres del Imperio mexicano, distante siete leguas al ENE. de Mexico.

TIERRA CALIENTE. — Llamábanse, y hoy se nombran tambien así, los llanos bajos y litorales de Veracruz y Tamaulipas, en la Nueva España.

TIERRA FIRME.—PROVINÇIA DE TIERRA FIRME. — Comprendia desde la mitad del golfo de Urabá ó del Darien hasta el cabo de Gracias á Dios. Llamóse primero Darien, Andalucía y Castilla del Oro.

TIERRA FIRME (PROVINÇIA DE).—V. *Tierra Firme.*

TINBUES. — TENBUES. — *Timbús.* Indios que habitaban, á orillas del Paraná, la comarca donde se fundó la ciudad de Santa Fé. Su nombre quiere decir nariz agujereada. Habia otros *Timbús* que se distinguian de los anteriores por su estatura agigantada y que poblaban las márgenes del rio Calcarañal.

TLACHICHILPA. — *San Mateo de Tlachichilpa.* Pueblo y cabeza de partido de la alcaldía mayor de Metepec, arzobispado de Mexico, en la Nueva España.

TLASCALA.—V. *Tlaxcala.*

TLASCALLA.—V. *Tlaxcala.*

TLAXCALA.—TLASCALA. —TASCALA. TLASCALLA. — TLAXCALLAN. — Ciudad, cabeza del obispado, provincia y alcaldía mayor de su nombre, en la Nueva España: fué fundada por una de las siete primitivas razas que poblaron en tierras de Mexico, los tlaxcaltecas, nombre que significa *gente de pan ó de mucho pan;* hállase situada á veintiuna leguas al E. de Mexico, y la provincia se extendia desde el mar del Norte al del Sur, en forma de triángulo curvilíneo y confinando con las provincias de Mexico y Oaxaca: es hoy territorio de la República mexicana.

TLAXCALLA.—V. *Tlaxcala.*

TLAXCALLAN.—V. *Tlaxcala.*

TLAXMALAC (SANTA ANA DE). Pueblo del partido y alcaldía mayor de Iguala, en Nueva España.

TOLCAYUCA.—Pueblo de la alcaldía mayor de Pachuca, en Nueva España, hoy de la municipalidad de Tizayuca, partido de Pachuca, distrito de Tulancingo, estado de Mexico, de la República mexicana.

TOLEDO (GOUERNAÇION DE NUEVA). V. *Nuevo Reino de Toledo.*

TOLEDO (NUEBO REYNO DE).—V. *Nuevo Reino de Toledo.*

TRUGILLO (ÇIBDAD DE).—V. *Truxillo.*

TRUXILLO.—ÇIBDAD DE TRUGILLO. *Trujillo, Chimu.* Capital de la provincia y corregimiento del propio nombre, en el Perú, ochenta leguas al Norte de Lima. La fundó el gobernador don Francisco Pizarro, en 1535, y fué erigida en cabeza de obispado, sufragáneo del de Lima, en 1609. Hoy es capital de la provincia de su nombre en el departamento de la Libertad, de la República peruana.

TUCHIPA (RIO DE).—Así se llamaba á uno de los afluentes al de Pánuco.

TUCMA.—V. *Tucuman.*

TUCUMAN.—TUCMA.—*Tucutma.* Extensa region, en un principio, con límites poco marcados por su parte setentrional y por la oriental y meridional lindante con el Paraguay. Constituida en provincia del vireinato peruano y despues del de Buenos Aires, tuvo por límites, al N. las provincias de Chichas y de Lipes del Perú, de NO. á O. la de Atacamez y al O. y SO. la de Cuyo, de la gobernacion de Chile. Su capital San Miguel de Tucuman.

TUMBEZ.—*Túmbez, Túmpiz.* Puerto y poblacion indígena en la costa setentrional del antiguo imperio de los Incas, despues del corregimiento de San Miguel de Piura y hoy el puerto más setentrional de la República peruana.

TUNO.—*Tonu, Tunu.* Pequeña provincia ó territorio del Perú, al Levante del Cuzco, en los Andes.

TUPIS.—*Tupís.* Indios que habitaban las costas meridionales del Brasil, en la provincia ó capitanía de San Vicente, de cuyo territorio habian echado antiguamente á los *Guaranís.* Su nombre, que alude á la costumbre de tonsurarse como los frailes, significa *trasquilado.*

UBAY.—HUBAY.—*Guaybay, Ibaxiba, Ubaí.* El rio descrito con aquel nombre por Alcedo (*Dic. H. G.*), y figurado en los mapas modernos, corre de SO. á NE. á unirse con el Iténes, que desemboca en el Madera. Es, por tanto, imposible bajar por él al rio Paraná, como se dice en el texto que lo hizo Hernando de Salazar (Carta XCVII, página 576). El que este capitan siguió hasta salir al Paraná, es el Ibahy, cuyas fuentes se hallan entre las sierras *Dos Agudos* y *Esperanza,* en la provincia de Guayrá, hoy Curutiva, en el Brasil, y que, corriendo de SE. á NO., desemboca en el Paraná, por los 23° 30′ lat. aust. — Su verdadero nombre en guaraní es *Huibaí,* que quiere decir *Rio de las Cañas bravas.* Es tan abundante de pescado, que los portugueses le llamaron por esto *Rio de los peces.*

UCAY.—V. *Lucay.*

ULUA (PUERTO DE SANCT JUAN DE). *Puerto de Veracruz.* V. *Veracruz.*

VALLADOLID.—Villa y despues ciudad en la península y gobierno de Yucatan, fundada el año 1543 por Francisco de Montejo, el mozo, en un sitio llamado Choaca ó Chava Chaa.

VALLE DE VANDERAS.—Cerca de Compostela (V.), en la Nueva Galicia, así llamado porque salian 3.000 banderas de gente la primera vez que lo conocieron los españoles, por los años de 1539; veinte despues, su poblacion quedó reducida á trescientos hombres.

VALLES (VILLA DE LOS). — Capital de la alcaldía mayor de Valles, situada á ciento cuarenta leguas al N. de Mexico: hoy es juzgado del partido de su nombre, departamento de Mexico.

VAXACA.—V. *Oaxaca*.

VENEÇUELA. — *Venezuela*. Tierra descubierta por Alonso de Ojeda en 1499, despues gobernacion y provincia del Nuevo Reino de Granada; hoy República de su nombre.

VERACRUZ. — LA VERA CRUZ. PUERTO DE LA VERACRUZ. — BERA CRUZ.—Villa fundada por Hernan Cortés, en 1519, con el nombre de Villarica de la Veracruz. A los dos ó tres meses de su fundacion se pasó al sitio de *Quiahuiztlan*, permaneciendo allí hasta el año de 1523 ó 1524 en que se mudó á la orilla izquierda del rio Huitzilapan ó de Canoas, donde estuvo hasta el año 1599, que el conde de Monterey la volvió á su primitivo asiento. En la actualidad, Veracruz es capital del estado de este nombre, en la República mexicana.

VERA CRUZ (LA).—V. *Veracruz*.

VERACRUZ (PUERTO DE LA).—V. *Veracruz*.

VERA PAZ (PROVINÇIAS DE LA).—De la gobernacion de Guatemala, confinantes con las de Yucatan, Guatemala, Chiapa y el golfo de Honduras; hoy provincia de la república de Guatemala.—V. *Teculutlam*.

VILCAS. — Pueblo de la provincia y corregimiento de Vilcas Huaman, en el Perú, confinante por el N. con términos de Huamanca ó Guamanga, de la que dista veinte leguas.

VILCAS (ASIENTO Ó ASYENTO DE). Pueblo indio en la comarca de su nombre, que despues entró en la provincia de Vilcas Huaman.

VILLARICA.—*Villarica de la Veracruz*. V. *Veracruz*.

VITIS Y LAU.—Uno de los principales repartimientos en Filipinas, pretendido por el general Miguel Lopez de Legaspi, y que se propuso al Rey lo concediese al contador su hijo.

VITORIA (VILLA DE LA).—V. *Santa Maria de la Bitoria*.

XALAPA.—*Jalapa*. Ciudad, capital de la alcaldía mayor del propio nombre, en la Nueva España, á unas cincuenta y nueve leguas al ENE. de Mexico, en terreno gredoso y de arena menuda, con manantiales, de donde recibió su denominacion, tomada de la voz india *Xalapan*, que significa *lugar de agua y arena;* hoy es cabecera del canton del mismo título, departamento de Veracruz, de la República mexicana.

XALISCO. — *Jalisco*. Provincia ó gobernacion de la Nueva Galicia, que conquistó en 1531 Nuño de Guzman; hoy constituye el estado del mismo nombre en la República mexicana.

XARAYES. — XARIES. — *Jarayes, Orejones*. Indios poblados sobre el rio Paraguay, unas sesenta leguas al N. de la isla de los Orejones ó de Paraiso, á cosa de trescientas leguas de la Asuncion, en un terreno anegadizo, donde por mucho tiempo se ha creido que existia la llamada laguna de los Jarayes. Divídianse en dos tribus, los *Perabazanes* y *Maneses:* era gente fiel, dócil y de orígen peruano.

XARAYES (TIERRA DE LOS). — V. *Xarayes*.

XARIES.—V. *Xarayes*.

XAUXA (ASIENTO DE). — Donde despues se fundó la ciudad así llamada, capital de la provincia del mismo nombre, del vireinato y hoy república del Perú. V. *Xauxa* (*Provinçia de*).

XAUXA (PROVINÇIA DE). — *Provincia de Sausa*, ó *de Jauja*. Comarca situada en la sierra del Perú, al E. de Lima, cuya amenidad y abundancia han llegado á ser proverbiales. Extiéndese de N. á S. con variable anchura, en un espacio de ciento veinte leguas, entre las ramas oriental y occidental de la Cordillera: es muy poblada, aunque no tanto como en los tiempos anteriores á la Conquista: fué provincia y corregimiento del vireinato, y al presente es provincia del departamento de Junin, en la república del Perú.

XAUXA (VALLE DE).—Comarca en la sierra del Perú, que mide veinte leguas de largo de N. á S., desde La Oroya hasta Iscuchaca, y de dos á cuatro de ancho, donde estaba comprendida la provincia del mismo nombre.—V. *Xauxa (Provinçia de)*.

XICALANGO.—Territorio por donde corre el rio del propio nombre en la alcaldía mayor de Tabasco, en Yucatan.

XIMULTEPEQUE. — Tercera parte del pueblo de Ocuytuco, encomendada á Alonso de Escobar.—V. *Ocuytuco*.

XIQUIPILCO.—V. *Chiquipilco*.

XOCOTITLAN.—Pueblo, cabeza de partido de la alcaldía mayor de Metepec, en Nueva España.

YAGUALICA.—*Yahualica*. Pueblo, cabeza de partido de la alcaldía mayor de Cuquio, en la Nueva España, hoy juzgado de paz del partido de su nombre, departamento de Mexico, de la República mexicana.

YANGUITLAN.—*Yanhuitlan*. Pueblo, cabeza de partido en la alcaldía mayor de Tepozcolula, en la Nueva España, sesenta y dos leguas al Oriente, inclinada al S. de Mexico: hoy cabecera de partido de su nombre, en el distrito de Tepozcolula, departamento de Oajaca, de la República mexicana.

YBABAO.—Acaso se refiera el texto á la isla de *Libagao*, que se encuentra á los 12° 12′ de lat. aust., entre las de Mindoro y Semerara, del Archipiélago Filipino; pues examinados los mejores mapas y memorias modernas referentes á esa region, no existe el nombre de Ybabao.

YNDIA (LA).—La India oriental.

YNDIAS DEL OÇEANO.—Las Américas ó la América.

YNDIAS.—LAS YNDIAS.—La América, Las Américas.

YPETI (EL).—YPITI.—RIO DE YPITI.—*Ipetí*, *Ipití*. Debe ser el que Alcedo describe con el nombre de Ipatimí, y que no puede ménos de referirse al Bermejo ó Grande, así porque es uno de los rios de más consideracion que bajan de las sierras meridionales del Perú á reunirse con el Paraguay, y por donde podian comunicarse ámbos territorios, como porque desagua cuarenta leguas más abajo de la Asuncion, que es donde el clérigo Martin Gonzalez sitúa su desembocadura. — (V. nota 101.)

YPITI.—V. *Ypeti (El)*.

YPITI (RIO DE).—V. *Ypeti (El)*.

YTABUCA (RIO DE).—*Itabucá*, *Tapucá*, *Itabucú*, *Itapicú*, *Itapicú mirí*. Corre por la provincia de *Santa Catherina*, en el Brasil. Nace en el confin de la de San Paulo, sigue hácia el E. y desagua en el Atlántico, un poco al S. de la isla de San Francisco, despues de un curso de veinte y cuatro leguas.—Hay tambien otro rio inmediato á éste que se llama Itapicú guassú.

YTATIN (PROVINCIA DE).—Situada en terreno anegadizo y pedregoso, junto al rio Paraguay, hácia los 20° lat. aust. La exploró el año de 1553 Domingo Martinez de Irala. Sus habitantes, llamados itatines, tenian su asiento á treinta leguas de Santa Cruz de la Sierra, cerca de los campos de Xerez, desde el Paraná hasta la cordillera de Maracajú. La insalubridad del clima y la costumbre que entre ellos prevalecia de precipitarse de una roca para acompañar al sepulcro á sus parientes inmediatos, eran causas poderosas de destruccion para estos indios, á las que se agregó el atentado de un clérigo portugués que, so color de convertirlos al cristianismo, los reunió para venderlos como esclavos. A fuerza de celo y constancia, los jesuitas lograron fundar entre ellos las doctrinas de San José, Santa Inés, San Pedro y San Pablo, que gozaban de prosperidad, cuando en 1632 una brusca invasion de indios *mamalucos* y *tupís* las destruyó en un instante. Desde entónces la provincia de Itatin ha quedado yerma é inculta.

YÇALCO.—*Izalco*. «En esta çibdad ay

»dos pueblos: el vno se llama Yçalco,» dice textualmente el obispo Marroquin en su carta al Emperador, de Guatemala 20 de setiembre de 1547. El único pueblo de ese nombre que conocemos, está situado en la actual república de San Salvador, junto á la ciudad de Sonsonate, inmediato al activo volcan de aquel mismo nombre.

YUCATAN.—Península de la Nueva España; hoy es estado de la República mexicana.

ZACATECAS.—ÇACATEAS.—Provincia y alcaldía mayor de Nueva Galicia, y obispado de Guadalajara, con la capital, del mismo nombre, situada á unas ciento veinticinco leguas al ONO. de Mexico y en la inmediacion de las ricas minas de plata que descubrió Juan de Tolosa, uno de sus primeros pobladores. Hoy es departamento de la República mexicana.

ZACATULA. — Antigua jurisdiccion y alcaldía mayor de la provincia y obispado de Michoacan, en la Nueva España, cuya capital era el pueblo denominado tambien Zacatula.

ZAPOTECA. — ZAPOTECAS.—ÇAPOTECA. Territorio de indios situado en la division meridional del istmo de Tehuantepec, cuya capital era Teczapotan. La raza de los Zapotecas superaba á las demás indias en inteligencia, cultura y fuerza. En medio de unas altas y ásperas montañas de dicho territorio, fundó el tesorero Alonso de Estrada la ciudad á que puso el nombre de San Ildefonso de los Zapotecas, para servir de base á las operaciones de la conquista de los indios zapotecas y mixes, entre cuyas dos naciones se hallaba, y que eran entre sí capitales enemigos: la ciudad mencionada de San Ildefonso se incendió en el año 1580, quedando completamente destruida.

ZUBU.—V. *Çubu.*